Blick vom Schloßberg auf das Freiburger Münster.

COMPLETE
COLLEGE GERMAN

COMPRISING

A GERMAN GRAMMAR FOR BEGINNERS

AND

A GRAMMAR REVIEW

By

ERICH HOFACKER
Washington University

AND

RICHARD JENTE
University of North Carolina

D. C. HEATH AND COMPANY

BOSTON   NEW YORK   CHICAGO   LONDON
ATLANTA   SAN FRANCISCO   DALLAS

PRINTED IN THE UNITED STATES OF AMERICA

PREFACE

IN OUR COLLEGES and universities the two-year language course has become generally accepted today as the standard. This book has been prepared as a basic grammar for such a course. It comprises two parts: a grammar for beginners and a review grammar. The student continues his grammar review on a foundation already familiar to him.

In contrast with many brief German grammars, this text supplies reading material and exercises sufficient to satisfy the varied demands of individual teachers. The entire book can be completed in from two to three semesters; most users will not find it necessary to introduce a collateral beginners' reader.

That the book is designed for college students does not imply that the presentation of grammar is especially advanced or difficult, but rather that the reading material and exercises have been constructed to appeal to mature minds. The style of the texts progresses gradually in difficulty until it reaches regular literary style in the final lessons of Part Two.

The *reading material* of each lesson amply illustrates the grammatical phenomena presented. It is so arranged that it avoids giving the impression of being concocted. In each lesson a limited number of new words is progressively introduced. Repetition of the new words and the grammatical principles from lesson to lesson is designed to enlarge gradually the student's knowledge of vocabulary and grammar.

The *vocabulary*, with very few exceptions, is based on the *Minimum Standard German Vocabulary* edited for the A.A.T.G. by Wadepuhl and Morgan. There are two groups of new words for each lesson: the *active* and the *passive* vocabulary. The active vocabulary represents approximately 95% of the words that are marked in the A.A.T.G. list as a minimum requirement for the first college year.

The *principles of grammar* have been presented on the basis of the practical usage of the language, and here there are several departures from the traditional presentation. Grammatical phenomena are brought out by means of carefully chosen concise examples.

The *grammatical exercises* do not require disconnected grammatical forms, but stress grammatical drill in complete sentences. These are based on the vocabulary of the lessons just preceding, thus insuring a systematic vocabulary drill along with the grammatical drill. Frequently two or more operations have to be performed by the student in one sentence, which keeps him on the alert and is an indispensable preparation for a correct use of the foreign tongue.

The *written translation* is a final test of the student's mastery of the grammar. This should not be attempted until he has thoroughly digested the lesson. It is presented as a connected text, which enhances the student's interest and gives him confidence in his eventual mastery of the language.

The *supplementary reading* consists of anecdotes and poems. The anecdotes lend themselves as a basis for conversation, and may be used profitably in "direct method" teaching. Many of them deal with well-known historical figures and have not appeared previously in German textbooks. The self-imposed limitation of vocabulary has restricted somewhat the choice of poems. The vocabulary of the supplementary reading is listed separately. It may, therefore, be omitted without interruption to the vocabulary building of the regular reading texts.

Teachers who use German script in their classes will be interested to learn that the Sütterlin script has recently been introduced officially into all German schools.

The book has been thoroughly tested in mimeograph form by three different instructors in several classes at Washington University.

In the presentation of grammar the authors have drawn upon many years of experience with various books, but in particular they are indebted for some features to the grammars of Heffner and of Morgan and Mohme, both published by D. C. Heath and Company. For certain reading texts suggestions have been taken from Jockers' excellent reader *Die Deutschen, Ihr Werden und Wesen.*

To several colleagues we express our gratitude for help received. Professor Erle Fairfield, of the University of Pittsburgh, has carefully perused the manuscript and made many helpful suggestions. Dr. Theodore H. Leon has given assistance in proofreading, and Dr. Walter Rist also has offered much constructive criticism. To the editorial staff of D. C. Heath and Company we owe our thanks not only for help in supplying the maps and pictures, but especially for constant aid and advice during the printing of the book.

E. P. H.
R. J.

TABLE OF CONTENTS

PART II

ILLUSTRATIONS

INTRODUCTION

I. THE ALPHABET

The German letters which are listed below are still widely used in German print. The Roman letters employed in English printing are found especially in German books of a scientific nature. Both the Roman script, which is used in English, and the German script are taught in the German schools, but the use of the German script is emphasized.

The student should learn to refer to the German alphabet by the German names given below.

ROMAN FORM		GERMAN FORM		GERMAN SCRIPT		GERMAN NAME
A	a	𝕬	𝖆			ah
B	b	𝕭	𝖇			ba(y) *
C	c	𝕮	𝖈			tsa(y) *
D	d	𝕯	𝖉			da(y) *
E	e	𝕰	𝖊			a(y) *
F	f	𝕱	𝖋			eff
G	g	𝕲	𝖌			ga(y) *
H	h	𝕳	𝖍			hah
I	i	𝕴	𝖎			ee
J	j	𝕵	𝖏			yot

* Pronounce without diphthongal glide to *i* (or *u* in *oh*).

Roman Form		German Form		German Script		German Name
K	k	𝔎	𝔨			kah
L	l	𝔏	𝔩			ell
M	m	𝔐	𝔪			emm
N	n	𝔑	𝔫			enn
O	o	𝔒	𝔬			oh *
P	p	𝔓	𝔭			pa(y) *
Q	q	𝔔	𝔮			koo
R	r	𝔜	𝔯			err (as in *error*)
S	s	𝔖	ſ ß			ess
T	t	𝔗	𝔱			ta(y) *
U	u	𝔘	𝔲			oo
V	v	𝔙	𝔳			fow (as in *fowl*)
W	w	𝔚	𝔴			va(y) *
X	x	𝔛	𝔵			iks
Y	y	𝔜	𝔶			ipsilon
Z	z	ℨ	ʒ			tset

* Pronounce without diphthongal glide to *i* (or *u* in *oh*).

Modified Vowels

𝔄	ä	a-Umlaut
𝔒	ö	o-Umlaut
𝔘	ü	u-Umlaut
𝔄u	äu	au-Umlaut

Distinguish carefully between the letters 𝔄 and 𝔘, 𝔅 and 𝔙, ℭ and 𝔈, 𝔑 and 𝔯, c and e, f and ſ, r and x.

𝔍 is used as capital for i and j. If 𝔍 is followed by a vowel, it stands for capital j, e.g. 𝔍ahr (year); if it is followed by a consonant, it stands for capital i, e.g. 𝔍nſel (island).

Note that for small s German has a round form s which is used at the end of a stem-syllable or at the end of a word, for instance, 𝔐aske (mask), es (it), otherwise the long form ſ is used, e.g. iſt (is), ſind (are).

The following combinations of letters are printed as one character:

ch   ck   ſz   tz

Double s (ſſ) is used only between two vowels when the preceding vowel is short, otherwise ß must be used, for instance:

𝔚äſſer (water)	𝔖träße (street)
𝔐äſſe (mass)	𝔐äße (measures)
𝔕öſſe (horses)	größ (great)
𝔕üſſe (Russian)	𝔉üß (foot)

When German is written in English script ss may be used for both ſſ and ß. There is no difference in pronunciation between ſſ and ß.

German has only two silent letters: e, in the combination ie, and h after vowels. When so used, e and h indicate that the preceding vowel is long, for instance: 𝔅iene (bee), 𝔏iebe (love), fahren (to travel), 𝔈hre (honor), ihn (him), 𝔖ohn (son), 𝔘hr (clock). In a few words of Latin derivation the e after the i is sounded: 𝔉amilie (four syllables, family).

II. PRONUNCIATION

There is a distinct difference in German between a long and a short vowel; a short vowel is pronounced quickly, a long vowel is prolonged. The following rules are helpful in determining the length of a German vowel:

1. A vowel is short when followed by a consonant that is doubled, for instance: dann (*then*), essen (*eat*), offen (*open*), Lippe (*lip*), Mutter (*mother*).

2. A vowel is long when doubled or followed by h in the same syllable: Bahn (*path*), Paar (*pair*), mehr (*more*), See (*lake*), ihr (*you*), tief (*deep*), Sohn (*son*), Boot (*boat*), Uhr (*clock*). Note that i and u are never doubled.

3. Usually a vowel followed by one consonant is long, followed by more than one consonant it is short, *e.g.*:

Nāme (*name*)	Mōde (*fashion*)
Tănte (*aunt*)	Ŏsten (*east*)
gēben (*to give*)	rūfen (*to call*)
Fĕnster (*window*)	Bŭrg (*castle*)

4. A long stem vowel remains long even if one or more consonants are added in the course of inflection:

ich rūfe, du rūfst, er rūft, *I call, you call, he calls.*

The exact quality of the German sounds can be imparted only by oral instruction. Therefore, the English vowels which are given below to illustrate the German sounds can only be approximations.

A. The Simple Vowels

In English the vowels have a "diphthongal glide," in German they are pure, *i.e.* the lips and the tongue are kept in the one position while the sound is being pronounced. Compare:

lame	and	Lehm (*clay*)	*Rome*	and	Rom
gate	and	geht (*goes*)	*loan*	and	Lohn (*reward*)
fay	and	Fee (*fairy*)	*note*	and	Not (*distress*)

cure	and	Kur (*cure*)
mute	and	Mut (*courage*)

1. **a** is like *a* in *father*. Long a differs from short a only in duration.

LONG	SHORT
da (*there*)	dann (*then*)
Name (*name*)	Land (*country*)
Jahr (*year*)	fast (*almost*)

2. **e** when long is like *a* in English *gate* (without diphthongal glide); when short it is like *e* in English *set*.

LONG	SHORT
See (*lake*)	retten (*to save*)
nehmen (*to take*)	nennen (*to name*)
eben (*just now*)	Fenster (*window*)

Unstressed e corresponds to the unaccented vowel in such words as *comma, ago*.

3. **i** when long is like *ee* in *sleep;* when short it is like *i* in *fit*.

LONG	SHORT
ihn (*him*)	mit (*with*)
liegen (*to lie*)	finden (*to find*)
Risiko (*risk*)	ist (*is*)

4. **o** when long is like *o* in *noble* (without the diphthongal glide); when short it is like *o* in *obey*.

LONG	SHORT
Boot (*boat*)	hoffen (*to hope*)
ohne (*without*)	oft (*often*)
Sohn (*son*)	kommen (*to come*)
Brot (*bread*)	Gott (*God*)

5. **u** when long is like *oo* in *shoot;* when short it is like *oo* in *foot*.

LONG	SHORT
gut (*good*)	Mutter (*mother*)
Fuß (*foot*)	Mund (*mouth*)
Ruhm (*fame*)	Brust (*breast*)

B. Umlaut-Vowels

Umlaut denotes a change of vowel, *viz.:* a — ä; o — ö; u — ü; au — äu.

1. **ä** when long is like *a* in *share;* when short it is like *e* in *set.*

Long	Short
spät (*late*)	Gäste (*guests*)
Kähne (*canoes*)	Hände (*hands*)
Häfen (*harbors*)	Fässer (*kegs*)

2. **ö** has no similar sound in English. To produce it let the mouth assume the position to pronounce German long o and then pronounce German long e; short ö is pronounced correspondingly with German short o and German short e. Distinguish between: Hefe and Höfe, Heere and höre, Sehne and Söhne, bete and böte, lege and löge, flehe and flöhe, lesen and lösen.

Long	Short
öde (*desolate*)	öffnen (*to open*)
König (*king*)	Götter (*gods*)
mögen (*to like*)	können (*to be able*)
tönen (*to sound*)	Spötter (*mockers*)

3. **ü** is produced in a similar way. Let the mouth assume the position to pronounce German long u and then pronounce German long i in order to obtain long ü; short ü is pronounced correspondingly with short u and short i. Pronounce the following words: Biene — Bühne, dienen — Dünen, Kiefer — Küfer, sieben — Süden, Tiere — Türe, Riemen — rühmen, Miete — Mythe,* bitten — Bütten, Kinder — Künder.

Long	Short
Bühne (*stage*)	dünn (*thin*)
früh (*early*)	Hütte (*hut*)
gütig (*kind*)	küssen (*to kiss*)
kühn (*bold*)	Sünde (*sin*)

* In words borrowed from the Greek the y is usually pronounced like ü.

C. The Diphthongs

1. **ei** (in a few words spelled ai, ay, ey) resembles *i* in *fine*.

Examples: nein (*no*), reif (*ripe*), beide (*both*), Mai (*May*), Bayern (*Bavaria*), Meyer.

2. **au** resembles *ou* in *house*. *or ow in English*

Examples: aus (*out*), kaufen (*to buy*), Baum (*tree*).

3. **eu** (in some words spelled äu), a combination of short o and ü, resembles *oy* in *toy*.

Examples: neu (*new*), heute (*today*), Freund (*friend*), teuer (*dear*), Bäume (*trees*), Gebäude (*building*).

D. The Consonants

The German consonants that require most attention are: l, r, ch.

1. **l** is produced while the front of the tongue is pressed firmly against the upper teeth and palate. There is no hollow at the point of the tongue as with English *l*. The back of the tongue is low.

Examples: lang (*long*), leben (*to live*), liegen (*to lie*), Ball (*ball*), Saal (*large room*), kalt (*cold*), fehlen (*be missing*), bilden (*to form*), folgen (*to follow*), null (*zero*), Teil (*part*), Müller (*miller*).

2. **r** is pronounced either by tapping the tip of the tongue against the upper gums, this is the lingual r, or by the vibration of the uvula, *i.e.* the pendent part of the soft palate, this is the uvular r. To produce the lingual r the tongue must be tense, its back low, its tip raised and put into rapid vibration. In producing the uvular r, which is more common, the tongue lies flat, while the outgoing air makes the uvula flutter. The lingual r, being easier to produce, is recommended for the beginner.

Examples: Bruder (*brother*), früh (*early*), groß (*great*), treu (*faithful*), Arbeit (*work*), ernst (*earnest*), Herr (*gentleman*), Raum (*space*), reiten (*to ride on horseback*).

3. ᛰ is pronounced differently according to the vowel preceding. The so-called aᛰ=sound is used after the vowels a, o, u, and au, while the iᛰ=sound appears after all other sounds. The suffix –ᛰen always uses the iᛰ=sound.

(*a*) To produce the iᛰ=sound whisper *hue*, then prefix a short *i* to the word and drop the *ue*. Do not stop the outgoing breath and do not close the teeth while pronouncing the iᛰ=sound.

Examples: iᛰ (*I*), niᛰt (*not*), leiᛰt (*light*), freᛰ (*fresh*), rieᛰen (*to smell*), läᛰeln (*to smile*), feuᛰt (*moist*), Milᛰ (*milk*), Märᛰen (*fairy tale*), manᛰer (*many a*).

(*b*) The aᛰ=sound is produced by pronouncing *a* and raising the back of the tongue until a rubbing sound is obtained. Do not stop outgoing breath.

Examples: maᛰen (*to make*), Saᛰe (*thing*), Naᛰt (*night*), doᛰ (*nevertheless*), Koᛰ (*cook*), Buᛰ (*book*), Kuᛰen (*cake*).

(*c*) In some words coming from the Greek, initial ᛰ is pronounced like *k:* Charakter, Chor (*chorus*), Christ.

(*d*) ᛰs is pronounced like *ks:* feᛰs (*six*), waᛰsen (*to grow*).

NOTE: In the following only those consonants are discussed which differ in their pronunciation from the corresponding English sounds. There are in English and in German consonants that are voiced and others that are voiceless. If the vocal chords vibrate while the consonant is being pronounced, the consonant is voiced. Thus English *z* is voiced while English *s* is usually voiceless.

4. b, d, g are pronounced voiced as in English, but at the end of a syllable, or of a word, or before a voiceless consonant they are pronounced voiceless, *i.e.* like English *p, t, k.* Examples:

Voiced: gebunden (*bound*), begleiten (*to accompany*), dringen (*to enter by force*), Gebäude (*building*), bedrohen (*to threaten*).

Voiceless: abnehmen (*to decrease*), hinab (*down*), übt (*exercises*), südlich (*southern*), und (*and*), sagt (*says*), Tag (*day*).

Final –ig is pronounced like –if in South Germany and Austria, elsewhere it is pronounced like –ich: König (*king*).

5. c is used in a few foreign words; in German words it appears only in the digraphs ch and ck. The latter stands for ff after a short vowel and is pronounced like English *k:* Rücken (*back*).

6. j is pronounced like English *y* in *yes:* je (*ever*), Jahr (*year*).

7. ng is pronounced like *ng* in *singer* and not like the *ng* in *finger:* eng (*narrow*), Finger (*finger*), jung (*young*).

8. pf is p + f pronounced as one sound: Pfennig (*penny*), Pferd (*horse*).

9. qu is like English *kv:* Quelle (*source*), quer (*diagonally*).

10. s when followed by a vowel is voiced like English *z:* sehr (*very*), Sohn (*son*), lesen (*to read*), reisen (*to travel*). When followed by a t or p at the beginning of a word or of a syllable, s is pronounced like *sh* in English: Stadt (*city*), still (*quiet*), Straße (*street*), spät (*late*), Spiel (*play*). Otherwise it is pronounced like English initial *s:* fast (*almost*). ff and ß are like English initial *s:* Masse, Straße. sch is pronounced like English *sh* except that the lips are slightly more rounded: scheinen (*to seem*).

11. th, now used only in foreign words, is pronounced like *t:* Theater.

12. v is like English *f;* except in some foreign words it is pronounced as in English.

Examples: v = f: Vater (*father*), Volk (*nation*)
v = v: Violine (*violin*), November

13. w is like English *v:* wann (*when*), wer (*who*), Löwe (*lion*).

14. x is like English *ks:* Axt (*hatchet*), Max (proper name).

15. z is like English *ts* in *its:* Zahl (*number*), zehn (*ten*), Arzt (*physician*).

16. *The glottal stop* is used by many Germans before ac-

cented initial vowels. It is a momentary stopping of the breath before the vowel is pronounced to prevent linking of words. It is not expressed in print. In the following sentence the glottal stop is used before each word:

Unfer alter Onfel ift auf. *Our old uncle is up.*

III. ACCENT

In German as in English the word is stressed on the root syllable which is commonly the first syllable unless there is an unstressed prefix. Words of more than two syllables may have a primary stress (´) and a secondary stress (`), for instance: Augenblick (*moment*), Apfelfine (*orange*). In compound nouns and compound adjectives the first element is stressed: Haustür (*front door*), hellrot (*light red*), while compound adverbs usually stress the second syllable: hinauf (*upward*), voraus (*ahead*), darin (*in it*). Words of foreign origin usually stress the last or next to last syllable: Demokrat, Charakter.

IV. CAPITAL LETTERS

There are important differences between English and German in the use of capital letters:

1. All nouns and words used as nouns must be capitalized.

2. The pronoun Sie (*you*) and its possessive Ihr (*your*) (in letters also the pronouns Du and Ihr and their possessives Dein and Euer) have capital letters.

3. The pronoun ich (*I*) is not capitalized.

4. Adjectives denoting nationality do not commonly begin with a capital: die deutsche Sprache (*the German language*).

V. SYLLABICATION

German words are divided in accordance with the following rules:

1. A single consonant between two vowels goes with the following syllable: Ba=ter (*father*), ge=ben (*to give*).

2. Of two or more consonants, including double consonants, only the last is carried over: Tan=te (*aunt*), Mut=ter (*mother*), Er=be (*heir*), Erb=fe (*pea*).

3. ch, sch, ß, st are never divided: ma=chen (*to make*), Men=schen (*people*), Stra=ße (*street*), Fen=ster (*window*).

4. ck is resolved into kk, but printers try to avoid this division.

5. Compound words are divided into their component parts. This applies also to prefixes: Haus=freund (*friend of the family*), ver=eint (*united*).

VI. PUNCTUATION

The following differences in punctuation should be observed:

1. All subordinate clauses including relative clauses must be separated from the principal clause by a comma: Dies ist das Haus, das Sie sahen. *This is the house that you saw.*

2. Every infinitive phrase with a modifier is set off by a comma: Ich habe keine Zeit, ihn zu sehen. *I have no time to see him.*

3. No comma is used before und unless what follows is a complete sentence with subject and verb. Compare: Ich habe kein Geld, und er hat auch keins. *I have no money and he has none either.* Ich habe kein Geld und kann nicht kommen. *I have no money and cannot come.*

4. aber corresponding to *however* is not set off by commas: Er hat aber kein Geld. *He has, however, no money.*

5. The exclamation point is used more freely, especially after imperatives: Karl, komm zu uns! *Charles, come to us;* also after the salutation in letters: Liebe Mutter! *Dear mother.*

6. Quotation marks are as follows: „Komm herein!" sagte er. *"Come in!" he said.*

RELATIONSHIP BETWEEN THE ENGLISH AND GERMAN LANGUAGES

The student will readily recognize that there is a close relationship between German and English. Both languages are fundamentally Germanic, that is, they are offshoots of the original language, from which also descended the Dutch, Danish, Swedish, Icelandic, and Norwegian. Based on the most ancient forms of these languages it has been possible to construct a hypothetical pre-Germanic language, which in turn is one of the several branches of the so-called Indo-European languages, comprising Indic, Iranic, Hellenic, Italic, Slavic, Baltic, Celtic, etc. For example, the English word *brother* is obviously related to German Bruder, Latin *frater*, Greek φράτηρ, etc.

The reason for the close relationship between German and English is due to the fact that in the fifth century Germanic tribes migrated from northwestern Germany to England and here maintained their language for several centuries as a pure Germanic language until the age of William the Conqueror (1066), when the great influx of Romance (or French) elements began to give the English language the aspect of the hybrid language that it is today.

The strong Germanic element in English is evident in many of the simplest nouns, verbs, and adjectives. The following cognates are alike in form and meaning, but not in pronunciation: Arm, Ball, Band, Bank, Finder, Finger, Gold, Hand, Hunger, Land, Name, Nest, Ring, Stall, Wind, Winter; golden, still, wild. Except for an additional syllable –en, the following verbs are similar: binden, bringen, fallen, finden, hangen, senden, singen, sinken, spenden, springen.

Many words are nearly similar in form and meaning: Apfel (*apple*), Beere (*berry*), Biene (*bee*), Bohne (*bean*), Blut (*blood*), Busch (*bush*), Haar (*hair*), Kohle (*coal*), Kuh (*cow*), Lippe (*lip*), Nase (*nose*), Ende (*end*), Wolle (*wool*), Feld (*field*),

Maus (*mouse*), Schwein (*swine*), Feuer (*fire*), Freund (*friend*), Herde (*herd*); irren (*to err*), backen (*to bake*); rund (*round*), frisch (*fresh*), *etc.*

After the Germanic peoples had settled in England in the fifth and sixth centuries, the South German language began to undergo certain consonant changes which eventually made it a language distinctly different from that of North Germany. These changes gradually spread northward from the mountain areas in South Germany into regions in Central Germany, where the modern German literary language later developed.

These changes involved particularly certain consonants, of which a few examples are given below: *

1. Germanic b developed to High German t:

beard (Bart), *daughter* (Tochter), *day* (Tag), *dead* (tot), *dew* (Tau), *do* (tun), *dream* (Traum), *drink* (trinken), *fodder* (Futter), *garden* (Garten), *hide* (Haut), *good* (gut), *red* (rot), *under* (unter), *etc.*

2. Germanic t developed to High German (*a*) s (written s, ff, ß) or (*b*) ts (written z or tz):

(*a*) *foot* (Fuß), *eat* (essen), *bite* (beißen), *hot* (heiß), *let* (lassen), *nut* (Nuß), *out* (aus), *what* (was), *white* (weiß), *etc.*

(*b*) *cat* (Katze), *heart* (Herz), *salt* (Salz), *tame* (zahm), *tide* (Zeit), *ten* (zehn), *to* (zu), *toll* (Zoll), *tongue* (Zunge), *twelve* (zwölf), *twig* (Zweig), *etc.*

3. Germanic th developed to High German d:

bath (Bad), *brother* (Bruder), *earth* (Erde), *feather* (Feder), *heath* (Heide), *mouth* (Mund), *thank* (danken), *that* (das), *thief* (Dieb), *thine* (dein), *thing* (Ding), *thirst* (Durst), *three* (drei), *through* (durch), *thunder* (Donner), *etc.*

4. Germanic p, medial and final, became High German f:

deep (tief), *help* (helfen), *leap* (laufen), *open* (offen), *ripe* (reif), *sharp* (scharf), *sheep* (Schaf), *ship* (Schiff), *sleep* (schlafen), *weapon* (Waffe), *etc.*

* In some of the following statements scientific accuracy has been subordinated to pedagogical purpose.

5. Germanic p, in loan words, initially, became High German pf:

penny (Pfennig), *plant* (Pflanze), *etc.*

6. Germanic v (medial) became High German b:

drive (treiben), *even* (eben), *evening* (Abend), *have* (haben), *knave* (Knabe, *boy*), *love* (lieben), *silver* (Silber), *strive* (streben), *etc.*

7. Germanic f (final) became High German b (pronounced p):

calf (Kalb), *half* (halb), *thief* (Dieb), *wife* (Weib), *etc.*

8. Germanic f became High German ch (medial and final):

book (Buch), *make* (machen), *milk* (Milch), *oak* (Eiche), *seek* (suchen), *stroke* (streichen), *wake* (wachen), *etc.*

9. Germanic guttural spirant h (English *gh*) became High German ch:

eight (acht), *flight* (Flucht), *light* (leicht), *light* (Licht), *night* (Nacht), *right* (recht), *weighty* (wichtig), *etc.*

10. Germanic voiced stop g usually became High German g. In English this *g*, medial or final, after passing through several stages, appears usually as *y* or *w*, depending upon the preceding vowel:

(*a*) *day* (Tag), *eye* (Auge), *fly* (Fliege), *honey* (Honig), *say* (sagen), *slay* (schlagen, *strike*), *sunny* (sonnig), *way* (Weg), *etc.*

(*b*) *follow* (folgen), *morrow* (Morgen), *own* (eigen), *slew* (schlug), *sorrow* (Sorge), *etc.*

11. The vowel changes are not always so evident, but compare the following:

(*a*) Germanic au appears often as *ea* in English, High German au:

dream (Traum), *beam* (Baum), *heap* (Haufe), *leap* (laufen), *etc.*

(*b*) Germanic ai is English *o*, High German ei:

bone (Bein, *leg*), *oak* (Eiche), *ghost* (Geist), *holy* (heilig), *home* (Heim), *most* (meist), *token* (Zeichen), *etc.*

(*c*) Germanic ᵹ between front vowels became in this combination in English *ai:*

> *nail* (Nagel), *rain* (Regen), *sail* (Segel), *etc.*

Although both languages are very closely related, many words in each have undergone changes and developments in meaning, so that the student must be on his guard not to confuse the meaning of such cognates as:

also (*therefore*, not *also*), Acker (*field*, not *acre*), Bein (*leg*, not *bone*), bilden (*form*, not *build*), Feind (*enemy*, not *fiend*), Hund (*dog*, not *hound*), klein (*small*, not *clean*), Knabe (*boy*, not *knave*), Knecht (*servant*, not *knight*), Korn (*grain*, not *corn*), Ofen (*stove*, not *oven*), schlagen (*strike*, not *slay*), Strom (*river*, not *stream*), Vogel (*bird*, not *fowl*), *etc.*

PART I

Der Bahnhof in Stuttgart.

COMPLETE COLLEGE GERMAN

LESSON I

The Noun. Nominative Singular Case of the Noun, the Definite and Indefinite Article. Personal Pronouns. Present Indicative Tense of fein

1. *Nouns.* — German has three genders: masculine, feminine, and neuter; two numbers: singular and plural; four cases: nominative, genitive, dative, and accusative.

The grammatical gender follows the natural gender in the case of living beings:

> MASCULINE: Bater, *father;* Löwe, *lion*
> FEMININE: Mutter, *mother;* Henne, *hen*

Notable exceptions are: Kind, *child*, Mädchen, *girl*, Fräulein, *young lady*, which are all neuter.

Inanimate objects may be:

> MASCULINE: Tag, *day;* Bahnhof, *railway station*
> FEMININE: Stadt, *city;* Straße, *street*
> NEUTER: Hotel, Theater

The singular form of German nouns is very simple:

(*a*) Feminine nouns have no change whatever throughout the four cases.

(*b*) Neuter nouns all have but one change, namely –s (or sometimes –es) added in the genitive. An obsolescent –e appears in some dative forms, but this may be avoided by the beginner, except in a few fixed expressions, as zu Hause, *at home.*

(*c*) The large majority of masculine nouns have the same form in the singular as the neuter nouns. A small minority of masculine nouns have the ending –n, or –en, for all cases except the nominative.

NOTE: Since the classification of German nouns is based on the plural form, which is difficult for the beginner, only the singular form has been introduced in the early lessons.

2. *Nominative case of the definite and indefinite article.* — Inasmuch as the gender of the German noun is usually not indicated by the noun itself, and since the case forms alone do not always distinguish case, the definite article has assumed in German a greater importance than in any other language. Therefore *always associate the definite article with the noun.* The nominative forms are:

MASCULINE	FEMININE	NEUTER
der Vater *the father*	die Mutter *the mother*	das Kind *the child*

The indefinite article is used much the same as in English. Note especially that the nominative case of the masculine and neuter does not distinguish the gender of the noun. The nominative forms are:

MASCULINE	FEMININE	NEUTER
ein Vater *a father*	eine Mutter *a mother*	ein Kind *a child*

3. The nominative of the personal pronouns and the present tense of sein (*to be*):

ich bin *I am*	wir sind *we are*	
du bist *you are (thou art)*	ihr seid *you are (ye are)*	Sie sind *you are*
er ⎫ he ⎫ sie ⎬ ist she ⎬ is es ⎭ it ⎭	sie sind *they are*	

The forms du and ihr are used: (*a*) in the family; (*b*) usually toward persons who may be addressed with their given names; (*c*) in religious worship; (*d*) toward animals and inanimate objects. Otherwise Sie is used for the second person and is always written with a capital letter to distinguish it from fie, *they*. The verb form is always the same with both Sie, *you*, and fie, *they*.

> Vater, wo bist du?   *Father, where are you?*
> Paul und Fritz, seid ihr hier?   *Paul and Fred, are you here?*
> Herr Braun, wo sind Sie?   *Mr. Braun, where are you?*
> Wo sind sie?   *Where are they?*   Sind Sie hier?   *Are you here?*

A personal pronoun must agree in gender and number with the noun to which it refers:

> Hier ist der Park. Er ist schön.   *Here is the park. It is beautiful.*
> Wo ist die Straße? Sie ist dort.   *Where is the street? It is there.*
> Ist das Hotel groß? Nein, es ist nicht sehr groß.
>   *Is the hotel large? No, it is not very large.*

Note especially that the nominative case is used primarily as subject and always after the verb *to be:*

> Herr Braun ist der Vater.   *Mr. Braun is the father.*

4. Das and dies are often used as demonstrative pronouns without regard for gender:

> Dies ist die Straße nach Stuttgart.   *This is the road to Stuttgart.*

In Stuttgart

(*Fritz Siegel of Berlin and Paul Zimmermann of New York are on their way in an automobile to meet Paul's father at a hotel.*)

Paul: Wo sind wir?   Fritz: Du bist in Stuttgart.   Paul: Ist das der Bahnhof?   Fritz: Jawohl, er ist neu und berühmt. Und hier ist der Park. Ist er nicht schön?   Paul: Wundervoll. Was ist das dort?   Fritz: Das ist das Theater.   Paul: Ein Theater im Park, wie schön!   Fritz: Und hier ist die Straße nach 5 Ludwigsburg. Sie ist neu.   Paul: Ist Ludwigsburg eine Stadt? Fritz: Gewiß. Die Stadt ist nicht groß, aber sie ist berühmt. Der Bahnhof dort ist nicht so schön, aber das Schloß und der Park

in Ludwigsburg sind wundervoll. — Halt! Hier ist das Hotel.
Paul: Ist das ein Hotel? Es ist wie ein Schloß, so groß und
schön. Fritz: Das ist das Hotel Braun. Und hier ist auch Herr
Braun. — Guten Tag, Herr Braun. Herr Braun: Guten
5 Tag, Herr Siegel, sind Sie auch in Stuttgart? Fritz: Jawohl.
Das ist Herr Paul Zimmermann, ein Student aus New York.
Ist Herr Walter Zimmermann schon hier? Herr Braun: Ge=
wiß, Herr und Frau Zimmermann sind hier. Fritz: Ist noch
ein Zimmer frei? Herr Braun: Jawohl. — Hier ist das Zim=
10 mer. Paul: Wie groß und schön es ist! Fritz: Und hier ist Herr
Zimmermann. Paul: Guten Tag, Vater. Herr Zimmer=
mann: Guten Tag, Fritz. Guten Tag, Paul. Seid ihr allein?
Wo ist Tante Marie? Fritz: Sie ist noch in Berlin.

VOCABULARY

aber but	schon already
alléin alone *	schön beautiful
auch also (*precedes word modified*)	so so
das (*demons.*) this, that	die Stadt city
dort there	die Straße street, road
frei free, vacant	der Tag day; guten Tag good day
gewiß certain, certainly	die Tante aunt
groß large, great	und and
hier here	der Vater father
in in	was what
nein no	wie how, like, as
neu new	wo where
nicht not	das Zimmer room
noch yet, still	

---

aus New York from New York	das Hotél hotel
der Bahnhof railroad station	jawóhl yes, yes sir (*or* madam)
berühmt famous	nach Ludwigsburg to Ludwigsburg
Frau Zimmermann Mrs. Zimmer-	der Park park; im Park in the park
mann	das Schloß castle
halt! stop!	das Theáter theater
Herr Zimmermann Mr. Zimmer-	der Studént student (*at university*)
mann	wundervoll wonderful

* To aid the beginner, words not stressed on the first syllable have
the stress indicated by an acute accent over the vowel.

QUESTIONS

1. Sind Sie ein Student? 2. Sind Sie aus New York? 3. Ist Herr Zimmermann aus New York? 4. Ist der Bahnhof in Stuttgart neu? 5. Wo ist das Theater in Stuttgart? 6. Ist die Stadt Ludwigsburg groß? 7. Ist ein Zimmer im Hotel frei?

EXERCISES

(*a*) Supply the definite and the indefinite article:

1. Hier ist —— Bahnhof. 2. Dort ist —— Schloß. 3. Wo ist —— Straße? 4. Hier ist —— Zimmer. 5. Ist das —— Stadt? 6. Wo ist —— Park? 7. Das ist —— Theater.

(*b*) Supply adjectives:

1. Der Bahnhof in Stuttgart ist ——. 2. Die Straße nach Ludwigsburg ist ——. 3. Ein Zimmer im Hotel ist ——. 4. Das Hotel ist so —— und —— wie ein Schloß. 5. Der Park ist ——.

(*c*) Conjugate in the singular and plural, stating the second persons as questions:

1. I am still alone, are you still alone? etc. 2. I am free.

(*d*) Insert the proper form of sein:

1. Tante Marie —— noch in Berlin. 2. Vater, —— du im Bahnhof? 3. Paul und Fritz, —— ihr im Park? 4. Nein, wir —— im Zimmer. 5. Herr Braun, —— Sie im Hotel? 6. Jawohl, ich —— hier, aber Herr Siegel und Herr Zimmermann —— im Theater.

WRITTEN TRANSLATION

1. Good day! I am a student from New York. 2. Are you Mr. Braun? 3. Certainly. Mr. Siegel is still in-the * park. 4. We are alone. 5. Is a room in-the hotel vacant? 6. Yes-sir. The room is large and beautiful. 7. Is Mr. Walter Zimmermann here?

* Words connected by a hyphen should be rendered by one word.

8. Yes-sir, and Mrs. Zimmermann is also here.   9. There is the park.   10. It is wonderful.   11. And here is the railroad station. 12. Is it new?   13. Certainly, it is new and famous.

LESSON II

Accusative Singular Case of the Noun, the Definite and Indefinite Article.   Accusative of the Personal Pronouns. Accusative with Prepositions.   Accusative of Definite Time.   Present Tense of Weak Verbs

5. 1. The accusative is used:

(*a*) As the direct object of transitive verbs:

> Er bringt den Koffer.   *He brings the suitcase.*

(*b*) To denote definite time or duration of time:

> Er bleibt einen Tag.   *He stays a (one) day.*

(*c*) With a few prepositions, *e.g.* **durch**, *through, by means of;* **für**, *for;* **gegen**, *against, toward;* **ohne**, *without;* **um**, *around, about:*

> Er geht durch den Park gegen den Bahnhof.   *He goes through the park toward the station.*
> Der Koffer ist für den Amerikaner.   *The suitcase is for the American.*
> Wir reisen ohne den Vater.   *We are traveling without Father.*

2. With nouns of feminine or neuter gender the accusative does not differ from the nominative.   Most masculine nouns also show no change in the accusative case.   Some, however, have the ending –n, or –en:

> Der Koffer ist für Herrn Braun.   *The suitcase is for Mr. Braun.*

3. The accusative case of the definite and indefinite article is not different from the nominative form in the feminine and neuter gender.   The accusative masculine form always differs from the nominative.

(*a*) The nominative and accusative forms of the definite article are:

	MASCULINE	FEMININE	NEUTER
Nominative:	ber Vater	bie Mutter	baß Kinb
Accusative:	ben Vater	bie Mutter	baß Kinb

> Daß ift ber Zug.   *That is the train.*
> Er geht burch ben Zug.   *He goes through the train.*

The definite article of the neuter gender may be contracted with the prepositions für and burch:

> Er braucht eß fürß (= für baß) Theater.   *He needs it for the theater.*
> Er reift burchß Land.   *He travels through the country.*

(*b*) The nominative and accusative forms of the indefinite article are:

	MASCULINE	FEMININE	NEUTER
Nominative:	ein Vater	eine Mutter	ein Kinb
Accusative:	einen Vater	eine Mutter	ein Kinb

(*c*) The nominative and accusative forms of the personal pronouns are:

	SINGULAR					PLURAL			
Nominative:	ich	bu	er	fie	eß	wir	ihr	fie	Sie
Accusative:	mich	bich	ihn	fie	eß	unß	euch	fie	Sie
	me	*you*	*him*	*her*	*it*	*us*	*you*	*them*	*you*

6. 1. The infinitive form of nearly all verbs in German is made up of a stem plus the ending –en, as frag–en (pronounce fra–gen).   Add –n only where stem ends in –l or –r, as bauern.

2. The following personal endings are added to the stem to form the present tense:

	SINGULAR	PLURAL	
1st person	——e	——en	
2nd person	——ſt	——t	——en
3rd person	——t	——en	

3. The present tense of the weak or regular verb fragen is:

ich frage	*I ask, am asking, do ask*	wir fragen	*we ask, etc.*
du fragſt	*you ask, etc.*	ihr fragt	*you ask, etc.*
er	*he*		
ſie } fragt	*she* } asks, *etc.*	ſie fragen	*they ask, etc.*
es	*it*		
		Sie fragen	*you ask, etc.*

Note that the German has but one present tense form, where the English has three:

Er fragt den Mann.   *He asks (is asking, does ask) the man.*
Fragt er den Mann?   *Does he ask the man?*

7. Note also that the present tense is commonly used in German where future meaning is implied:

Wir gehen morgen nach München.   *We shall go to Munich tomorrow.*

Nach München

„Vater, gehſt du heute nach München?" „Jawohl, aber Mutter bleibt noch hier. Bleibt ihr in Stuttgart?" „Nein, Fritz und ich gehen natürlich auch nach München." „Mutter bleibt alſo einen Tag allein hier und reiſt dann im Zug. Wir reiſen natürlich im Auto.
5 — Paul, bringſt du den Koffer?" „Fritz bringt ihn." „Hier iſt Herr Braun. Was bringen Sie da?" „Eine Landkarte." „Für mich?" „Gewiß." „Aber ich brauche ſie nicht. Fritz, brauchſt du eine Landkarte?" „Nein, danke. Das iſt etwas für den Amerikaner. Er kennt das Land noch nicht. Ich kenne es. Hier iſt eine Landkarte
10 für dich, Paul." „Danke ſchön."

„Die Straße nach München ist sehr gut. Kennst du sie, Fritz?"
„Nein, ich kenne sie nicht." „Sie führt uns durch das Land Württem=
berg nach Ulm. Die Stadt Ulm ist nicht groß, aber sie ist sehr alt.
Das Auto bringt uns dann nach Bayern, durch die Stadt Augsburg
nach München. Wir bleiben eine Woche dort und hören eine Wagner 5
Oper und Gerhart Hauptmanns ‚Florian Geyer'. Kennst du das
Stück, Fritz?" „Jawohl, ich kenne das Drama. Es ist wunder=
voll." „Die Universität interessiert euch natürlich auch; sie ist sehr
berühmt. — Mutter bringt Tante Marie nach München. Wir
führen sie dann beide ins ‚Hofbräuhaus'." 10

VOCABULARY

also thus, therefore	**hören** to hear
alt old	**interessieren** to interest
beide both	**kennen** to be acquainted with, know
bleiben to stay	der **Koffer** suitcase, trunk
brauchen to need	das **Land** country, state
bringen to bring	die **Mutter** mother
da there	**reisen** to travel
danke thank you; **danke schön** thank you very much	**sehr** very
	das **Stück** piece, drama
dann then, thereupon	**warum** why
etwas something	**wer** who
führen to lead, conduct	die **Woche** week
gehen to go	der **Zug** train; **im Zug** in the train, by rail
gut good	
heute today	

der **Amerikaner** American	das „**Hofbräuhaus**" *well-known res- taurant in Munich*
das **Auto** auto; **im Auto** in the auto, by car	die **Landkarte** map
(das) **Bayern** Bavaria; **nach Bayern** to Bavaria	**natürlich** naturally, of course
	die **Oper** opera
das **Drama** drama	die **Universität** university
(das) **Württemberg** *state in South Germany*	

QUESTIONS

1. Sind Sie ein Amerikaner? 2. Kennen Sie München?
3. Ist Württemberg eine Stadt? 4. Wo ist Augsburg? 5. Wer
geht nach München? 6. Reist die Mutter im Auto nach München?
7. Wer braucht eine Landkarte? 8. Was ist „Florian Geyer"?

EXERCISES

(*a*) Find in the text: (1) one noun object of the masculine, the feminine, and the neuter gender; (2) two accusatives denoting duration of time; (3) one pronoun of each gender, in the accusative, referring to an inanimate object.

(*b*) Substitute the accusative for the nominative:

eine Stadt, der Bahnhof, ein Hotel, die Straße, ein Vater, das Schloß, wir, du, sie, er, ihr, ich, es.

(*c*) Supply the definite and the indefinite article:

1. Hier ist —— Zug. 2. Wir hören —— Oper. 3. Brauchst du —— Koffer? 4. Wo ist —— Universität? 5. Ich kenne —— Amerikaner. 6. Sie bringen —— Landkarte. 7. Er führt uns durch —— Land. 8. Wir gehen ohne —— Vater. 9. Er bringt es für —— Mutter. 10. Geht er durch —— Bahnhof?

(*d*) Conjugate progressively as follows:

1. I lead you, you lead him, he leads her, she leads us, we lead you (*pl.*), you lead them, they lead me. 2. I hear you. 3. I need you. 4. I know you.

WRITTEN TRANSLATION

1. "What are you bringing there?" 2. "This is a suitcase. 3. We need it today. 4. Father is-going to Munich. 5. Are you staying in Stuttgart, Mother?" 6. "Yes, I am-staying here one more week (yet a week here)." 7. "Munich interests me very-much. 8. The university there is very famous. 9. Do you know it?" "Certainly." 10. "And the road to Munich leads us through Augsburg. 11. We [shall] * stay there one day (one day there). 12. The city is wonderful and very old. 13. Father does not know it yet (knows it yet not). 14. That is something for him." 15. "Something for both of you (you both)."

* Omit words in brackets.

LESSON III

Nominative and Accusative of **dieſer, jeder, welcher.** Accusative Case of Possessive Adjectives. Present Tense of **haben.** Word Order

8. The following may be used either as *adjectives* or *pronouns* and have forms similar to the definite article, **der, die, das:**

	MASCULINE	FEMININE	NEUTER
Nom.	dieſer (*this*)	dieſe	dieſes
Acc.	dieſen	dieſe	dieſes
Nom.	jeder (*each, every*)	jede	jedes
Acc.	jeden	jede	jedes
Nom.	welcher (*which*)	welche	welches
Acc.	welchen	welche	welches

Note that the accusative form of the masculine is different from the nominative, whereas the feminine and neuter forms of both cases are alike:

Kennen Sie dieſen Herrn? *Are you acquainted with this gentleman?*
Welchen Herrn kennen Sie? *Which gentleman are you acquainted with?*
Ich kenne dieſen. *I am acquainted with this one.*

9. The personal pronouns and corresponding stem forms of the possessives are:

ich	mein (*my*)	wir	unſer (*our*)		
du	dein (*your*)	ihr	euer (*your*)	Sie	Ihr (*your*)
er	ſein (*his*)				
ſie	ihr (*her*)	ſie	ihr (*their*)		
es	ſein (*its*)				

10. The possessives when used as *adjectives* have forms similar to the indefinite article ein, eine, ein (*a or one*):

	Masculine	Feminine	Neuter
Nom.	mein Vater	meine Mutter	mein Kind
Acc.	meinen Vater	meine Mutter	mein Kind
Nom.	dein Vater	deine Mutter	dein Kind
Acc.	deinen Vater	deine Mutter	dein Kind
Nom.	sein Vater	seine Mutter	sein Kind
Acc.	seinen Vater	seine Mutter	sein Kind
Nom.	ihr Vater	ihre Mutter	ihr Kind
Acc.	ihren Vater	ihre Mutter	ihr Kind
Nom.	unser Vater	unsere Mutter	unser Kind
Acc.	unseren Vater	unsere Mutter	unser Kind
Nom.	euer Vater	euere Mutter	euer Kind
Acc.	eueren Vater	euere Mutter	euer Kind
Nom.	ihr Vater	ihre Mutter	ihr Kind
Acc.	ihren Vater	ihre Mutter	ihr Kind
Nom.	Ihr Vater	Ihre Mutter	Ihr Kind
Acc.	Ihren Vater	Ihre Mutter	Ihr Kind

Identical are also the forms of kein *no, not any:*

Nom.	kein Vater	keine Mutter	kein Kind
Acc.	keinen Vater	keine Mutter	kein Kind

Note the various forms of *your,* as in *your father:*

> Paul, wo ist dein Vater?
> Paul und Fritz, wo ist euer Vater?
> Herr Braun, wo ist Ihr Vater?

Note also that ihr Vater may mean *her father* or *their father,* whereas Ihr Vater (with the possessive adjective always written with a capital letter) means *your father.*

11. The present tense of haben, *to have:*

ich habe	wir haben	
du hast	ihr habt	Sie haben
er sie es } hat	sie haben	

Note the two contracted forms: du hast, er hat.

12. The *word order* of the German sentence is more rigidly fixed than that of the English, and certain rules must be observed.

(*a*) The finite or conjugated form of the verb in the simple declarative sentence commonly stands as the second element in the sentence:

> Herr Braun und Herr Siegel haben nur einen Koffer.
> *Mr. Braun and Mr. Siegel have only one suitcase.*
>
> Sie gehen immer in das Theater. *They always go to the theater.*

(*b*) The subject need not stand before but may appear after the verb:

> Nur einen Koffer haben Herr Braun und Herr Siegel.

This order is commonly called "Inverted Order" and is especially used for emphasis on the element before the verb.

Note the change of emphasis in the following sentence:

> Sie sind heute hier. *They are here today.*
> Heute sind sie hier. *They are here **today**.*

(*c*) If used together, an expression of time always precedes that of place:

> Sie kommen heute nach München. *They are coming to Munich today.*

(*d*) The conjunctions **aber** (*but*), **denn** (*for*), **oder** (*or*), and **und** (*and*) do not cause inversion.

> Mutter bleibt in Stuttgart, aber wir reisen nach München.

Der Starnberger See

Herr Walter Zimmermann, Paul Zimmermann und sein Freund Fritz sind schon (*have been*) eine Woche in München. Jeden Tag bewundern sie diese Stadt mehr. Eben frühstücken sie im Hotel, da fragt Paul seinen Vater: „Was machen wir heute? Welches Museum besuchen wir? Welche Oper hören wir? Gehen wir in das Hofbräuhaus?" „Nein, wir gehen dieses Mal in kein Museum und hören heute keine Oper, denn heute abend kommt deine Mutter. Wir haben aber Zeit für eine Fahrt nach Starnberg. Jeder

Münchner kennt und liebt seinen Starnberger See und dieser ist wirklich wundervoll. Hast du deine Landkarte hier? Wir brauchen sie heute." „Hier ist sie." „Zuerst geht man durch diesen Park, und hier hat man dann die Straße nach Starnberg. Sie ist sehr gut, 5 so brauchen wir nur eine Stunde. Die Fahrt um den See ist wundervoll. Der Starnberger See ist nicht so groß wie der Chiemsee und nicht so romantisch wie der Tegernsee, aber er ist auch sehr schön. Wenn Mutter und Tante Marie kommen, besuchen wir dann auch den Tegernsee und das Schloß im Chiemsee. Das ist wundervoll." 10 „Hier bringt man unsere Rechnung." „Guten Tag, Herr Zimmermann." „Guten Tag, Karl." „Ist unser Auto schon hier?" „Jawohl, Herr Siegel bringt es eben. Haben Sie Ihren Koffer schon unten?" „Nein, er ist noch im Zimmer. Wir brauchen ihn aber heute noch nicht. Wir machen nur eine Fahrt nach Starnberg 15 und bleiben dann noch eine Woche im Hotel. Meine Frau und ihre Schwester kommen heute abend nach München. Wir brauchen also noch ein Zimmer." „Wir haben nur noch ein Zimmer frei, es ist so groß wie Ihr Zimmer, hat aber kein Bad."

VOCABULARY

das **Bad** bath	**machen** to make, do
besúchen to visit	das **Mal** time (*point of time*)
bewúndern to admire	**man** one, they (*indef. person. pron.*)
da then, when	**mehr** more
dann then, thereupon	**nur** only
denn for (*conj.*)	die **Schwester** sister
eben just now, just	der **See** lake
fragen to ask	**so . . . wie** as . . . as
die **Frau** woman, wife	die **Stunde** hour
der **Freund** friend	**wenn** when
heute abend this evening	**wirklich** real, really
kommen to come	die **Zeit** time
lieben to like, love	**zuérst** at first

Chiemsee (ch = k) *lake in Bavaria*	die **Rechnung** bill
die **Fahrt** ride, trip	**romántisch** romantic
frühstücken to eat breakfast	**Tegernsee** *lake in Bavaria*
der **Münchner** resident of Munich	**unten** below, downstairs
das **Muséum** museum	

QUESTIONS

1. Frühstücken Sie jeden Tag? 2. Gehen Sie jede Woche in ein Museum? 3. Wie ist der Tegernsee? 4. Warum geht Herr Walter Zimmermann heute abend nicht in das Hofbräuhaus? 5. Welches Schloß besuchen sie, wenn die Mutter kommt? 6. Was bringt Karl? 7. Warum braucht Herr Zimmermann noch ein Zimmer?

EXERCISES

(*a*) Find in the text: (1) Several examples showing expressions of time preceding those of place; (2) three examples of inverted word order. Rearrange the word order by beginning the sentence with the subject.

(*b*) Begin the sentence with the underlined word or phrase:

1. Wir gehen dieses Mal in kein Museum. 2. Die Fahrt um den See ist wundervoll. 3. Wir brauchen den Koffer heute noch nicht. 4. Sie haben eine Landkarte im Zimmer.

(*c*) Supply the correct form of the pronominal adjective:

1. Das ist (*her*) Tante. 2. Haben Sie (*my*) Rechnung? 3. Besucht ihr (*your*) Vater? 4. Sie bewundern (*their*) Freund. 5. (*Our*) Schwester ist hier. 6. (*This*) Mal reist er im Zug. 7. Wir führen dich heute um (*this*) See. 8. (*Which*) Landkarte braucht er heute? 9. (*Their*) Vater liebt (*this*) Museum sehr. 10. Wir haben heute abend (*no*) Zeit. 11. (*Which*) Koffer bringen Sie? 12. (*My*) Freund bewundert (*your*) Schwester, Herr Siegel. 13. (*Our*) Zimmer hat (*no*) Bad. 14. (*This*) Herr bleibt nicht im Hotel. 15. Er kommt (*every*) Woche (*one*) Tag. 16. (*This*) Stadt hat (*its*) Theater im Park. 17. Stuttgart hat (*no*) Universität.

(*d*) Conjugate and change the possessive adjective:

1. I have my suitcase, you have your suitcase, he has his suitcase, etc. 2. I am visiting my mother. 3. I love my country.

WRITTEN TRANSLATION

1. "Good day, Fred, is your father downstairs? 2. I have his auto here." 3. "He is still eating-breakfast. 4. We are not going to (in *with acc.*) any theater today, we are-going-to-visit the Starnberg Lake. 5. It is only one hour by car (in-the auto)." 6. "I know this lake and like it very-much. 7. Is your mother coming this evening?" 8. "Certainly, Mother is-bringing her sister Marie, too." 9. "Is a room available for her in-the hotel?" 10. "They have only one room without bath available and it is not very large. 11. This room my aunt needs for her trunk alone." 12. "Are you going-to-take (führen) her to (in) the Hofbräuhaus?" "Certainly."

SUPPLEMENTARY READING

Der Hund und das Fleisch

Ein Hund geht in eine Küche und holt ein Stück Fleisch. Er schleicht durch den Garten, über das Feld an den Fluß. Hier erblickt er sein Bild im Wasser. „Wundervoll!" denkt er, „da ist noch ein Stück Fleisch, so groß wie mein Stück. Ich hole es, dann habe ich genug Fleisch für heute." Er springt in das Wasser, verliert, was er hat, und kommt naß und hungrig nach Hause.

SUPPLEMENTARY VOCABULARY

an to	**die Küche** kitchen
das Bild picture, image	**nach Hause** home
denken to think	**springen** to jump
das Feld field	**über** over, across
das Fleisch meat	**verlieren** to lose
der Garten garden	**das Wasser** water
holen to fetch	

---

erblicken to catch sight of	**hungrig** hungry
der Fluß river	**naß** wet
genug enough	**schleichen** to sneak
der Hund dog	

LESSON IV

Principal Parts of Verbs. Present Perfect Tense of Weak Verbs. Word Order of the Verbal Adjunct. Position of nicht. Adverbs

13. *Principal parts of verbs.* — The verb in both English and German has undergone quite a similar historical development, and therefore many features are common to both languages. Every verb, for example, has three principal forms, or principal parts, from which all others can be derived: the infinitive, the first person singular of the past indicative, and the past participle.

INFINITIVE	PAST TENSE	PAST PARTICIPLE
fragen, *to ask*	(ich) fragte, *(I) asked*	gefragt, *asked*
beißen, *to bite*	(ich) biß, *(I) bit*	gebiffen, *bitten*
bringen, *to bring*	(ich) brachte, *(I) brought*	gebracht, *brought*

1. Like English, the German has:

(*a*) Regular or weak verbs like fragen.

(*b*) Strong verbs, like beißen, which in the past tense always undergo a change of stem vowel.

(*c*) Irregular verbs, like bringen, which likewise have a different vowel in the past tense, but are otherwise quite similar to weak verbs.

2. Verbs are always listed according to the infinitive form. Note that, as in English, the principal parts are of fundamental importance and therefore must always be committed to memory.

3. As in English, only a few verbs are quite irregular in the present tense, for example, sein, *to be;* war, *was;* gewesen, *been.*

14. 1. The compound tenses in both languages are quite similarly formed, namely, an auxiliary verb is used with the past participle to form the present perfect tense:

Ich habe seinen Vater gefragt.	*I asked (have asked) his father.*
Du hast seinen Vater gefragt.	*You asked (have asked) his father.*
Er ⎫	*He* ⎫
Sie ⎬ hat seinen Vater gefragt.	*She* ⎬ *asked (has asked) his father.*
Es ⎭	*It* ⎭
Wir haben seinen Vater gefragt.	*We asked (have asked) his father.*
Ihr habt seinen Vater gefragt.	*You asked (have asked) his father.*
Sie haben seinen Vater gefragt.	*They asked (have asked) his father.*
Sie haben seinen Vater gefragt.	*You asked (have asked) his father.*

Note that the past participle of weak verbs ends in –t and regularly has the prefix ge– before the stem. This prefix ge– does not appear:

(*a*) In verbs that already have an unstressed prefix, as: bewundern, bewunderte, bewundert, and erreichen, erreichte, erreicht.

(*b*) In those verbs of foreign origin that do not stress a root syllable and end in –ieren: interessieren, interessierte, interessiert.

2. The present perfect tense is more commonly used in German than the corresponding tense in English. This applies especially to colloquial German as distinguished from literary German. When the simple action is considered as completed, only this tense and not the past tense can be used: *I asked my father yesterday*, must be rendered in German by: Ich habe meinen Vater gestern gefragt.

In connected narrative, however, the above sentence can be rendered by: Ich fragte meinen Vater gestern, which may also have the meaning: *I was asking my father yesterday*.

15. *Word order of the verbal adjunct.* — The German sentence is peculiar in that the verbal adjunct stands at the end of the clause or sentence.

1. The past participle and the infinitive are the commonest verbal adjuncts, and in simple sentences and independent clauses always stand last regardless of other modifiers:

Ich habe den Mann gestern in München besucht.
I visited the man in Munich yesterday.

Er hört den Vater in das Haus kommen.
He hears his father coming into the house.

2. (*a*) The predicate adjective often has the force of a verbal adjunct:

Das Wetter ist heute sehr schön.   *The weather is very beautiful today.*

(*b*) The adverb, when modifying the verb, likewise has the regular position of a verbal adjunct:

Er besucht das Theater sehr oft.   *He very often visits the theater.*

(*c*) The adverb modifying the past participle immediately precedes it:

Er hat das Theater in München oft besucht.
He often visited the theater in Munich.

3. The negative nicht when modifying the verb of a simple tense is a verbal adjunct:

Er besucht das Theater nicht.   *He does not visit the theater.*

With a compound tense it has the force of an adverb and immediately precedes the verbal adjunct:

Er hat das Theater in München nicht besucht.
He did not visit the theater in Munich.

Otherwise nicht precedes the word or phrase it modifies:

Er hat das Theater in München nicht sehr oft besucht.
He did not visit the theater in Munich very often.

16. *Adverbs.* — The uninflected form of the adjective may be used as an adverb:

Wir fahren sehr schnell.   *We are traveling very fast.*

A few adverbs still appear with the archaic ending in –e:

Er hat das Theater lange nicht besucht.
He has not visited the theater for a long time.

Tante Marie kommt

Im Bahnhof in München warten Vater und Sohn. Eben hört man den Zug aus Stuttgart in die Halle fahren. Es dauert nicht lange, da erblickt Paul Zimmermann seine Mutter und Tante Marie. „Guten Tag, Walter, guten Tag, Paul!" sagt die Mutter. „Hat
5 mein Brief euch erreicht?" „Jawohl, schon gestern. — Und hier ist auch Tante Marie." „Ah, das ist der Herr Student aus New York, guten Tag, Paul!" „Nun haben wir dich wieder. Hast du uns nicht vermißt? Ist das Reisen allein wirklich so schön?" „Ja= wohl. Manchmal hat man eben das Verlangen, allein zu sein. Nun
10 bin ich aber froh, wieder bei euch zu sein." „Wir haben diese Woche schon viel erlebt. Eine Wagner Oper und eine Strauß Oper haben wir gehört und das Maximiliantheater besucht. Und heute haben wir den Starnberger See bewundert. Vater hat uns jeden Tag in das Hofbräuhaus geführt. Wir haben auch schon viel für uns und für euch
15 beide geplant. Den Tegernsee haben wir noch nicht besucht und das Passionsspiel in Oberammergau haben wir auch noch nicht bewundert."

„Im Hotel erzählst du uns dann alles, Paul. Jetzt habe ich Hunger. Die Fahrt im Zug ist so lang. In Ulm haben wir so lange Aufenthalt gehabt." „Wie lange hat er gedauert?" „Eine
20 Stunde." „Im Auto reist man manchmal auch nicht so schnell." „Habt ihr ein Zimmer für mich bestellt?" „Jawohl, ein Zimmer mit Bad für dich und noch ein Zimmer ohne Bad für deinen Koffer." „Wundervoll!" „Habt ihr euer Auto hier?" „Natürlich, ich bringe euch gleich in das Hotel."

VOCABULARY

alles everything	**lang** long
bei with, next to	**mit** with
der **Brief** letter	**nun** now
dauern to last	**sagen** to say
fahren to ride	**schnell** fast
froh glad	**sein** to be
gestern yesterday	der **Sohn** son
gleich at once	**viel** much
der **Hunger** hunger	**warten** to wait
jetzt now	**wieder** again

der **Aufenthalt** stop, stay
bestéllen to order, reserve
erblicken to catch sight of
erlében to experience
erréichen to reach
erzählen to relate, tell
die **Halle** train shed
manchmal sometimes
Maximiliantheater Maximilian Theater (*in Munich*)

Oberámmergau *village in South Germany*
das **Passiónsspiel** Passion Play
planen to plan
das **Reisen** traveling
Richard Strauß (1864–   ) *German composer*
das **Verlángen** desire
vermissen to miss

QUESTIONS

1. Haben Sie schon (*ever*) eine Fahrt nach München gemacht?
2. Haben Sie schon New York besucht? 3. Haben Sie schon eine Wagner Oper gehört? 4. Haben Sie eine Fahrt nach Berlin geplant? 5. Ist Ihr Koffer so groß wie Tante Maries? 6. Reisen Sie manchmal allein? 7. Warum reist Tante Marie allein? 8. Wie lange hat Tante Marie in Ulm Aufenthalt gehabt? 9. Was hat Herr Zimmermann für Tante Maries Koffer bestellt?

EXERCISES

(*a*) Supply the proper form of the pronominal adjective:

1. Wir haben heute (*no*) Hunger. 2. Hören Sie (*your*) Vater?
3. (*Which*) Tag brauchen Sie? 4. Wir vermissen (*his*) Freund.
5. Es dauert (*one*) Stunde. 6. (*This*) Zug hat hier (*no*) Aufenthalt. 7. (*Our*) Brief erreicht sie nicht. 8. Erblickst du (*your*) Mutter? 9. (*This*) Fahrt dauert manchmal eine Woche. 10. Sie bestellt ein Zimmer für (*her*) Vater. 11. Herr Siegel, haben Sie (*our*) Koffer? 12. Wir bewundern (*this*) Halle.

(*b*) Put the above sentences into the present perfect tense.

(*c*) Find in the text: (1) One sentence each beginning with the subject, with the object, with an adverb, all in the present perfect tense. Determine the position of the past participle. (2) Find two examples showing expressions of time preceding those of place. (3) Find a descriptive adjective used as an adverb.

WRITTEN TRANSLATION

1. Mr. Walter Zimmermann, his wife, her sister, and Paul are still in-the hotel. 2. They have just eaten-breakfast. 3. Aunt Marie now tells about (über *with the acc.*) her stay in Berlin. 4. "You admired * your Starnberg Lake yesterday. 5. It is certainly beautiful and romantic too. 6. But I know a lake near (bei) Berlin and have always liked (schon immer geliebt) it." 7. "How do you (man) reach it?" 8. "By (in-the) train. 9. The train does not go very fast and the ride lasts more than (als) an hour. 10. But I had the desire to be alone, that-is-why (deshalb) I visited this lake." 11. "Did you have time to visit the park and the castle in Potsdam?" 12. "Of course, I had time and I admired them both." 13. "I hear Fritz coming (come). 14. This is our car."

SUPPLEMENTARY READING

Der Löwe, der Esel und der Fuchs

Ein Löwe, ein Esel und ein Fuchs haben den ganzen Tag gejagt und viel Beute gemacht. Nun ist es Abend und der Löwe sagt: „Freund Esel, ich bin hungrig, teile die Beute!" Der Esel macht einen Teil für den Löwen, einen für den Fuchs und einen für sich (*himself*). Jeder Teil ist gleich groß. „Ist dieser Teil für mich?" fragt der Löwe zornig, springt auf den Esel und beißt ihn tot. Dann sagt er: „Freund Fuchs, ich bin hungrig, teile die Beute!" Nun bekommt der Löwe fast alles, nur ein Hase bleibt für den Fuchs übrig (*left*). „Wer hat dich gelehrt, so schön zu teilen?" fragt der Löwe. „Dieser hier," sagt der Fuchs und zeigt auf den toten Esel.

SUPPLEMENTARY VOCABULARY

auf on	gleich equal(ly)
der Abend evening	jagen to hunt
beißen to bite	lehren to teach
bekommen to get, receive	der Löwe lion
der Esel donkey	der Teil part
fast almost	zeigen to show; zeigen auf (*with*
der Fuchs fox	*acc.*) point to
ganz entire	

---

* Render all the above past tense forms by the German present perfect.

die **Beute** booty
der **Hase** hare
teilen to divide; **teile** (*imper.*)

tot dead
zornig angry

LESSON V

**Past Tense of Weak Verbs. Past Tense of haben. Past
Perfect Tense of Weak Verbs. Dative Singular of
the Definite and Indefinite Article; Dative of
the Demonstrative and Possessive Adjectives. Use of the Dative Case**

17. 1. The past tense of the weak verb:

Ich fragte diesen Herrn.	*I was asking (asked) this gentleman.*
Du fragtest diesen Herrn.	*You were asking (asked) this gentleman.*
Er Sie } fragte diesen Herrn. Es	*He* *She } was asking (asked) this gentleman.* *It*
Wir fragten diesen Herrn.	*We were asking (asked) this gentleman.*
Ihr fragtet diesen Herrn.	*You were asking (asked) this gentleman.*
Sie fragten diesen Herrn.	*They were asking (asked) this gentleman.*
Sie fragten diesen Herrn.	*You were asking (asked) this gentleman.*

2. (*a*) All verbs with stems ending in –t, –d, and some verbs
with stems ending in –m or –n require a connecting –e before
the personal endings of the past tense. This connecting –e
is also found in the past participle:

> Ich antwortete.   *I answered.*
> Ich habe geantwortet. *I have answered.*

Like antworten are, for example: warten, *to wait;* schaden, *to
damage;* atmen, *to breathe;* öffnen, *to open.*

(*b*) In general, these same verbs require the connecting
–e in three present tense forms:

> Ich öffne die Landkarte.   Wir öffnen die Landkarte.
> Du öffnest die Landkarte.   Ihr öffnet die Landkarte.
> Er öffnet die Landkarte.   Sie öffnen die Landkarte.

3. The verb haben has lost the b of the stem in the past tense:

Ich hatte den Brief.	I had the letter.
Du hattest den Brief.	You had the letter.
Er ⎫	He ⎫
Sie ⎬ hatte den Brief.	She ⎬ had the letter.
Es ⎭	It ⎭
Wir hatten den Brief.	We had the letter.
Ihr hattet den Brief.	You had the letter.
Sie hatten den Brief.	They had the letter.
Sie hatten den Brief.	You had the letter.

18. The past perfect tense is a combination of the past tense of the auxiliary verb and the past participle of the main verb:

Ich hatte den Berg bewundert.	I had admired the mountain.
Du hattest den Berg bewundert.	You had admired the mountain.
Er ⎫	He ⎫
Sie ⎬ hatte den Berg bewundert.	She ⎬ had admired the mountain.
Es ⎭	It ⎭
Wir hatten den Berg bewundert.	We had admired the mountain.
Ihr hattet den Berg bewundert.	You had admired the mountain.
Sie hatten den Berg bewundert.	They had admired the mountain.
Sie hatten den Berg bewundert.	You had admired the mountain.

19. The dative forms are:

1. Definite and indefinite article:

Plural
den

MASCULINE	FEMININE	NEUTER
(to) dem Mann	der Frau	dem Kind
einem Mann	einer Frau	einem Kind

2. Demonstrative and interrogative adjectives:

diesem Mann	dieser Frau	diesem Kind
jedem Mann	jeder Frau	jedem Kind
welchem Mann	welcher Frau	welchem Kind

3. Possessive adjectives:

meinem Mann	meiner Frau	meinem Kind
uns(e)rem Mann	uns(e)rer Frau	uns(e)rem Kind

20. The dative case is used:

1. With prepositions, the commonest being:

aus *from, out of*	**seit** *since*
bei *near, beside, at*	**von** *from, of*
mit *with*	**zu** *to, toward* (persons)
nach *after, toward* (places)	

Compare:

Er geht nach der Stadt.   Er geht zu seinem Freund.

Note the possible contraction of preposition and definite article:

beim = bei dem	zum = zu dem
vom = von dem	zur = zu der

2. As indirect object:

Ich bezahle dem Kellner die Rechnung.   *I pay the bill to the waiter.*
Er zeigt seiner Mutter den Park.   *He shows his mother the park.*
Wir erzählen diesem Herrn unsre   *We tell this gentleman our story.*
Geschichte. (or history)

3. As sole object of some verbs:

Sie folgten der Straße nach München.   *They followed the road to Munich.*
Wir helfen diesem Herrn.   *We are helping this gentleman.*
Es schadet unsrer Stadt.   *It damages our city.*
Ich antwortete meinem Vater.   *I answered my father.*

4. With some predicate adjectives:— with / to understood

Ich bleibe meinem Freund treu.   *I shall remain faithful to my friend.*
Es ist unsrer Tante recht.   *It is agreeable to our aunt.*
Wir sind diesem Mann dankbar.   *We are thankful to this man.*

Eine Fahrt durch Südbayern   die Mutter

So führte Herr Zimmermann alle in das Hofbräuhaus. Dann machte man eine Fahrt durch München und zeigte der Mutter und der Tante die Universität, den Park und das Maximiliantheater. Tante Marie hatte München schon vor einem Jahr besucht, auch die Mutter zeigte dieses Mal nicht so viel Interesse. So sagte Herr 5 Zimmermann zu seiner Frau: „Der Tegernsee und das Passions= spiel in Oberammergau interessieren dich mehr als die Isarstadt. Das Wetter ist herrlich, wie (*as if*) bestellt zu einer Fahrt durch

Südbayern. Was sagst du zu diesem Vorschlag?" „Herrlich!"
antwortete Tante Marie gleich.

Den Tag darauf nach dem Frühstück machten sie alles zur Fahrt
bereit. Paul wartete mit dem Auto beim Hotel. Eine Stunde
5 später hatten sie Holzkirchen erreicht. Man hatte es nicht mehr so
bequem im Wagen, denn Tante Marie brauchte viel Raum. Man
plauderte aber doch munter, und jeder hatte etwas zu erzählen. So
erreichten sie den Tegernsee ohne Aufenthalt. Hier bewunderten
sie die Aussicht und badeten im See. Dann bestellte Herr Zimmer=
10 mann eine Mahlzeit im Hotel; Wein, Schwarzbrot mit Butter,
Schinken und Käse. Nach der Mahlzeit öffnete man die Landkarte
und suchte die Straße nach dem Dorf Oberammergau. Dieses war
aber nicht leicht zu erreichen. Von Tölz führte keine Autostraße nach
Westen. So hatten sie die Wahl, wieder nach München zu gehen
15 und von dort nach dem Starnberger See und durch Murnau nach
Oberammergau zu fahren, oder der Isar von Tölz nach Parten=
kirchen zu folgen und dann nach Norden zu fahren. Herr Zim=
mermann und Tante Marie hatten schon viel von diesem Dorf
Partenkirchen gehört. So machte man schnell alles bereit, um Par=
20 tenkirchen zu besuchen, die Aussicht dort zu bewundern und noch bei
Tag Oberammergau zu erreichen.

VOCABULARY

alle all (*pl.*)
als (*after comp.*) than
antworten to answer
bereit ready
die Butter butter
doch nevertheless
das Dorf village
durch through
das Frühstück breakfast
folgen (*with dat.*) to follow
herrlich splendid
das Interesse interest
das Jahr year
der Käse cheese
leicht easy
nicht mehr no longer
der Norden north

oder or
öffnen to open
der Raum space, room
der Schinken ham
schwarz black
später later
suchen to seek, look for
der Süden south
von (*with dat.*) from, of, by
der Vorschlag suggestion, proposal
der Wagen carriage, car
war was
der Wein wine
der Westen west
das Wetter weather
zeigen to show

Südwestdeutschland.

die **Aussicht** view
baden to bathe
bei Tag by daylight
bequém comfortable
daráuf thereupon; **den Tag darauf** the following day
die **Isar** *name of a river*
die **Isarstadt** city on the Isar (*i.e.* Munich)

die **Mahlzeit** meal
munter lively
plaudern to chat
das **Schwarzbrot** rye bread
(das) **Südbayern** southern Bavaria
um . . . zu in order to
vor einem Jahr a year ago
die **Wahl** choice

QUESTIONS

1. Haben Sie schon im See gebadet? 2. Haben Sie schon von dem Passionsspiel in Oberammergau gehört? 3. Was zeigte Paul Zimmermann seiner Mutter in München? 4. Warum zeigte Marie nicht so viel Interesse? 5. Welchen Vorschlag hat Herr Zimmermann gemacht? 6. Warum hatten sie es im Wagen nicht mehr so bequem? 7. Warum hatten sie alle Hunger?

EXERCISES

(*a*) Find in the text: (1) One example of dative used as indirect object, one used as sole object of the verb; (2) four verb forms showing a connecting –e before the ending. Give a synopsis in the present, the present perfect, and the past perfect tenses, using a different person for each of these four verbs.

(*b*) Insert the proper form of the pronominal adjective:

1. Er hat (*his*) Vater einen Vorschlag gemacht. 2. Ich habe viel von (*this*) Stadt gehört. 3. Haben Sie (*your*) Sohn ein Zimmer bestellt? 4. Hast du ihn zu (*our*) Vater geführt? 5. Sie haben mit (*their*) Mutter geplaudert. 6. Wir haben euch bei (*the*) See erblickt.

(*c*) Reproduce the above sentences in the past tense.

(*d*) Supply the missing ending:

1. Wir bezahlten unser– Rechnung für dies– Mahlzeit nicht. 2. Ich zeigte mein– Tante d– Dorf. 3. Er führte sein– Vater aus

d– Hotel. 4. Was sagten sie zu dies– Vorschlag? 5. Schon vor ein– Stunde suchten sie d– Brief. 6. Ich wartete bei unser– Wagen.

(e) Reproduce the above sentences in the present perfect and past perfect tenses.

WRITTEN TRANSLATION

1. Mother chatted with Aunt Marie about (über *with acc.*) their sister. 2. They had visited her a week ago in a (*dat.*) village near Stuttgart. 3. (The) mother had told this sister of (von) her son Paul and she had shown a-great-deal-of interest. 4. Mr. Zimmermann caught-sight-of his wife near-the lake and led her quickly to-the auto. 5. "You have no time to chat here. 6. Paul is-waiting with the car. 7. We need more time to reach Partenkirchen than you think (denken), for (denn) the road is not very good." 8. The road was (war) really not very good, but the view was splendid.

SUPPLEMENTARY READING

Der Hase und der Fuchs

Es ist Winter und bitterkalt. Ein Hase und ein Fuchs gehen über das Feld und suchen Futter. Sie kommen an eine Straße. Da geht ein Mädchen mit einem Korb auf dem Kopf nach der Stadt. In dem Korb ist Brot. Es ist frisch. Der Fuchs riecht es und sagt: „Hier kommt Brot für uns." „Wie bekommen wir aber das 5 Brot?" fragt der Hase. „Das ist einfach," antwortet der Fuchs. „Du liegst auf der Straße wie tot. Das Mädchen kommt und glaubt, du bist tot, und sie kann dich mit deinem Pelz in der Stadt verkaufen. Sie stellt den Korb auf den Boden. Ich nehme den Korb mit dem Brot und laufe in den Wald." 10

Alles geht, wie der Fuchs plant. Aber dieser will seinem Freund nichts von dem Brot geben. Sie kommen an einen Fluß, da ruft der Hase: „Brot und Fisch, das ist etwas für uns! Freund Fuchs, hänge deinen Schwanz ins Wasser. Wenn ein Fisch kommt und beißt, ziehst du ihn aus dem Wasser. Dann haben wir Fisch zu 15

Partenkirchen in den Bayrischen Alpen.

unfrem Brot." Der Fuchs hängt feinen Schwanz ins Waffer.
Sehr bald hängt aber der Schwanz nicht im Waffer, fondern im Eis,
denn es ift fehr kalt. So fitzt der Fuchs nun im Eis und friert und
bekommt nichts von dem Brot. Der Hafe aber ruft: „Warte, in
einem Monat kommt der Frühling, dann bekommft du deinen 5
Fifch!"

SUPPLEMENTARY VOCABULARY

bald soon	**liegen** to lie
der **Boden** ground, floor	das **Mädchen** girl
das **Brot** bread	der **Monat** month
das **Eis** ice	**nehmen** to take
der **Fifch** fish	**nichts** nothing
frieren to feel cold	**riechen** to smell
frifch fresh	**rufen** to call
der **Frühling** spring	**fitzen** to sit
das **Futter** food	**ftellen** to place
glauben to believe	der **Wald** forest
hängen to hang	das **Waffer** water
kalt cold	**wenn** when
kann can	(er) **will** (he) wants to
der **Kopf** head	der **Winter** winter
laufen to run	**ziehen** to pull

einfach simple	der **Schwanz** tail
der **Korb** basket	**fondern** (*after neg.*) but
der **Pelz** pelt, fur	**verkaufen** to sell

REVIEW LESSON I

(Lessons I–V)

READING EXERCISE

1. Ift das Hotel beim Bahnhof neu? Nein, es ift alt, aber
berühmt. 2. Wir haben ein Zimmer beftellt, aber das Hotel hat
unten nur ein Zimmer ohne Bad frei. 3. Fahren Sie mit dem
Zug, oder im Auto? 4. Habt ihr fchon gefrühftückt? Wo ift die
Rechnung? In einer Stunde gehen wir zum See. Er ift wirklich
manchmal fehr romantifch. 5. Er hat uns viel von feinem Aufent=

halt in München erzählt. Ich habe aber kein Verlangen, bei diesem Wetter die Isarstadt zu besuchen. 6. Wir haben nicht so viel erlebt, aber es ist leicht eine Stunde darüber (*about it*) zu plaudern. 7. Der Vater vermißte seinen Sohn, er hatte keine Wahl, also wartete er eine Woche auf ihn. 8. Dieses Mal haben wir ihn nicht gleich erblickt. 9. In der Isar haben wir nicht bei Tag gebadet. 10. Hier ist die Landkarte. Hast du die Straße nach Ludwigsburg? Durch welche Stadt oder durch welches Dorf geht sie zuerst?

GRAMMAR DRILL

(*a*) Supply the article and the correct form of the verb in the present tense:

1. Er öffn– (*the*) Koffer. 2. Besuch– ihr (*the*) Schwester? 3. Sie (*pl.*) mach– (*a*) Vorschlag. 4. Such– du (*the*) Dorf? 5. Wir frag– (*the*) Vater. 6. Er führ– (*a*) Freund durch (*the*) Stadt. 7. Sie (*sing.*) zeig– (*the*) Brief. 8. Ich brauch– (*a*) Jahr.

(*b*) In the above sentences put the verb in the past tense and use instead of the article the possessive adjective referring to the subject.

(*c*) Render the same sentences in the present perfect tense and substitute a personal pronoun for the noun.

(*d*) Conjugate progressively, — cf. Lesson II, exercise (*d*):

1. I admire you. 2. I am-looking-for you. 3. I am not going without you.

(*e*) Supply the pronominal adjective:

1. Reisen Sie ohne (*your*) Koffer? 2. Bei (*which*) Freund bleibt er? 3. Seit (*this*) Zeit haben wir ihn nicht mehr besucht. 4. Wir fahren (*every*) Tag um (*this*) Stunde. 5. Wir bringen es (*to our*) Tante. 6. (*My*) Sohn kennt hier (*every*) Dorf. 7. Bei (*this*) Wetter reisen sie nicht. 8. Zeigst du (*your*) Schwester (*every*) Brief von (*our*) Vater? 9. Ich reise nicht durch (*this*) Land. 10. Sie folgt (*her*) Mutter. 11. Kennt ihr (*my*) Stück? 12. Von (*their*) See kommen sie schnell nach (*this*) Stadt. 13. Sie kommt (*every*) Woche zu (*my*) Frau. 14. Hast du etwas gegen

(*this*) Vorschlag?   15. Nicht (*every*) Stadt interessiert (*my*) Vater.

(*f*) Answer in German:

1. Kennen Sie Berlin?   2. Sind Sie ein Münchner?   3. Hat Ihre Stadt einen Park?   4. Reisen Sie manchmal mit dem Zug? 5. Was braucht man, wenn man reist?   6. Besuchen Sie heute abend Ihren Freund?   7. Haben Sie Interesse für ein Museum? 8. Was interessiert Sie mehr, die Universität, oder das Hofbräuhaus?

TRANSLATION INTO GERMAN

1. I asked my mother, but she had no suggestion for me.   2. This country did not interest her.   3. Which village did you visit yesterday?   4. We had waited near the lake [for] an hour.   5. Every year his son comes, and then they travel to the South and stay there [for] a week.   6. Do you know both, the father and the son? 7. Has he shown the letter to-your father? — No, but he showed it to-my sister.   8. They need their breakfast.   9. Does he follow his friend to Berlin?   10. Which city does he come from?

LESSON VI

Present Tense of Strong Verbs. The Imperative. Dative of the Personal Pronouns. Possessive Dative. Pronominal Compounds

21. 1. Many strong verbs have a regular present tense:

Ich komme von dem Theater.	*I am coming from the theater.*
Du kommst von dem Theater.	*You are coming from the theater.*
Er Sie } kommt von dem Theater. Es	*He* *She } is coming from the theater.* *It*
Wir kommen von dem Theater.	*We are coming from the theater.*
Ihr kommt von dem Theater.	*You are coming from the theater.*
Sie kommen von dem Theater.	*They are coming from the theater.*
Sie kommen von dem Theater.	*You are coming from the theater.*

2. All strong verbs with a stem vowel α suffer an umlaut change in the second and third person singular, present tense:

Ich fahre im Zug.	*I am traveling by train.*
Du **fährst** im Zug.	*You are traveling by train.*
Er	*He*
Sie } **fährt** im Zug.	*She* } *is traveling by train.*
Es	*It*
Wir fahren im Zug.	*We are traveling by train.*
Ihr fahrt im Zug.	*You are traveling by train.*
Sie fahren im Zug.	*They are traveling by train.*
Sie fahren im Zug.	*You are traveling by train.*

3. With but few exceptions (*e.g.* gehen, stehen) strong verbs with a stem vowel e alter this vowel in the second and third person singular, present tense.

(*a*) The short e here always becomes short i:

Ich spreche mit dem Vater.	*I am talking to the father.*
Du **sprichst** mit dem Vater.	*You are talking to the father.*
Er	*He*
Sie } **spricht** mit dem Vater.	*She* } *is talking to the father.*
Es	*It*
Wir sprechen mit dem Vater.	*We are talking to the father.*
Ihr sprecht mit dem Vater.	*You are talking to the father.*
Sie sprechen mit dem Vater.	*They are talking to the father.*
Sie sprechen mit dem Vater.	*You are talking to the father.*

(*b*) The long e in the stem vowel becomes ie, except in geben, *to give*, nehmen, *to take*, and treten, *to step*, where it is i, as with the short stem vowels:

Ich sehe den Ausgang.	*I see the exit.*
Du **siehst** den Ausgang.	*You see the exit.*
Er	*He*
Sie } **sieht** den Ausgang.	*She* } *sees the exit.*
Es	*It*
Wir sehen den Ausgang.	*We see the exit.*
Ihr seht den Ausgang.	*You see the exit.*
Sie sehen den Ausgang.	*They see the exit.*
Sie sehen den Ausgang.	*You see the exit.*

Exceptions to the rule (nehmen, treten, geben):

Ich nehme den Brief.	Ich trete in das Haus.
Du **nimmst** den Brief.	Du **trittst** in das Haus.
Er ⎫	Er ⎫
Sie ⎬ **nimmt** den Brief.	Sie ⎬ **tritt** in das Haus.
Es ⎭	Es ⎭
Wir nehmen den Brief.	Wir treten in das Haus.
Ihr nehmt den Brief.	Ihr tretet in das Haus.
Sie nehmen den Brief.	Sie treten in das Haus.
Sie nehmen den Brief.	Sie treten in das Haus.

Note in both nehmen and treten the consonant changes required by the pronunciation. The forms of geben are: du gibst, er gibt.

4. Verbs like verlassen and genießen, with the stem ending in a sibilant, may retain the archaic e in the second person singular or contract stem and ending: du verlässest (or ver=läßt); du genießest (or genießt).

22. *The imperative*

1. The imperative form which the student will most commonly use is like that of the third person plural, present tense. It never appears without Sie, meaning *you:*

Herr Braun, nehmen Sie die Zeitung! *Mr. Braun, take the newspaper.*

Note that the only exception to the above rule is with the verb sein, *to be:*

Seien Sie morgen hier! *Be here tomorrow.*

2. (*a*) The imperative forms of familiar address are regular for all weak verbs:

SINGULAR	PLURAL
frage!	fragt!
antworte!	antwortet!

Fritz, frage deine Mutter! Fritz und Paul, antwortet euerem Lehrer!

Note that the singular adds −e to the stem; the plural adds −t (--et).

(*b*) Strong verbs usually drop the e in the singular form:

> Paul, geh jetzt nach Hause! *Paul, go home now!*
> Karl, komm herein! *Charles, come in!*

(*c*) All strong verbs that change their stem vowel e to i (ie) in the second and third person singular, present tense, show the same vowel change in the familiar imperative form in the singular:

PRES. INDICATIVE	IMPERATIVE SING.	IMPERATIVE PL.
du siehst	sieh!	seht!
du nimmst	nimm!	nehmt!
du sprichst	sprich!	sprecht!

(*d*) The familiar imperative forms of sein, *to be*, are: *sing.* sei; *pl.* seid.

23. 1. *The dative forms of the personal pronouns* should be noted in the following outline:

Nom.	ich	du	er	sie	es	wir	ihr	sie	Sie	man
Gen.	—	—	—	—	—	—	—	—	—	— —
Dat.	mir	dir	ihm	ihr	ihm	uns	euch	ihnen	Ihnen	einem
Acc.	mich	dich	ihn	sie	es	uns	euch	sie	Sie	einen

Note that the genitive forms have here been omitted. They are not commonly used and will be treated later.

2. If the accusative is a personal pronoun it must precede the dative. Compare: Sie gibt ihm das Buch, with Sie gibt es ihm.

24. *Dative of possession.* — Instead of a possessive adjective, the German uses the definite article with the noun and refers to the owner by the dative of the personal pronoun.

This construction appears especially with reference to parts
of the body and clothing:

Der Herr blickte mir ins Gesicht.
  The gentleman looked into my face (cf. *me in the face*).

Sie nimmt es ihm aus der Tasche.   *She takes it out of his pocket.*

25. *Pronominal compounds.* — In German da– is prefixed
to prepositions governing the dative and accusative when
referring to inanimate objects.   The English equivalent is a
preposition plus a personal pronoun:

Er öffnet das Buch (die Zeitung) und spricht davon.
  He opens the book (the newspaper) and talks about it.

Er nimmt den Bleistift und schreibt damit.
  He takes the pencil and writes with it.

This pronominal compound is also used in generalizations:

Was sagst du dazu?   *What do you say to it (that)?*
Ich habe nichts dagegen.   *I have nothing against it.*

When the preposition begins with a vowel, the prefix is
dar–:

Er nimmt die Zeitung und liest darin.
  He takes the newspaper and reads (in) it.

Sie gibt ihm das Glas und er trinkt daraus.
  She gives him the glass, and he drinks from it.

When referring to living beings, the personal pronoun is
used as in English:

Er sieht den Freund und spricht mit ihm.
  He sees the friend and talks with him.

Frühstück in Oberammergau

Tante Marie frühstückt mit ihrer Schwester im Hotel.   Es gibt
Kaffee mit Milch, Kuchen, Brot, Butter und Honig.   Herr Zimmer=
mann liest einen Brief von seinem Freund; Paul schläft noch.
Tante Marie: „Wie feierlich das Dorf jetzt da liegt.   Gestern beim

Paſſionsſpiel hatte man keine Zeit, dieſe Landſchaft zu bewundern.
Iſt ſie nicht herrlich? Sieh nur drüben über dem Bach den Wald
mit dem Berg dahinter. Und ſiehſt du dort die Bergſpitze? Das
iſt die Zugſpitze. Du haſt gewiß ſchon davon gehört. Sie iſt jetzt
5 nicht mehr ſo ſchwer zu erreichen. Man braucht nicht mehr zu
klettern, man fährt jetzt zur Zugſpitze." — „Das iſt aber nicht ſehr
romantiſch." — „Da haſt du recht, das gefällt mir auch nicht," meint
Herr Zimmermann, „ſie machen es einem jetzt zu bequem, ſo genießt
man eine Ausſicht, ohne ſie zu verdienen." „Fährſt du nicht auch in
10 einem Auto nach Partenkirchen und nach Oberammergau und ge=
nießeſt die Ausſicht, ohne ſie zu verdienen?" fragt Tante Marie.
„Das mache ich nur euch zuliebe," antwortet Herr Zimmermann.
„Mir zuliebe?" fragt die Tante und lacht. „Du meinſt, deiner Frau
zuliebe und ein bißchen dir ſelber zuliebe. Ohne uns fährſt du
15 natürlich nie im Auto. Du wanderſt, ſogar von München nach
Oberammergau. Schön! Ich habe nichts dagegen. Ich kaufe dir
einen Alpenſtock. Dann bringt uns Paul im Auto nach München.
Was ſagſt du dazu, Schweſter?" — „Mir iſt es recht, dann haben
wir mehr Raum im Wagen." Alle lachen. Da tritt Paul in das
20 Zimmer. „Hilf deinem Vater, Paul. Tante Marie gibt mir einen
Alpenſtock und ſagt: ‚Nimm dieſen Alpenſtock und wandre!' Dann
tritt ſie zu dir und ſagt: ‚Mein Sohn, fahr mich und deine Mutter
nach München, denn dein Vater verläßt uns.' Was ſagſt du dazu,
verläſſeſt du wirklich deinen Vater und fährſt mit ihnen in ſeinem
25 Auto?" Da ſpricht Paul feierlich: „Dein Wagen iſt mein Wagen,
wohin du fährſt, fahre ich, wohin du wanderſt, wandre ich auch."

VOCABULARY

der **Bach** brook	**helfen** (er hilft *with dat.*) to help
der **Berg** mountain, hill	der **Honig** honey
dahinter behind it	**jetzt** now
geben (er gibt) to give; es gibt there is, they have	der **Kaffee** coffee
	kaufen to buy
gefällen (er gefällt *with dat.*) to please	**klettern** to climb
	der **Kuchen** cake
genießen to enjoy	**lachen** to laugh
glauben to believe	**leſen** (er lieſt) to read

liegen to lie
meinen to mean, remark
die Milch milk
nehmen (er nimmt) to take
nichts nothing
nie never
nur (*with imper.*) just, please
ohne zu verdienen without earning
recht suitable, agreeable
schlafen (er schläft) to sleep

schwer difficult
sehen (er sieht) to see
selber myself, yourself
sogar even
sprechen (er spricht) to speak
treten (er tritt) to step
verdienen to earn
der Wald forest
zu too

---

der Alpenstock *long, iron-pointed pole used for mountain climbing*
die Bergspitze mountain peak
drüben over there
ein bißchen a little bit
feierlich solemn
die Landschaft landscape

recht haben to be right
verlassen (er verläßt) to leave
wandern to wander, hike
wohin whither
die Zugspitze *a high mountain peak in Germany*
zuliebe (*with dat.*) for the sake of

QUESTIONS

1. Lesen Sie beim Frühstück? 2. Schlafen Sie viel? 3. Was sieht Tante Marie vom Hotel? 4. Was erzählt sie von der Zugspitze? 5. Warum gefällt das dem Vater nicht? 6. Warum hat Frau Zimmermann nichts dagegen, wenn Herr Zimmermann wandert? 7. Glaubt Paul, was Herr Zimmermann sagt?

EXERCISES

(*a*) Find in the text: (1) four prepositions compounded with da−. What would be in each instance the correct form of the pronoun following the preposition, if it were to refer to a person? (2) one example of the imperative which shows a change of stem vowel and one which does not.

(*b*) Supply the correct form of the verb and the missing ending:

1. Das (sehen) man jed− Tag. 2. Dies− Stück (gefallen) mir nicht. 3. (Helfen) du dein− Vater? 4. Er (verlassen) d− Bahnhof. 5. (Lesen) du dies− Brief? 6. Er (nehmen) ein Auto und (fahren) nach d− Stadt. 7. (Sprechen) du mit mein− Vater?

8. Mein Freund (schlafen) drüben. 9. Welch– Berg (sehen) du?
10. Er (geben) uns nichts.

(*c*) Use the three imperative forms, changing the pronoun or noun as indicated:

1. Help me, us, them. 2. Visit your father, me, him. 3. Step up-to them, her, us. 4. Read his letter, it. 5. Drive with me, him, my mother. 6. Do not speak of him, her, it. 7. Leave your aunt, them, us. 8. Take this room, a suitcase, her.

WRITTEN TRANSLATION

1. Mr. Zimmermann is-reading a letter from his niece (Nichte) in New York. 2. "What does she say [in-regard-]to your suggestion to come to Berlin?" asks Mrs. Zimmermann. 3. "She likes it (it pleases her). 4. She has planned everything already. 5. She is-sailing (fahren) with the *Berengaria* (*fem.*) and leaves New York this week. 6. She says Charles is-helping her a-great-deal." 7. "Why does he not go with her?" asks Mrs. Zimmermann. 8. "You know him," answers Aunt Marie. 9. "He never has [any] time. 10. Besides (auch) he enjoys New York more than we [do]." 11. "You are right, Marie," remarks Mr. Zimmermann, "New York pleases him more (besser) than Oberammergau and the Zugspitze."

SUPPLEMENTARY READING

Der Philosoph

Ein Bauer hat einen Sohn. Dieser studiert lange auf der Universität. Endlich kommt er nach Hause, seinen Vater zu besuchen. Der Vater plaudert mit dem Sohn, und endlich fragt der Vater: „Was studierst du eigentlich?" „Philosophie," antwortet der Sohn.
5 „Und was ist das?" fragt der Vater. „Das ist nicht leicht zu verstehen, aber ich versuche doch, es dir zu erklären. Du glaubst, du bist hier im Dorf, nicht wahr?" „Jawohl," antwortet der Vater, „und das bin ich auch (*certainly*)." „Nun," sagt der Sohn, „mit der Philosophie beweise ich dir, du bist nicht im Dorf." „So?" antwortet
10 der Vater, „dann erkläre mir das." „Du bist im Dorf, also

bist du nicht in der Stadt." „Ja, also bin ich nicht in der Stadt."
„Du bist also nicht in der Stadt, dann bist du anderswo. Du bist
anderswo, also bist du nicht in dem Dorf." „Richtig, richtig!" mur=
melt der Vater, aber es ist ihm doch nicht ganz klar. Plötzlich tritt
er zu seinem Sohn und gibt ihm einen Schlag an den Kopf. „Aber 5
Vater! warum schlägst du mich?" „Ich? ich schlage dich nicht."
„Doch, siehst du nicht, mein Ohr ist noch ganz rot davon." „Aber
ich war es nicht, und ich beweise es dir mit deiner Philosophie. Du
bist also im Dorf, nicht wahr?" „Jawohl, ich bin im Dorf," mur=
melt der Sohn. „Und mit deiner Philosophie beweisest du, dein 10
Vater ist nicht im Dorf." „Richtig, richtig," murmelt der Sohn.
„Er ist ja anderswo, also war es nicht dein Vater."

SUPPLEMENTARY VOCABULARY

der **Bauer** peasant	**rot** red
beweisen to prove	der **Schlag** blow
erklären to explain	**schlagen** (er schlägt) to beat, strike
klar clear	**studieren** to study
das **Ohr** ear	**verstehen** to understand
plötzlich sudden(ly)	**versuchen** to try
richtig correct	

aber! (*expressing indignation*) why!	**murmeln** to murmur
anderswo elsewhere	**nicht wahr?** is it not so?
doch indeed (you are)	die **Philosophie** philosophy
eigentlich real(ly)	**so?** is that right?
endlich finally	

LESSON VII

Present Tense of werden. Future and Future Perfect Tense. Prepositions with the Dative and Accusative

26. The present tense of werden, *to become:*

Ich werde alt.	Wir werden alt.	
Du wirst alt.	Ihr werdet alt.	Sie werden alt.
Er		
Sie } wird alt.	Sie werden alt.	
Es		

Note the change of vowel from e to i in the second and third
singular forms, as well as the contractions.

27. The future tense is formed with the present tense of werden and the infinitive of the verb in question, which is a verbal adjunct and stands at the end of the sentence:

Ich werde morgen abend zu Hause sein.	*I shall be at home tomorrow night.*
Du wirst morgen abend zu Hause sein.	*You will be at home tomorrow night.*
Er ⎫ Sie ⎬ wird morgen abend zu Hause sein. Es ⎭	*He* ⎫ *She* ⎬ *will be at home tomorrow night.* *It* ⎭

Wir werden morgen abend zu Hause sein.	*We shall be at home tomorrow night.*
Ihr werdet morgen abend zu Hause sein.	*You will be at home tomorrow night.*
Sie werden morgen abend zu Hause sein.	*They will be at home tomorrow night.*
Sie werden morgen abend zu Hause sein.	*You will be at home tomorrow night.*

28. The future perfect tense is formed with the present tense of werden followed by the past participle of the verb in question and the infinitive of the proper auxiliary:

Ich werde das Buch morgen bestellt haben.	*I shall have ordered the book by tomorrow.*
Du wirst das Buch morgen bestellt haben.	*You will have ordered the book by tomorrow.*
Er ⎫ Sie ⎬ wird das Buch morgen bestellt Es ⎭ haben.	*He* ⎫ *She* ⎬ *will have ordered the book by* *It* ⎭ *tomorrow.*

Wir werden das Buch morgen bestellt haben.	*We shall have ordered the book by tomorrow.*
Ihr werdet das Buch morgen bestellt haben.	*You will have ordered the book by tomorrow.*
Sie werden das Buch morgen bestellt haben.	*They will have ordered the book by tomorrow.*
Sie werden das Buch morgen bestellt haben.	*You will have ordered the book by tomorrow.*

29. The future tenses, especially when accompanied by wohl, often express probability rather than future time:

Es wird (wohl) wahr sein.	*It is probably true.*
Er wird das Buch (wohl) bestellt haben.	*He has probably ordered the book.*

30. The following nine prepositions, very commonly used, govern both the dative and accusative cases:

an	*at, along side of, to*	über	*above, over, about*
auf	*on, upon*	unter	*under, beneath, among*
hinter	*behind*	vor	*before, in front of, be-*
in	*in, into*		*cause of*
neben	*beside, next to*	zwischen	*between*

1. (*a*) These prepositions govern the dative when implying rest:

> Das Buch liegt auf dem Tisch.   *The book lies on the table.*

or motion within a given area:

> Er geht im Zimmer hin und her.   *He walks back and forth in the room.*
> Er fährt hinter mir.   *He is riding behind me.*

(*b*) They govern the accusative when implying motion to a definite place, and thus always appear with verbs expressing motion:

> Er geht in das Zimmer.   *He goes into the room.*
> Er fährt hinter das Haus.   *He drives behind the house.*
> Der Student legt sein Buch auf den Tisch.   *The student lays his book on the table.*

(*c*) Used figuratively in certain idioms, an, auf, and über govern the accusative:

> Ich denke an meinen Vater.   *I am thinking of my father.*
> Er macht es auf diese Weise.   *He does it in this way.*
> Er schreibt ein Buch über seine Reise.   *He is writing a book about his journey.*

2. These prepositions may be contracted with the definite article as follows:

> am = an dem; ans = an das; aufs = auf das; im = in dem; ins = in das; übers = über das; vors = vor das.

Nach Nürnberg und Rothenburg

Das Wetter war dieses Mal schlecht. Sie hatten auf ihrer Fahrt nach Norden Weilheim im Regen erreicht. Nun suchten sie auf der

Landkarte die Straße nach Nürnberg. „Wir haben die Wahl, ent=
weder an den Ammersee zu fahren, dann werden wir heute abend
noch in Augsburg sein, oder an den Starnberger See, dann werden
wir in einer Stunde München erreichen," sagte Herr Zimmermann.
5 „Von Augsburg wird es wohl ebenso weit nach Nürnberg sein, wie
von München." — „Wann werden wir denn nach Nürnberg
kommen?" fragte Paul. „Ich hoffe, wir werden morgen abend schon
dort sein," antwortete sein Vater. „Wirst du denn in Augsburg keinen
Aufenthalt machen?" fragte nun Tante Marie. „Deine Frau und ich
10 haben ja Augsburg noch nie besucht." — „Wir werden natürlich die
Nacht über dort bleiben," sagte Herr Zimmermann. „Paul und
ich kennen die Stadt schon. Fritz hat sie uns auf der Fahrt von
Stuttgart nach München gezeigt, aber ihr kennt sie noch nicht. So
werden wir euch heute abend noch dies und das zeigen, denn morgen
15 werden wir kaum Zeit haben, etwas von der Stadt zu sehen. Wir
werden unsren Tag ganz zur Fahrt brauchen." — „In Nürnberg
wirst du wohl mehr als einen Tag bleiben, es gibt da so viel zu sehen."
„Wir bleiben sogar eine Woche dort," antwortete Herr Zimmer=
mann, „dann werden wir fast alles gesehen haben: die Sebalduskirche
20 und die Lorenzkirche, den Marktplatz mit dem Brunnen, die Stadt=
mauer und die Burg auf dem Burgberg. Wir werden auch Rothen=
burg besuchen. Es ist in der Nähe von Nürnberg und wird euch
ebenso gefallen, wie mir.

　　Rothenburg liegt auf einem Hügel und ist sehr alt. Man kommt
25 über eine Brücke durch das Tor in die Stadt. Hinter dem Tor ist
der Torturm. Auf der Stadtmauer werdet ihr einen Gang sehen
mit einem Dach darüber. Auf diesen Gang kletterte der Bürger, um
seine Stadt zu verteidigen. Die Aussicht von der Stadtmauer über
die Stadt ist herrlich. Am Marktplatz steht das Rathaus mit
30 einem Brunnen daneben. Beide sind alt und berühmt. Zwischen
dem Rathaus und dem Brunnen führt die Hauptstraße nach dem
Stadttor. Fast jedes Haus an dieser Straße ist alt und echt und
hat Kunstwert. Kaum eine Stadt in Deutschland wird ihren Cha=
rakter wohl so lange und so rein bewahrt haben, wie dieses Rothen=
35 burg."

VOCABULARY

die **Brücke** bridge
der **Brunnen** fountain, well
der **Bürger** citizen
der **Charakter** (ch = k) character
das **Dach** roof
denn (*in questions shows interest of the speaker*) tell me (*at beginning of sentence*)
entweder ... oder either ... or
fast almost
ganz quite, entire(ly)
das **Haus** house
hoffen to hope

kaum scarcely, hardly
die **Kirche** church
der **Marktplatz** market place
die **Nacht** night
das **Rathaus** city hall
der **Regen** rain
rein pure
schlecht bad
stehen to stand
treu faithful
weit far, wide
wohl probably

---

der **Ammersee** *lake in Bavaria*
bewähren to preserve
die **Burg** castle, citadel
(das) **Deutschland** Germany
ebenso just as (much)
echt genuine
der **Gang** passageway
die **Hauptstraße** main street
der **Hügel** hill
ja as you know

der **Kunstwert** artistic value
morgen tomorrow; **morgen abend** tomorrow evening
die **Nähe** vicinity, neighborhood
(das) **Rothenburg** *city in Bavaria*
die **Stadtmauer** city wall
das **Tor** gate
der **Torturm** gate tower
verteidigen to defend

QUESTIONS

1. Werden Sie Deutschland in einem Jahr besuchen? 2. Werden Sie nach Nürnberg gehen? 3. Haben Sie in Ihrem Land eine Stadt mit einer Stadtmauer und einem Torturm? 4. Welchen See wird wohl Paul auf der Fahrt nach Augsburg sehen? 5. Wie lange braucht man im Auto von Augsburg nach Nürnberg? 6. Was gibt es in Nürnberg zu sehen? 7. Wo liegt Rothenburg? 8. Wo steht das Rathaus? 9. Warum ist Rothenburg so berühmt?

EXERCISES

(*a*) Find in the text two prepositions which occur both with the dative and with the accusative.

(*b*) Supply the proper form of the article or pronominal adjective:

1. Er wartet unter (*the*) Tor an (*the*) Stadtmauer. 2. Die Hauptstraße führt dich auf (*the*) Hügel. 3. Von (*this*) Hügel erblickt man das Rathaus an (*the*) Marktplatz. 4. In (*which*) Haus wirst du gehen? 5. Die Straße liegt zwischen (*this*) See und (*the*) Wald. 6. Fahr mit (*your*) Auto über (*the*) Brücke vor (*the*) Hotel. 7. Sie sitzen vor (*their*) Haus und sprechen über (*your*) Brief. 8. Sie verteidigen (*each*) Turm in (*the*) Stadt. 9. (*Which*) Straße führt in (*the*) Stadt? 10. (*This*) Brunnen steht zwischen (*the*) Rathaus und (*the*) Kirche. 11. Wir werden über (*a*) Berg wandern. 12. Tritt an (*this*) Tor und sieh (*the*) Brunnen.

(*c*) Put the following sentences into the future:

1. Morgen verläßt er das Dorf. 2. Es ist schwer, die Burg zu verteidigen. 3. Morgen abend erzählen sie es mir. 4. Dieses Mal gibt es kein Frühstück. 5. Du kennst seinen Charakter nicht. 6. Klettern Sie auch auf den Turm? 7. Das Haus wird schön.

(*d*) Put into the future perfect:

1. Er macht seine Arbeit gut. 2. Ich besuche die Stadt in einer Woche. 3. Sie bewahrt ihren Charakter treu.

(*e*) Form sentences in which the following prepositions are contracted with the definite article: bei, in, durch, von, auf, für, an.

WRITTEN TRANSLATION

1. "What will your niece do in Berlin?" asked Aunt Marie.
2. "Will she wait until (bis) we come, or will she take the train for (nach) Nuremberg?" 3. "In my letter to (an) her I made (*pres. perf.*) the suggestion to-her to meet (treffen) us in Freiburg. 4. She will thus have the choice of enjoying (to enjoy) a trip (Wanderung) through the Black Forest (Schwarzwald, *m.*) with us, or of seeing (to see) Berlin by-herself (alone)." 5. "How do you like Nuremberg (How does N. please you) now, Paul?" asked Mr. Zimmermann.
6. "I like it (it pleases me) almost as well as (so gut wie) Rothenburg," replied the son. 7. "The Sebaldus-Church and the view of (auf) the city from the citadel interested me more than the market-place with its fountain."

SUPPLEMENTARY READING

Der Engländer und der Irländer

In der Schlacht kämpft ein Engländer neben einem Irländer. Der Engländer verspricht dem Irländer, für ihn zu sorgen, wenn er fällt, und der Irländer verspricht für den Engländer zu sorgen. Bald darauf verliert der Engländer ein Bein. Er bittet seinen Freund, ihn zu einem Arzt zu tragen. Der Irländer nimmt ihn also auf den Rücken. Auf dem Weg zum Arzt verliert der Engländer auch noch seinen Kopf, aber der Irländer merkt es nicht. Er geht langsam unter seiner Last weiter. Ein Offizier sieht ihn und fragt ihn: „Warum trägst du diesen Mann auf dem Rücken, er hat ja keinen Kopf mehr." Zornig wirft der Irländer seine Last auf den Boden und ruft: „Er behauptete, es wäre (*was*) sein Bein. Solch ein Lügner!"

Der Quäker und der König

William Penn steht vor dem König von England. Er ist ein Quäker, also nimmt er den Hut nicht ab (*off*), auch nicht vor dem König. Er erzählt von Amerika; der König sieht nach Penns Hut, sagt aber nichts. Nach einer Weile nimmt der König seinen Hut ab. „Ich bitte dich, Freund Karl," sagt Penn, „setze deinen Hut auf." „Nein, Freund Penn," antwortete der König, „hier behält nur einer (*one*) seinen Hut auf, so verlangt es die Sitte."

SUPPLEMENTARY VOCABULARY

der **Arzt** physician
bald soon
behaupten to maintain, declare
das **Bein** leg
bitten to beg, ask
fallen (er fällt) to fall
der **Hut** hat
der **König** king
langsam slow(ly)
merken to notice
der **Offizier** army officer

der **Rücken** back
rufen to call
die **Schlacht** battle
solch such
sorgen für to provide for, take care of
tragen (er trägt) to carry, wear
versprechen (er verspricht) to promise
der **Weg** road, way
die **Weile** while
werfen (er wirft) to throw

behálten (er behält) to keep
der Engländer Englishman
der Irländer Irishman
kämpfen to fight
die Laft burden

der Lügner liar
der Quäfer Quaker
die Sitte custom
weiter further, on

LESSON VIII

Past Tense of Strong Verbs. Past Tense of fein and werden. Genitive of Strong Nouns. Genitive Form of Pronominal Words. Possessive Pronouns

31. The past tense of the strong verb nehmen, *to take:*

Ich nahm das Buch.   Wir nahmen das Buch.
Du nahmst das Buch.   Ihr nahmt das Buch.   Sie nahmen das Buch.
Er
Sie } nahm das Buch.   Sie nahmen das Buch.
Es

Note that the vowel of the past tense of strong verbs is *always* different from that of the present tense. Therefore the principal parts of all strong verbs should be committed to memory.

For the one tense form in German there exist in English three equivalents:

Er nahm das Buch =
{
He took the book.
He was taking the book.
He did take the book.
}

Compare the past tense endings of the strong verb with those added to the suffix –te of the weak verb:

ich gab *I gave*	ich machte	———
du gabst	du machtest	———ft
er	er	———
fie } gab	fie } machte	———
es	es	———
wir gaben	wir machten	———(e)n
ihr gabt	ihr machtet	———t
fie gaben	fie machten	———(e)n
Sie gaben	Sie machten	———(e)n

32. The past tense of ſein, *to be:*

Jch	war heute da.	Wir waren heute da.		
Du	warſt heute da.	Jhr wart heute da.	Sie waren heute da.	
Er				
Sie }	war heute da.	Sie waren heute da.		
Es				

33. The past tense of werden, *to become:*

Jch   wurde böſe (*angry*).   Wir wurden böſe.
Du   wurdeſt böſe.   Jhr wurdet böſe.   Sie wurden böſe.
Er
Sie } wurde böſe.   Sie wurden böſe.
Es

There exists an archaic singular, still used in poetry and formal speech:

ich ward, du wardſt, er ward

34. The genitive singular form of all neuter and most masculine nouns and proper names ends in –s or –es:

Masculines	Neuters
des Vaters *of the father, the father's*	des Hauſes *of the house*
des Fußes *of the foot*	des Buchs *of the book*

Note that nouns ending in a sibilant take –es.

Some masculine nouns have a genitive form in –n or –en:

des Knaben   des Studenten   des Herrn

Feminine nouns undergo no change at all in the singular. The genitive is expressed by the ending of the modifier:

die Tochter dieſer Frau *the daughter of this lady*

35. The genitive endings of pronominal words (*i.e.* definite and indefinite articles, demonstrative pronouns and adjectives, possessive pronouns and adjectives) are:

Masc. —es	Fem. —er	Neut. —es
des Mannes	der Frau	des Hauses
eines Mannes	einer Frau	eines Hauses
dieses Mannes	dieser Frau	dieses Hauses

36. *Possessive pronouns.* — The possessive used as an *adjective,* that is, always with a noun, is already familiar to the student, cf. § 10. When used as a *pronoun* the forms of the possessive are in all cases like those of dieser. Compare:

dieser Lehrer	mein Lehrer	meiner
this teacher	*my teacher*	*mine* (referring to teacher)
dieses Buch	unser Buch	uns(e)res (*i.e.* book)
this book	*our book*	*ours* (referring to book)

Er ist sein Freund, nicht **meiner.** *He is his friend, not* **mine.**

Sie haben jetzt kein Haus, aber sie werden bald **unseres** kaufen.
They have no house now, but they will soon buy **ours.**

Die Geschichte des Ritters Eppelin

Der Aufenthalt in Nürnberg war herrlich. Sie besuchten das Rathaus am Fuß des Burgberges. Dann bestiegen sie den Burg= berg und bewunderten die Aussicht auf die Stadt. Das Innere der Stadt hatte seinen Charakter treu bewahrt. Im Burghof sahen sie
5 in der Mauer den Eindruck von zwei Hufeisen. Hier sprang das Pferd des Ritters Eppelin über den Burggraben und rettete den Ritter vom Tod. Eppelin war ein Feind der Stadt Nürnberg. Von seiner Burg überfiel er manchen Nürnberger Kaufmann. End= lich aber nahmen sie ihn gefangen und warfen ihn in den Turm der
10 Burg. Vor seinem Tod versprachen sie ihm noch die Erfüllung (*fulfillment*) eines Wunsches. Er wünschte noch einmal vor seinem Tod sein Pferd zu besteigen. Man führte den Ritter aus dem Turm in den Burghof. Hier fand er sein Pferd und bestieg es. Er ritt über den Hof an die Burgmauer; da ergriff den Ritter die Sehnsucht
15 nach dem Leben. Die Mauer war hoch, der Graben breit und tief. Was hatte er zu verlieren? Der Tod war ihm gewiß. So gab er

Alt=Nürnberg mit der Burg.

ſeinem Pferd die Sporen (*spurs*), ſprang über den Graben und war gerettet.

Nach einer Woche verließen ſie Nürnberg und fuhren nach Würt=
temberg. In Heilbronn blieben ſie eine Nacht. Man zeigte ihnen
5 den Götz=Turm und Herr Zimmermann erzählte ſeinem Sohn die
Geſchichte des Ritters Götz von Berlichingen. Paul fragte gleich:
„Iſt das nicht der Held eines Schauſpiels von Goethe?" „Du haſt
ganz recht," antwortete Herr Zimmermann. „Durch dieſes Schau=
ſpiel ‚Götz von Berlichingen‘ wurde Goethe ſchnell in Deutſchland
10 berühmt. Wie Florian Geyer wurde der Ritter Götz von Ber=
lichingen der Führer eines Bauernheeres zur Zeit der Reformation."

VOCABULARY

The infinitive and past tense of verbs that have occurred before.

bleiben, blieb to remain	**nehmen**, nahm to take
fahren, fuhr to ride, drive	**ſehen**, ſah to see
geben, gab to give	**verlaſſen**, verließ to leave

breit broad, wide	**reiten**, ritt to ride on horseback
der (Burg)hof (castle) courtyard *	**retten** to save
der Feind enemy	**ſpringen**, ſprang to jump
finden, fand to find	**tief** deep
der Fuß foot	**verlieren**, verlor to lose
die Geſchichte story, history	**verſprechen** (verſpricht), verſprach to promise
der Held hero	
hoch high	**werfen** (wirft), warf to throw
mancher many a	**wünſchen** to wish
die Mauer wall	**zwei** two
das Pferd horse	

das Bauernheer army of peasants	**das Leben** life
beſteigen, beſtieg to mount, climb	**noch einmal** once more
der Eindruck impression	**Nürnberger** (*indecl. adj.*) of Nu- remberg
endlich finally	
ergreifen, ergriff to seize	**die Reformatión** reformation
der Führer leader, guide	**der Ritter** knight
gefangen nehmen to capture	**das Schauſpiel** drama, play
der Graben ditch, moat	**die Sehnſucht** (nach) longing (for)
das Hufeiſen horseshoe	**der Tod** death
das Innere interior, inner part	**überfallen**, überfiel to attack
der Kaufmann merchant	**der Wunſch** wish

* Compound nouns whose meaning is self-evident are hereafter listed under their components.

QUESTIONS

1. Wo liegt das Rathaus in Nürnberg? 2. Was zeigt man in
der Mauer des Burghofs? 3. Warum warf man den Ritter
Eppelin in einen Turm? 4. Welchen Wunsch hatte er vor seinem
Tod? 5. Warum hatte er nichts zu verlieren? 6. Was rettete
ihn vom Tod? 7. Warum erzählte Herr Zimmermann von
Götz? 8. Wie wurde Götz lange nach seinem Tod berühmt?

EXERCISES

(a) Translate the words in parentheses:

1. Er wird der Held (*of a story*). 2. Unser Auto verläßt das Tor
(*of the city*). 3. Er überfällt die Burg (*of his enemy*). 4. Reitest
du auf dem Pferd (*of your father*)? 5. Wir besteigen das Dach
(*of this house*). 6. Sie fährt im Auto (*of her mother*). 7. Sie
verlieren alles durch den Tod (*of their leader*). 8. Sie werfen
es vom Turm (*of the castle*). 9. Er wird der Feind (*of many-a
knight*). 10. Versprichst du mir das Leben (*of my friend*)?
11. Ich erzähle euch die Geschichte (*of our trip*). 12. Siehst du
das Innere (*of this church*)? 13. Er wird ein Führer (*of our
time*). 14. Bist du kein Freund (*of this country*)? 15. Er wartet
am Fuß (*of the bridge*).

(b) Put the sentences of exercise (a) into the past tense.

(c) Classify the dative forms of the German text into:
(1) those following a preposition that governs the dative;
(2) those following a preposition that governs a dative or
accusative; (3) those used as indirect object.

(d) Supply the missing words:

1. Das ist (*his*) Haus, wo ist (*yours*)? 2. Ich bin Student,
aber er ist (*not-one*). 3. Er hat ein Auto, haben Sie (*one*)?
4. Mein Vater kommt heute nicht, kommt (*yours*)? 5. Dieser
Koffer ist (*mine*), habt ihr (*yours*)? 6. Mein Frühstück habe ich
schon gehabt, habt ihr (*yours*)? 7. Dieses Zimmer gefällt mir
nicht, gefällt Ihnen (*yours*)? 8. Unser Leben ist nicht so schön wie
(*his*).

WRITTEN TRANSLATION

1. Mr. Zimmermann saw Goethe's play *Götz von Berlichingen* in a theater in Berlin a year ago. 2. He admired it for it gave him a picture (das Bild) of the time of the Reformation. 3. The character of this knight was really not much better (beſſer) than the character of-Eppelin. 4. Götz became the leader of an army-of-peasants. 5. They captured him and cast him into a tower. 6. Finally he promised to stay in (auf) his castle. 7. Now Götz was free, but he did not remain in his castle very long. 8. One day (*gen.*) he mounted his horse and left the castle. 9. Once more he was-riding with his Kaiser against the enemy. 10. In his play Goethe does not follow the history of this knight very faithfully.

SUPPLEMENTARY READING

Der Lehrer

Mein Freund war in der Schule nicht immer fleißig. Eines Tages ſagte der Lehrer zu ihm: „Denken Sie an Alexander: was hat er ſchon in Ihrem Alter geleiſtet!" Da antwortete mein Freund ſchnell: „Ja, aber das war nicht ſo ſchwer für ihn, war nicht Ariſtoteles ſein Lehrer?"

Der Regenſchirm

Geſtern kam ich aus dem Theater. Es regnete heftig. Ich hatte einen Mantel, aber keinen Regenſchirm bei mir. Vor mir ging ein Herr mit einem Regenſchirm. Ich hielt ihn für einen Freund von mir, legte meine Hand vertraulich auf ſeine Schulter und ſagte: „Bitte, geben Sie mir Ihren Regenſchirm." Der Herr blickte mir ins Geſicht. Da ſah ich: er war mir ganz fremd. Er ſagte aber gleich: „Verzeihen Sie, es regnete ſo heftig, und ich hatte keinen Schirm bei mir. Da erblickte ich dieſen und nahm ihn." Damit ließ er den Regenſchirm in meiner Hand und verſchwand. Nun merkte ich, es war der Schirm meines Freundes.

SUPPLEMENTARY VOCABULARY

bliden to look
fremd strange, unknown
das Gesicht face
ging went
die Hand hand
immer always
kam came

laſſen, ließ to leave
legen to lay
der Mantel overcoat
der (Regen)ſchirm umbrella
die Schule school
die Schulter shoulder

---

das Alter age
Ariſtóteles Aristotle
bitte please
fleißig industrious
halten für, hielt to take for
heftig violent, hard
der Lehrer teacher

leiſten to accomplish
regnen to rain
verſchwinden, verſchwand to disappear
vertráulich confidential
verzéihen, verzieh to forgive

LESSON IX

Present Perfect Tense of Strong Verbs. Past Perfect Tense of Strong Verbs. Use of ſein as an Auxiliary Verb. Prepositions with the Genitive. Review of the Singular of dieſer=Words and kein=Words

37. The present perfect tense of strong verbs is formed like that of weak verbs, namely with an auxiliary verb in the present tense and the past participle of the verb in question.

Note, however, that the past participle of all weak verbs ends in –t, whereas that of all strong verbs ends in –en. Compare:

	machen	machte	gemacht
and			
	ſchlafen	ſchlief	geſchlafen

Learn the following:

Ich habe eine Stunde geſchlafen.	*I slept for an hour.*
Du haſt eine Stunde geſchlafen.	*You slept for an hour.*
Er ⎱	*He* ⎱
Sie ⎬ hat eine Stunde geſchlafen.	*She* ⎬ *slept for an hour.*
Es ⎰	*It* ⎰

Wir haben eine Stunde geschlafen.	*We slept for an hour.*
Ihr habt eine Stunde geschlafen.	*You slept for an hour.*
Sie haben eine Stunde geschlafen.	*They slept for an hour.*
Sie haben eine Stunde geschlafen.	*You slept for an hour.*

38. The past perfect tense is formed with the past tense of the auxiliary verb and the past participle of the verb in question:

Ich hatte das Buch gelesen.	*I had read the book.*
Du hattest das Buch gelesen.	*You had read the book.*
Er Sie } hatte das Buch gelesen. Es	*He She } had read the book. It*
Wir hatten das Buch gelesen.	*We had read the book.*
Ihr hattet das Buch gelesen.	*You had read the book.*
Sie hatten das Buch gelesen.	*They had read the book.*
Sie hatten das Buch gelesen.	*You had read the book.*

39. *The use of* haben *and* sein *as auxiliary verbs*

1. Haben is used as an auxiliary verb:

(*a*) With all transitive verbs.

(*b*) With intransitive verbs *not* expressing motion as:

schlafen — Ich habe lange geschlafen.　*I have been sleeping a long time.*
wohnen — Er hat hier gewohnt.　*He lived here.*
stehen — Wir haben dort gestanden.　*We stood there.*

2. Unlike English, the German uses sein as an auxiliary:

(*a*) With intransitive verbs that express a motion from one definite place or position to another, as:

Er ist in das Haus getreten.　*He stepped into the house.*
Ich war ins Zimmer gekommen.　*I had come into the room.*

(*b*) With intransitive verbs denoting change of condition:

Sie sind schnell eingeschlafen.　*They fell asleep quickly.*
Er ist früh gestorben.　*He died early.*
Es war kalt geworden.　*It had become cold.*
Das war gestern geschehen.　*That had happened yesterday.*

(c) With a few other intransitive verbs — sein, bleiben, ge=
lingen:

sein, war, gewesen: Seid ihr gestern hier gewesen? *Were you here yesterday?*
bleiben, blieb, geblieben: Sie ist immer jung geblieben. *She has always
remained young.*
gelingen, gelang, gelungen: Es ist ihm nicht gelungen. *He did not succeed.*

40. *The genitive case* is the object of certain prepositions:

außerhalb *outside of*	jenseit (jenseits) *that side of, beyond*
(an)statt *instead of*	trotz *in spite of*
diesseit (diesseits) *this side of*	während *during*
innerhalb *inside of*	wegen *on account of*

41. The genitive case is commonly used with some masculine nouns to express indefinite or repeated time:

eines Tages *one day*	eines Nachmittags *one afternoon*
eines Abends *one evening*	eines Morgens *one morning*

If not preceded by the article, the noun has the force of an
adverb and is not capitalized:

abends, nachmittags, morgens (*in the evening, etc.*)

Through analogy, because of its frequent connection with
the word tags, the feminine word Nacht has developed the
adverbial form nachts.

42. Review the following singular forms of the noun and
the *definite article:*

Masculine	Feminine	Neuter
der Vater	die Frau	das Schloß
des Vaters	der Frau	des Schlosses
dem Vater	der Frau	dem Schloß
den Vater	die Frau	das Schloß

43. Review the singular forms of the dieser=*words, i.e.:*

dieser *this (one)*	mancher *many a*
jener *that (one)*	solcher *such*
jeder *every (one)*	welcher *which (one)*

Masculine	Feminine	Neuter
dieser Mann	diese Frau	dieses Kind
dieses Mannes	dieser Frau	dieses Kindes
diesem Mann	dieser Frau	diesem Kind
diesen Mann	diese Frau	dieses Kind

44. Review the singular forms of the kein=*words, i.e.:*

ein	sein (*its*)
kein	unser
mein	euer
dein	ihr (*their*)
sein	Ihr (*your*)
ihr (*her*)	

Masculine	Feminine	Neuter
kein Mann	keine Frau	kein Kind
keines Mannes	keiner Frau	keines Kindes
keinem Mann	keiner Frau	keinem Kind
keinen Mann	keine Frau	kein Kind

Note that, as *adjectives*, the kein=words lack the ending in three forms, *i.e.* nominative, masculine and neuter, and accusative neuter. As pronouns they are like der=words, cf. § 36.

In Freiburg

Herrlich gelegen am Fuß des Schwarzwalds, nicht weit vom Rhein, ist die Stadt Freiburg, berühmt auch wegen ihres Münsters und ihrer Universität. Dorthin reiste die Familie Zimmermann, um den Herbst im Schwarzwald zu genießen. Vor einer Woche
5 hatten sie Heilbronn verlassen und waren nach Baden gefahren. In der Hauptstadt Badens, Karlsruhe, waren sie einen Tag geblieben und hatten das Schloß besucht. Die Aussicht vom Schloß war besonders interessant, denn jede Hauptstraße führt direkt dorthin. So beherrscht der Blick vom Schloß das Innere der Stadt.
10 Die Fahrt das Rheintal entlang mit dem Blick auf den Schwarz=

wald war herrlich. Das Wetter war wundervoll. In der Ferne
erblickten sie sogar das Straßburger Münster. Abends waren sie
dann nach Freiburg gekommen. Während ihres Aufenthalts in
Freiburg hatten sie schon viel von der Stadt und ihrer Umgebung
gesehen. Sie hatten den Turm des Münsters bestiegen und waren 5
auch auf den Schloßberg gewandert. Das ist ein Hügel mit einem
Park gleich außerhalb der Stadt. Der Blick von seinem Gipfel auf
den Schwarzwald im Osten und auf das Innere der Stadt mit dem
Münster am Marktplatz im Westen hatte Paul besonders gefallen.
Auch das Gebäude der Universität gefiel ihnen. Es war neu. Über 10
dem Eingang lasen sie den Spruch: „Die Wahrheit wird euch frei
machen."

Von der Universität gingen sie zum Bahnhof und warteten auf
den Zug von Karlsruhe. Bald fuhr er in die Bahnhofshalle und
nicht lange nachher erblickte Herr Zimmermann in der Menge den 15
Hut seiner Nichte. Sie hatte ihn vor einem Jahr in New York
gekauft, er selbst war dabei gewesen. In Deutschland war er, wie
Pauls Kusine hoffte, noch nicht aus der Mode gekommen. So gab
es ein Wiedersehen mit dem Hut und der Nichte. „Dieses Mal bist
du ganz allein nach Deutschland gereist," sagte Herr Zimmermann 20
gleich. „Wie hat dir Hamburg gefallen?" — „Sehr gut," antwortete
sie. „Allerdings habe ich nicht viel davon gesehen, denn ich bin schon
nach einem Tag nach Berlin gefahren. Ihr habt mich ja so bald nach
Freiburg bestellt." — „Warum hast du denn nicht den Schlafwagen
genommen?" fragte Herr Zimmermann. „Im Schlafwagen habe 25
ich noch nie gut geschlafen. Im Hotel schläft man viel besser und
im Zug sieht man bei Tag doch (*of course*) mehr von Deutschland
als nachts." Dann fragte sie: „Seid ihr schon auf dem Feldberg
gewesen?" denn vom Feldberg hatte sie oft gelesen. „Wir haben
auf dich gewartet," antwortete Paul. „Eine Wanderung durch den 30
Schwarzwald ist schon geplant und Vater hat versprochen, uns auch
auf den Feldberg zu führen. Er selbst hat ihn nur ein Mal bestiegen.
Ganz allein ist er von Freiburg auf den Gipfel gewandert und ist dann
die Nacht über dort im Hotel geblieben."

VOCABULARY

Principal parts of strong verbs that have occurred before:

besteigen, bestieg, bestiegen to ascend, climb
bleiben, blieb, ist geblieben to remain
fahren, fuhr, ist gefahren to ride, drive
gefallen, gefiel, gefallen to please
gehen, ging, ist gegangen to go
kommen, kam, ist gekommen to come
lesen, las, gelesen to read
liegen, lag, gelegen to lie, be situated
nehmen, nahm, genommen to take
schlafen, schlief, geschlafen to sleep
sehen, sah, gesehen to see
treten, trat, ist getreten to step
verlassen, verließ, verlassen to leave
versprechen, versprach, versprochen to promise
werden, wurde, ist geworden to become

---

allerdings to be sure
besser better
entláng (with acc.) along
die Familie family
das Gebäude building
gelégen see liegen above
der Gipfel summit
der Herbst autumn, fall

der Hut hat
kurz short
die Kusíne cousin (f.)
die Menge crowd
die Nichte niece
oft often
der Osten east
warten auf (with acc.) to wait for

---

abends in the evening
(das) Baden state in South Germany
behérrschen to dominate
besónders especially
der Blick view
dabéi present, at the same time
dirékt direct
dorthin there, to that place
der Eingang entrance
der Feldberg highest peak of the Black Forest
die Ferne distance
die Hauptstadt capital city
interessánt interesting
die Mode fashion

das Münster cathedral
nachher afterwards
nachts at night
der Rhein Rhine
das Rheintal Rhine Valley
der Schlafwagen Pullman
der Schwarzwald Black Forest
selbst myself, yourself, etc.
der Spruch saying
Straßburger (adj. indecl.) of Strassburg
tags by day
die Umgébung surroundings
die Wahrheit truth
die Wanderung hiking trip
das Wiedersehen reunion

QUESTIONS

1. Wo liegt Freiburg? 2. Was macht Freiburg berühmt?
3. Wie lange ist die Familie Zimmermann in Karlsruhe geblieben?
4. Warum ist der Blick vom Schloßberg so interessant? 5. Was
haben sie in Freiburg bestiegen? 6. Warum geht man in Freiburg
oft auf den Schloßberg? 7. Welcher Spruch steht am Univer=
sitätsgebäude? 8. Warum kennt Herr Zimmermann den Hut
seiner Nichte so gut? 9. Warum hat die Nichte keinen Schlaf=
wagen genommen? 10. Warum ist die Familie Zimmermann
noch nicht auf dem Feldberg gewesen?

EXERCISES

(a) Find in the text: (1) Three examples in which the
auxiliary sein is used because the verb is intransitive and
expresses motion toward a goal; (2) two examples in which
sein is used as auxiliary although no motion is expressed.

(b) Express the following sentences in the past tense:

1. Ich habe den Spruch auch gelesen. 2. Wir hatten auf seinen
Bruder gewartet. 3. Der Blick hat mir besonders gefallen. 4. Bist
du vor den Eingang gefahren? 5. Die Fahrt ist sehr interessant
geworden. 6. Hast du ihr eine Wanderung durch den Schwarzwald
versprochen? 7. Trotz des Schnees haben sie den Feldberg bestiegen.
8. Warum seid ihr nicht auf dem Gipfel geblieben? 9. Ich bin
nie in der Umgebung von Freiburg gewesen. 10. Wir waren in
das Gebäude getreten und hatten die Halle bewundert.

(c) Reproduce the sentences with even numbers in the
present perfect, the others in the past perfect:

1. Nimmst du einen Schlafwagen? 2. Wir blieben eine Stunde
im Schloß und warteten auf unseren Freund. 3. Die Landschaft
gefällt ihnen sehr. 4. Er beherrschte das Land. 5. Wegen des
Wetters bestiegen wir den Berg nicht. 6. Während der Fahrt
wurde er wieder munter. 7. Sie sahen den Osten des Landes.
8. Er schläft oben in seinem Zimmer. 9. Sie versprachen es mir.
10. Gestern fuhr ich in den Wald. 11. Ich trat durch das Tor in

die Burg. 12. Warum liest du den Brief deiner Mutter nicht?
13. Geht ihr auf eine Wanderung? 14. Wir waren auf dem Berg.
15. Das Haus liegt auf dem Hügel vor der Stadt.

(d) Form sentences with the following groups of words:

1. Straße, führen, außerhalb, Wald. 2. sehen, Feind, trotz,
Nacht. 3. plötzlich, überfallen, während, Tag. 4. kein Führer,
innerhalb Stadt. 5. Rathaus, kommen, wegen, Schauspiel.
6. finden, Vater, anstatt, Mutter.

WRITTEN TRANSLATION

1. Cousin Martha had gone to the hotel; Paul had left them at
the station in-order (um) to buy something in (the) town for the
car. 2. Mr. Zimmermann showed his niece her room and then went
downstairs (hinunter). 3. But Cousin Martha did not stay * long in
her room. 4. She had the desire to tell of her trip, for she had been-
traveling alone so long. 5. "Have you been in Rothenburg?" she
asked finally. 6. "Certainly," replied Mr. Zimmermann. "And
we liked it (it pleased * us) even more than Nuremberg. 7. We
stayed * there one day and one night and did * not even (nicht
einmal) see everything. 8. From Rothenburg we drove * to Nuremberg and then to Heilbronn. 9. We visited * the Götz-tower there
and I told * them the story of the knight Götz von Berlichingen."

SUPPLEMENTARY READING

Das Seidenband

Eines Tages trat ein Soldat in einen Laden und fragte den
Kaufmann: „Hast du † ein Seidenband für mein Barett (cap)?
Es fällt mir (cf. § 24) oft vom Kopf, wenn der Wind weht." Der
Kaufmann zeigte ihm ein Stück Seidenband und sagte: „Das
5 kostet fünfzig Pfennig." „Ich brauche aber viel mehr," meinte der
Soldat. „Dein Kopf ist doch nicht so groß. Gib mir eine Mark
und ich messe dir von einem Ohr zum andern." Der Soldat gab
dem Kaufmann eine Mark, nahm ein Seidenband und hob es an

* Use present perfect tense.   † A story from the sixteenth century,
hence the use of du instead of Sie.

das eine Ohr. „Nun miß zum andern Ohr,“ sagte er zum Kauf=
mann und nahm sein Barett vom Kopf. Da sah der Kaufmann, der
Mann hatte nur ein Ohr. „Wo ist denn das andere Ohr?“ — „Das
ist in Erfurt am Pranger (*pillory*). Miß bis nach Erfurt.“ Nun
stritten sie lange und gingen endlich vor den Richter. Dieser riet dem 5
Kaufmann, mit ein paar Thalern Frieden zu machen. Der Soldat
hatte nichts dagegen, denn er fürchtete die Rache des Kaufmanns.
Auch hatte er noch ein Ohr zu verlieren.

SUPPLEMENTARY VOCABULARY

fallen (fällt), fiel, ist gefallen to fall
der Friede(n) peace
fürchten to fear
heben, hob, gehoben to raise
der Laden shop, store
messen (mißt), maß, gemessen to measure

das Ohr ear
der Pfennig penny
der Soldát soldier
streiten, stritt, gestritten to quar-rel
das Stück piece
der Wind wind

---

ander other
ein paar a few
Erfurt *city in South Prussia*
fünfzig fifty
der Kaufmann merchant
kosten to cost

die Rache revenge
raten (rät), riet, geraten to advise
der Richter judge
das Seidenband silk ribbon
der Thaler *German coin.*
wehen to blow

LESSON X

The Modal Auxiliaries. Forms of the Present and Past Tenses. The Irregular Verb wissen

45. As in English, there is in German a group of verbs
used as auxiliaries with an accompanying infinitive. The
English verbs of this type are: *can, may, shall, will,* which
are quite defective, that is, they all lack an infinitive and
past participle, and one of them, *must,* appears only in this
one form. There are in German six such verbs, called modal
auxiliaries, which are not defective in this respect.

The infinitive form with the meaning of each of these verbs is:

dürfen	to be allowed to, may;	expressing	permission
können	to be able to, can;	"	ability, possibility
mögen	to like to, care to, may;	"	desire, probability, contingency
müssen	to have to, must;	"	compulsion, necessity
sollen	shall, ought to, am to;	"	(moral) obligation
wollen	to intend to, will;	"	will, intention

46. 1. The *present* singular of each verb is quite irregular, having personal endings like those of the past tense of strong verbs:

ich	darf	kann	mag	muß	soll	will
du	darfst	kannst	magst	mußt	sollst	willst
er sie es	darf	kann	mag	muß	soll	will
wir	dürfen	können	mögen	müssen	sollen	wollen
ihr	dürft	könnt	mögt	müßt	sollt	wollt
sie	dürfen	können	mögen	müssen	sollen	wollen
Sie	dürfen	können	mögen	müssen	sollen	wollen

The *past* tense is like that of a regular weak verb:

ich	durfte	konnte	mochte	mußte	sollte	wollte
du	durftest	konntest	mochtest	mußtest	solltest	wolltest
er sie es	durfte	konnte	mochte	mußte	sollte	wollte
wir	durften	konnten	mochten	mußten	sollten	wollten
ihr	durftet	konntet	mochtet	mußtet	solltet	wolltet
sie	durften	konnten	mochten	mußten	sollten	wollten
Sie	durften	konnten	mochten	mußten	sollten	wollten

Note that the umlaut does not appear in the forms of the past tense. Observe also the consonant change in ich mag and ich mochte.

Er wollte eine Stunde hier bleiben, aber er durfte nicht.
He wanted to remain here an hour, but he was not permitted to.

Ich mag jetzt nicht gehen, aber ich kann morgen gehen, wenn du willst.
I don't care to go now, but I can go tomorrow, if you wish.

Wir sollten ihn besuchen, denn er muß eine Woche im Bett bleiben.
We ought to visit him, for he has to stay in bed a week.

2. Study the idiomatic use of sollen, wollen, and dürfen in the following examples:

Ich wollte eben nach Hause gehen, da sah ich sie.
I was on the point of going home, when I saw her.

Dieser Mann soll sehr berühmt sein. Er will ein Dichter sein.
This man is said to be very famous. He claims to be a writer.

Sie dürfen hier nicht so laut sprechen. *You must not speak so loudly here.*

3. When the modal auxiliaries are accompanied by an adverb or adverbial phrase of place, indicating a direction or goal, the verb of motion dependent on the modal auxiliary need not be expressed:

Er darf jetzt nach Hause.	*He may go home now.*
Wir wollen morgen fort.	*We intend to go away tomorrow.*
Sie können nicht zurück.	*They cannot come back.*

47. Wissen, *to know.* — This verb has an irregular present tense according to the same principle as that of the modal auxiliaries, but otherwise it has no connection with them. The principal parts are: wissen, *to know;* wußte, *knew;* gewußt, *known.*

Present tense forms:

Ich weiß es nicht.
Du weißt es nicht.
Er
Sie } weiß es nicht.
Es

Wir wissen es nicht.
Ihr wißt es nicht.
Sie wissen es nicht.

Past tense forms:

Ich wußte es nicht.
Du wußtest es nicht.
Er
Sie } wußte es nicht.
Es

Wir wußten es nicht.
Ihr wußtet es nicht.
Sie wußten es nicht.

Eine Wanderung auf den Feldberg

Sie mußten eilen, um den Zug von Freiburg nach Titisee noch zu erreichen. Mit dem Auto wollten sie dieses Mal nicht fahren, „denn die Schönheit des Schwarzwalds kann man nur genießen, wenn man wandert," meinte Herr Zimmermann. Im Zug konnten 5 sie zuerst keinen Platz finden und mußten stehen. Aber an der Station ‚Himmelreich' verließen viele den Zug und nun wurde sogar ein Platz am Fenster frei. „Warum nennt man diese Station ‚Himmelreich'?" fragte Paul seinen Vater. „Das kann ich dir sagen," antwortete Herr Zimmermann. „Hier ist die Landschaft noch sanft 10 und lieblich; von hier an aber wird das Tal wild und romantisch, eng und steil. Manchmal ist der Fels so nah, man kann ihn greifen. Der Zug fährt dann so langsam, man glaubt, man sollte schieben helfen. Du darfst also den Kopf nicht zu weit aus dem Fenster stecken, sonst bleibt er im ‚Höllental'." — „Wie lange soll denn die 15 Fahrt durch das ‚Höllental' dauern?" — „Ich weiß es nicht mehr, ich bin schon lange nicht am Titisee gewesen."

Nach einer Stunde Fahrt kamen sie nach der Station Titisee. Sie wanderten durch das Dorf an den See. Der Blick über den See mit dem Feldberg dahinter war herrlich. Kusine Martha 20 wollte eine Stunde hier bleiben, um die Schönheit dieser Landschaft zu genießen. Sie durften aber keine Zeit verlieren, denn am Nachmittag noch sollten sie den Gipfel des Feldbergs erreichen. So nahmen sie gleich ein Boot, fuhren über den See und begannen drüben ihre Wanderung. Ihr Weg führte sie zuerst sanft, dann aber 25 durch den Wald steil aufwärts. Manchmal kamen sie an eine Stelle, da konnte man ins Tal sehen, oder den Feldberggipfel; dann wußten sie, wie weit es noch war. Kusine Martha wollte manchmal nicht weiter, denn es wurde heiß, und sie war das Wandern nicht gewohnt. Ihr Onkel mußte ihr oft Mut machen. „Ich weiß, 30 es ist nicht leicht für dich," sagte er, „aber morgen wird es sicher besser gehen. Wir dürfen jetzt noch nicht Halt machen. Wir müssen am Nachmittag auf den Gipfel kommen, sonst können wir Todtnau heute abend nicht mehr erreichen. Die Aussicht vom Feldbergturm

soll herrlich sein. Aber oft liegt Nebel um die Spitze. Ich will
dir auf der Landkarte zeigen, wohin wir müssen."

Am Spätnachmittag erreichten sie den Gipfel des Feldbergs und
den Aussichtsturm. Nun konnten sie eine Stunde ruhen, sie hatten
es gewiß verdient. Sie lagen neben dem Turm im Gras, sprachen   5
über die Schönheit des Wanderns und genossen die Aussicht während
— Kusine Martha schlief.

VOCABULARY

Principal parts of verbs that have occurred before:

> **genießen,** genoß, genossen to enjoy
> **sprechen,** sprach, gesprochen to speak
> **verlieren,** verlor, verloren to lose

beginnen, begann, begonnen to begin
der **Bruder** brother
eilen to hurry
eng narrow
der **Fels** rock
das **Fenster** window
finden, fand, gefunden to find
das **Gras** grass
greifen, griff, gegriffen to grasp,
   seize
heiß hot
der **Kopf** head
der **Mut** courage
Mut machen (*with dat.*) to encour-
   age
nah near

der **Nebel** mist, fog
nennen (*irreg.*) to name, call
der **Onkel** uncle
der **Platz** place, seat
ruhen to rest
schieben, schob, geschoben to push
stecken to stick, put, be
stehen, stand, gestanden to stand
die **Stelle** spot
das **Tal** valley
viele many
während (*conj.*) while
der **Weg** road, way
weit far, wide
wild wild
zu too

aufwärts upwards
der **Aussichtsturm** observation tower
das **Boot** boat
gewöhnt accustomed
Halt machen to stop
das **„Himmelreich'** "Kingdom of
   Heaven" (*village near Frei-*
   burg)
das **„Höllental'** "Hell Valley" (*east*
   of Freiburg)
lieblich lovely
manchmal sometimes

der **Nachmittag** afternoon
sanft gentle, gently
die **Schönheit** beauty
sonst otherwise, else
die **Statión** station
steil steep
der **Titisee** *lake near Freiburg*
(das) **Todtnau** *village in the Black*
   Forest
von . . . an from . . . on
zuérst at first

QUESTIONS

1. Warum sind sie nicht im Auto nach dem Titisee gefahren?
2. Konnten sie im Zug sitzen? 3. Warum soll man im Höllental den Kopf nicht aus dem Fenster stecken? 4. Wie war der Weg auf den Feldberg? 5. Warum mochte Kusine Martha manchmal nicht weiter? 6. Warum durften sie noch nicht Halt machen? 7. Wie ist die Aussicht auf dem Feldberg? 8. Was machten sie auf dem Gipfel des Feldbergs?

EXERCISES

(a) Supply the word in parentheses and reproduce the sentences in the past tense:

1. Sie dürfen (*this*) Weg nicht verlieren. 2. Er soll (*the*) Wahrheit sprechen. 3. Ich muß an (*the*) Platz bleiben. 4. Wir können nicht in (*our*) Boot fahren. 5. Darf er mit (*his*) Mutter sprechen? 6. Wir müssen an (*every*) Station Halt machen. 7. Er will den Eingang zu (*the*) Gebäude finden. 8. Ich mag nicht mehr auf (*his*) Bruder warten. 9. Wir wollen wissen, wo (*your*) Platz ist. 10. Ich weiß es, er kann die Stadt von (*this*) Hügel beherrschen.

(b) Reproduce the following sentences in the present tense:

1. Ich wollte ihr einen Hut kaufen. 2. Wir mußten in einer Stunde am Eingang des Tales sein. 3. Er sollte wissen, warum wir nicht kommen durften. 4. Sie wußten nicht, wo wir steckten. 5. Ich mußte ihn im Nebel verlassen. 6. Ihr konntet auf dem Gipfel ruhen. 7. Ich durfte nicht an seinen Platz treten. 8. Er mochte nicht im Gras ruhen. 9. Wußtest du, warum er schlief? 10. Er wollte nicht zu sehr eilen.

(c) Use the proper form of the auxiliary:

1. Wir (*want to*) die Fahrt am Nachmittag beginnen. 2. Er (*is to*) an den Eingang kommen. 3. Beide (*can*) mit dem Zug fahren. 4. (*They knew*), was er sprach. 5. Ihr (*must*) eilen, sonst seht ihr ihn nicht mehr. 6. (*Does he know*), wo dieses Dorf liegt? 7. Das Tal (*is said to*) sehr lieblich sein. 8. Wir (*did not care to*) an der Stelle bleiben. 9. Er (*is allowed to*) zu uns

ins Boot.   10. (*I know*), du bist es nicht gewohnt.   11. (*Did he have to*) seine Familie verlassen?   12. Ihr (*should*) mehr Mut haben.   13. (*He must not*) im Gras liegen bleiben.   14. (*Are you able to*) den Fels außerhalb des Dorfes sehen?   15. (*I am not permitted*) ins Zimmer.

WRITTEN TRANSLATION

1. Cousin Martha had slept an hour.   2. She could hardly believe it herself.   3. Her sister had remained with (bei) her, and Mr. Zimmermann had gone to the Hotel Feldbergerhof to order a meal for all.   4. At-first Cousin Martha did not care to go into the hotel. 5. "I am not hungry (have no hunger)," she said.   6. But Mr. Zimmermann replied: "You are not allowed to hike any more without something in-your stomach (im Magen).   7. After the meal you will-be (are) brisk again and will-be (are) able to hike better than we.   8. You must not lose your (the) courage.   9. The road to Todtnauberg is-said-to be splendid.   10. I want to show it to-you on my map.   11. Do you still believe it is too far for you?   12. Do you want to stay in the Hotel Feldbergerhof and take the omnibus (der Omnibus) to Todtnauberg tomorrow?"   13. Cousin Martha answered: "I don't care to stay here alone.   14. I believe I can [walk] with [you].   15. According-to your map the road goes almost constantly (immer) downhill (bergab)."

SUPPLEMENTARY READING

Das Geheimnis

Herr von S. lebte am Hof. Er sollte dem König jeden Tag das Wetter voraussagen. Er hatte aber nie Glück. Man lachte am Hof viel über ihn und er durfte doch nichts dagegen sagen, denn er prophezeite gewöhnlich falsch. Eines Tages hörte er von einem Mann auf dem Land. Dieser konnte das Wetter immer richtig voraussagen. 5 Zu ihm reiste Herr von S. „Kannst du das Wetter wirklich immer richtig voraussagen oder ist es nur Zufall?" fragte er den Bauer. „Wie macht man denn das? Was muß man tun?" Der Bauer wollte zuerst keine Antwort geben. Da stellte der Herr einen

Beutel voll Silber auf den Tisch. „Dieser Beutel gehört dir. Willst du mir jetzt nicht dein Geheimnis sagen?" Dem Bauer aber genügte das nicht. Da stellte der Herr noch einen Beutel daneben. Der Mann vom Land sah, sein Geheimnis mußte dem Herrn sehr
5 wertvoll sein. So sagte er: „Ich mag mein Geheimnis nicht so billig verkaufen. Drei Beutel sind mehr als zwei." So stritten sie lange. Endlich gab ihm der Herr drei Beutel Silber. Der Bauer schloß sie in seinen Schrank. Dann sagte er: „Jetzt sollen Sie mein Geheimnis wissen. Mit dem Wetter habe ich immer recht, denn ich
10 warte immer, bis Sie prophezeien, dann prophezeie ich das Gegenteil."

SUPPLEMENTARY VOCABULARY

die **Antwort** answer
billig inexpensive
drei three
falsch wrong
gehören to belong
genügen to suffice
gewöhnlich usually
das **Glück** good fortune, luck
leben to live

der **Mann** man
richtig correct
schließen, schloß, geschlossen to close, lock
das **Silber** silver
der **Tisch** table
tun, tat, getan to do
voll full
der **Zufall** chance, coincidence

---

der **Beutel** purse, bag
das **Gegenteil** opposite
das **Geheimnis** secret
noch ein one more

prophezeien to predict
der **Schrank** cupboard
voraussagen to forecast
wertvoll valuable

REVIEW LESSON II

(Lessons VI–X)

READING EXERCISE

1. Siehst du Rothenburg drüben auf dem Hügel? In einer Stunde werden wir dort durchs Tor wandern und die Stadtmauer besteigen. 2. In diesem Gang auf der Stadtmauer stand der Bürger und verteidigte seine Stadt gegen den Feind. 3. Mancher Bürger wird am Eingang dieses Torturms sein Leben verloren und

mancher Ritter davor seinen Tod gefunden haben. 4. Schon oft hatte ich den Wunsch, in die Geschichte der Stadt und ihrer Umgebung einen Blick zu werfen. Du hast recht, sie muß besonders interessant sein. 5. Dein Bruder will etwas darüber gelesen haben, er hat mir aber noch nichts davon erzählt. Ich will ihn morgen ein bißchen danach fragen. 6. Diese Burg beherrscht das Tal. Es soll wegen der Schönheit seiner Landschaft berühmt sein. 7. Der Weg führt zuerst sanft, dann steil aufwärts. Das Tal ist hier ja lieblich, wird aber dann wild und romantisch. 8. Seid ihr diese Woche auf der Zugspitze gewesen? Nein, bei Nebel sind wir nicht auf die Bergspitze geklettert. Das darf man nicht. Man kann zu leicht sein Leben dabei verlieren. 9. Während der Wanderung war ich müde geworden und mochte an diesem Tag nicht mehr auf den Gipfel. 10. Ist das Ihr Schauspiel? Jawohl, es ist meines. Wie hat es Ihnen gefallen? Ich muß Ihnen die Wahrheit sagen, der Eindruck war nicht so gut. Sie dürfen aber den Mut darüber nicht verlieren. Sie wissen ja, noch nie ist ein Meister (*master*) vom Himmel gefallen.

DRILL EXERCISE

(*a*) Conjugate progressively as follows:

1. I please you, you please him, he pleases her, she pleases us, etc. 2. I am helping you, etc. 3. I am riding with you. 4. I am leaving you. 5. I take it from you (*dat.*).

(*b*) Supply the missing words and the correct form of the verb in the present tense:

1. Er (lesen) den Brief in (*his*) Zimmer. 2. (*Which*) Stück (versprechen) du ihm? 3. Ich (bleiben) im Haus (*of her*) Mutter. 4. (Gehen) ihr trotz (*of the*) Nebels auf (*the*) Gipfel? 5. Ich (dürfen) heute nicht auf (*the*) Marktplatz. 6. In (*the*) Kirche (schlafen) er nie. 7. Sie (wissen) den Namen (*of every*) Bürgers (*of the*) Stadt. 8. Er (stehen) auf (*the*) Dach (*of this*) Hauses. 9. (Sehen) du (*a*) Brunnen vor (*the*) Rathaus? 10. Ich (kommen) mit (*my*) Familie (*every*) Tag in (*the*) Wald.

(*c*) Render the sentences of (*b*) in the past, the present perfect (except 5), and the future tenses.

(*d*) Reproduce the following sentences in the singular:

1. Tretet ihr an seinen Platz? 2. Sie sprechen mit meiner Frau. 3. Warum gebt ihr mir den Hut nicht? 4. Sie sehen den Charakter dieses Amerikaners. 5. Schlaft ihr auch auf dem Dach? 6. Sie nehmen mir den Mut nicht.

(*e*) Supply the missing words and endings according to the model:

Weiß er von dieser Geschichte? Nein, er weiß nichts davon.

1. Steht ein Brunnen vor d– Gebäude? Nein, es steht (*none*) ——. 2. Warten Sie auf d– Brief? Jawohl, ich warte ——. 3. Haben Sie über (*me*) gesprochen? Jawohl, wir haben —— gesprochen. 4. (*Which*) Haus werden Sie kaufen, sein Haus oder (*mine*)? Ich werde (*none*) kaufen. 5. Sie wissen, er ist (*our*) Freund geblieben und auch (*yours*).

TRANSLATION INTO GERMAN

1. During the night we had climbed to the peak of the mountain. 2. The road had been very steep and we had become quite tired. 3. Then (the) day had come. 4. From the peak we could see the church of our village in the valley and the roof of my friend's house next-to-it. 5. On-the-other-side of the valley we saw the forest. 6. I had been there a week ago with my friend and we had read his book about Gerhart Hauptmann. 7. It did not appeal to (please) me particularly (especially), but I did not care to tell him (*dat.*) (it). 8. My friend claims to know Hauptmann very well and to have spoken with him often. 9. He is-said-to have read every book about Hauptmann. 10. But Hauptmann has not read my friend's book about him; so we don't know his impression yet.

LESSON XI

Irregular Weak Verbs. Reflexive Verbs. Impersonal Verbs. Es gibt

48. *Irregular weak verbs.* — 1. Besides the six modal auxiliaries and wiſſen, there are eight weak verbs with an irregular present; these, too, have the same stem vowel in the past participle as in the past tense:

brennen	brannte	gebrannt	*to burn*
kennen	kannte	gekannt	*to know* (through acquaintance)
nennen	nannte	genannt	*to name, call*
rennen	rannte	gerannt	*to run*
ſenden	ſandte (ſendete)	geſandt (geſendet)	*to send*
wenden	wandte (wendete)	gewandt (gewendet)	*to turn*
bringen	brachte	gebracht	*to bring*
denken	dachte	gedacht	*to think*

2. Note that kennen means *to know* in the sense of 'to be acquainted with.' The object is expressed by a definite pronoun or noun:

> Ich kenne dieſes Buch.   *I know this book.*
> Wir kannten ihren Vater.   *We knew her father.*
> Haſt du ſie nicht gekannt?   *Did you not know them?*

Wiſſen means *to know facts.* The object is often expressed by an indefinite pronoun or a clause:

> Das weiß ich nicht.   *That I do not know.*
> Wir wiſſen wohl, wer Sie ſind.   *We know very well who you are.*

Können implies acquired knowledge; it also means *to know how, understand:*

> Er kann Deutſch.   *He knows German.*
> Er kann erzählen.   *He knows how to tell a story.*

Compare:

> Er kennt das Lied, aber er kann es nicht.
> *He is acquainted with the song, but he cannot sing it.*

49. *Reflexive verbs.* — 1. Many verbs in German are used in such a way that the subject and direct object (or sometimes the indirect object, i.e. the dative) are one and the same person, as for example: "He protects himself; they help themselves." Such verbs are called reflexive, and they are much more common in German than in English. Many German verbs are found only as reflexives. For the first and second person, the German employs the personal pronouns; for the third person, singular and plural, dative and accusative, the invariable pronoun sich is used. It is never capitalized, even in connection with Sie, *you.*

Ich freue mich.	*I am glad.*	
Du freust dich.	*You are glad.*	
Er	*He*	
Sie ⎫ freut sich.	*She* ⎫ *is glad.*	
Es	*It*	

Ich traue mir.	*I trust myself.*
Du traust dir.	*You trust yourself.*
Er traut sich.	*He trusts himself.*
Sie traut sich.	*She trusts herself.*
Es traut sich.	*It trusts itself.*

Wir freuen uns.	*We are glad.*
Ihr freut euch.	*You are glad.*
Sie freuen sich.	*They are glad.*
Sie freuen sich.	*You are glad.*

Wir trauen uns.	*We trust ourselves.*
Ihr traut euch.	*You trust yourselves.*
Sie trauen sich.	*They trust themselves.*
Sie trauen sich.	*You trust yourselves.*

2. Note that haben is used as the auxiliary verb with all reflexive verbs. A "progressive synopsis" of sich freuen and sich trauen is:

Ich freue mich sehr.	*I am very glad.*
Du freutest dich sehr.	*You were very glad.*
Er hat sich sehr gefreut.	*He was very glad.*

Wir hatten uns sehr gefreut.	*We had been very glad.*
Ihr werdet euch sehr freuen.	*You will be very glad.*
Sie werden sich sehr gefreut haben.	*They will have been very glad,* or *They were, no doubt, very glad* (cf. § 29).

Ich traue mir nicht ganz.	*I do not quite trust myself.*
Du trautest dir nicht ganz.	*You did not quite trust yourself.*
Er hat sich nicht ganz getraut.	*He did not quite trust himself.*
Wir hatten uns nicht ganz getraut.	*We had not quite trusted ourselves.*
Ihr werdet euch nicht ganz trauen.	*You will not quite trust yourselves.*
Sie werden sich nicht ganz getraut haben.	*They, no doubt, did not quite trust themselves.*

3. Note that the reflexive pronoun follows the conjugated form of the verb in normal word order; in inverted word order it follows the subject.

4. Some of the reflexive verbs commonly used are,

(*a*) with accusative reflexive:

sich ärgern	*to be angry*	sich freuen	*to be glad*
sich befinden	*to be, feel*	sich fürchten	*to be afraid*
sich erholen	*to recover*	sich schämen	*to be ashamed*
sich erinnern	*to remember*	sich setzen	*to sit down*
sich erkälten	*to catch cold*	sich wundern	*to be surprised*

(*b*) with dative reflexive: sich trauen, sich helfen.

50. Selbst and selber are invariable pronouns which lend emphasis to a noun or pronoun. They are not reflexive pronouns, but may accompany them:

Wir haben es selbst (selber) gesehen.	*We saw it ourselves.*
Der Herr hat es mir selbst erzählt.	*The gentleman told me himself.*
Sie traut sich selbst nicht mehr.	*She no longer trusts herself.*

When preceding the noun or pronoun selbst means *even:*

Selbst wir haben ihn gesehen. *Even we saw him.*

51. *Reciprocal action* is expressed by einander: sich may also be used if no confusion arises. In case of doubt selbst is often added when sich is used reflexively. Compare:

Sie lieben sich or Sie lieben einander. *They love each other.*
Sie lieben sich selbst. *They love themselves.*

Wir trauen uns nicht or Wir trauen einander nicht. *We do not trust each other.*

Wir trauen uns selbst nicht. *We do not trust ourselves.*

52. *Impersonal verbs.* — In German as in English, many verbs are used impersonally with a grammatical subject es. This construction is, however, much more common in German, and the equivalent English expression often requires a personal subject.

(*a*) Like the English are the following:

Es regnet.	*It is raining.*
Es ist kalt.	*It is cold.*
Es ist zwölf Uhr.	*It is twelve o'clock.*
Es freut mich.	*It pleases me. I am pleased.*
Es ärgert mich.	*It vexes me.*

(*b*) Idiomatic and unlike English are:

Es tut mir leid.	*I am sorry.*
Es geht mir gut.	*I am well. I am fine.*
Es gefällt mir.	*I like it. I am pleased.*
Es friert mich.	*I am cold.*
Es gelingt mir. (Es ist mir gelungen.)	*I succeed. (I succeeded.)*

53. Es gibt; es gab. — The impersonal es gibt, *there is, there are;* es gab, *there was, there were,* are used with a following accusative case to imply a general assertion or chance occurrence, in contrast to es ist or es war, which refer to definite existence or specific fact:

> Es gibt keinen Krieg. *There will be no war.*
> Es gab gestern keinen Schnee. *There was no snow yesterday.*
> Es ist kein Licht im Zimmer. *There is no light in the room.*
> Es waren drei Schüler da. *There were three pupils there.*

Thomas Mann und sein Koffer

Auch in diesem Land kennt man Thomas Mann, den Dichter; denn er hat 1929 (neunzehnhundert neunundzwanzig) den Nobel=preis für Literatur bekommen. Ich erinnere mich, eine Geschichte über ihn gelesen zu haben. Sie erzählt etwa folgendes (*the follow-*
5 *ing*): In der Bahnhofshalle wartete sein Zug. Der Dichter kam früh, denn er wollte sich Zeit lassen und die Menge im Bahnhof ein bißchen beobachten. So fand er leicht im Wagen einen Sitzplatz am

Fenster. Er setzte sich behaglich in die Ecke und blickte in die Halle. Sein Sohn brachte ihm den Koffer, stellte ihn auf einen Sitzplatz neben den Dichter und verließ den Wagen. Der Zug füllte sich mehr und mehr. Endlich gab es im Wagen keinen Sitzplatz mehr. Thomas Mann sah immer noch aus dem Fenster und beobachtete die 5 Menge. In einer Minute sollte der Zug die Station verlassen. Jeder eilte und rannte, um noch in den Zug zu kommen. Der Dichter fühlte sich in seiner Ecke behaglich und geborgen. Da eilte ein Herr in den Wagen, erblickte den Koffer neben dem Dichter und freute sich, einen Sitzplatz gefunden zu haben. Er wandte sich an 10 Thomas Mann. „Ist der Platz noch frei?" fragte er schnell. Der Dichter ließ sich nicht stören. „Es tut mir leid," antwortete er, „dieser Koffer gehört jemand aus meiner Vaterstadt. Ich kenne ihn sehr gut; er ist in der Halle." Der Fremde kannte den Dich= ter nicht. Es ärgerte ihn, den Koffer sitzen zu sehen und er selbst 15 mußte stehen.

Der Zug hatte sich schon in Bewegung gesetzt, da vergaß sich der Dichter, öffnete den Koffer, holte ein Buch und begann zu lesen. Nun wußte der Fremde, wem (*to whom*) der Koffer gehörte. Wo blieb der Freund aus der Vaterstadt? Er mußte noch in der Halle 20 sein, dachte er. Das Fenster war offen. So nahm der Fremde den Koffer des Dichters, warf ihn aus dem Fenster und rief: „Ihr Freund braucht seinen Koffer, er wird ihn vermissen." Was geschah nun? Sprang der Dichter aus dem Wagen? Ich glaube kaum. Der Zug fuhr schon zu schnell. Nannte er seinen Namen, oder 25 schämte er sich und schwieg? Ich weiß es nicht, die Geschichte schweigt darüber. Vielleicht ist sie gar nicht wahr. Thomas Mann ist zu berühmt, so darf man nicht alles glauben, was man über ihn liest.

VOCABULARY

Principal parts of strong verbs that have occurred before:

bekommen, bekam, bekommen to receive

bringen, brachte, gebracht to bring

geben, gab, gegeben to give

kennen, kannte, gekannt to know

lesen, las, gelesen to read

nennen, nannte, genannt to name

sitzen, saß, gesessen to sit

springen, sprang, ist gesprungen to jump

werfen, warf, geworfen to throw

beobachten to observe
blicken to glance
das Buch book
die Ecke corner
erinnern to remind
sich erinnern to remember
es tut mir leid I am sorry
etwa about, approximately
früh early
(sich) fühlen to feel
(sich) füllen to fill
gar nicht not at all
gehören to belong
geschehen, geschah, ist geschehen to happen
der Herr gentleman
holen to fetch

jemand somebody
lassen, ließ, gelassen to allow, let
der Name (den Namen) name
der Preis price; prize
rufen, rief, gerufen to call
schweigen, schwieg, geschwiegen to be silent
setzen to set
(sich) setzen to sit down
stellen to place
stören to disturb
vergessen, vergaß, vergessen to forget
vielleicht perhaps
wahr true
(sich) wenden, wandte, gewandt to turn (around)

---

sich ärgern to be angry
behaglich comfortable
die Bewegung motion, movement
der Dichter writer, poet
der Fremde stranger
sich freuen to be glad
geborgen sheltered, safe
immer noch still

die Literatúr literature
die Minúte minute
offen open
rennen, rannte, ist gerannt to run
sich schämen (*with gen.*) to be ashamed
der Sitzplatz seat
die Vaterstadt home town

EXERCISES

(*a*) Find in the text: (1) two examples of impersonal verb forms which may be rendered by personal verb forms in English; (2) two verbs which may be used in German reflexively or impersonally.

(*b*) Put into the past tense and supply the article:

1. Wir sitzen in —— Ecke. 2. Sie kennen —— Preis. 3. Ich bringe —— Boot ans Land. 4. Was beobachtet —— Dichter? 5. Rufst du —— Bruder? 6. Der Fremde wirft —— Buch aus —— Fenster. 7. Wer bekommt —— Sitzplatz? 8. Sie nennen —— Namen nicht. 9. Er vergißt —— Hut. 10. Sie schweigt immer in —— Menge.

(*c*) Put the above sentences into the present perfect tense and express the direct objects by pronouns.

(*d*) Supply the proper form of the reflexive pronoun; put the even numbers into the past, the others into the present perfect tense:

1. Sie erinnern —— an diese Geschichte. 2. Der Marktplatz füllt —— schnell. 3. Schämst du —— nicht deines Bruders? 4. Ich setze —— an den Eingang. 5. Ihr fühlt —— in dem Nebel gewiß nicht behaglich. 6. Wir wenden —— an den Dichter. 7. Er ärgert —— über das Buch. 8. Freut ihr —— über den Preis?

WRITTEN TRANSLATION

1. The writer tells the story himself: Yesterday I went to the railroad station for I wanted to go to Berlin. 2. I entered (besteigen) the train and found only one gentleman in the coach. 3. I sat down in a corner and placed my suitcase on the seat next to me. 4. Then I-caught-sight-of somebody in the train-shed whom (den) I knew. 5. I opened the window and called his name. 6. He did not know who I was and I had to mention (nennen) my name. 7. Then he remembered (sich erinnern an *with acc.*) me and was very glad to see me again. 8. A year ago we both lived in a hotel on the Tegernsee and saw each other every day. 9. The coach had become more and more crowded (sich füllen), but I did not know it, for I was still speaking to (mit) my friend. 10. Then I heard somebody say to me: "Is this seat still vacant?" 11. I replied: "I am sorry, this suitcase belongs to a friend, he will be here in a minute." 12. I said this for I really believed the gentleman on the platform (der Bahnsteig) wanted to go to Berlin, too. 13. He was, however, waiting for (auf *with acc.*) a train to Munich. 14. A minute later (später) my train started (set itself in motion). 15. The stranger next to me was vexed (sich ärgern) because (denn) he had no seat. 16. So he took my suitcase, threw it out-of the window and said: "I am sorry for (um) the suitcase, but your friend will need it, we must not keep (behalten) it here."

SUPPLEMENTARY READING

Dichter unter sich

I

Ein Dichter sandte eines Tages einen Brief an Dumas, erzählte ihm von seinem Plan zu einem Drama und bat ihn, sein Mitarbeiter zu werden. Dumas kannte den Dichter nicht, er hatte nie von ihm gehört. Er ärgerte sich über die Kühnheit dieses Mannes und sandte ihm als Antwort auf einem Blatt Papier nur einen Satz: „Wie können Sie ein Pferd und einen Esel zusammenspannen (*hitch together*)?" Bald darauf klopfte jemand an seiner Tür und brachte einen Zettel von dem Dichter. Darauf stand: „Wie können Sie es wagen, mich ein Pferd zu nennen?" Noch vor Abend sandte Dumas seinen Diener mit der Antwort: „Senden Sie das Manuskript gleich, lieber Vetter!"

II

Herr von B. hielt sich für einen Dichter. Er hatte ein Drama geschrieben und wollte Voltaires Urteil darüber hören. Endlich gelang es ihm, Voltaire allein zu sprechen. So mußte denn dieser still sitzen und bei einer Tasse Tee den Herrn von B. sein Drama vorlesen lassen. Der „Dichter" hatte nicht lange gelesen, da erkannte Voltaire einen bekannten Vers von einem bekannten Dichter, dann noch einen, dann wieder einen. „Und dieses Werk hat dieser Herr die Kühnheit, sein Drama zu nennen?" dachte Voltaire und entschloß sich, ihm eine Lehre zu geben. Von nun an verbeugte sich Voltaire tief bei jedem Vers, welchen (*which*) er erkannte. Herr von B. freute sich zuerst über seinen Erfolg, fragte aber endlich doch: „Warum verbeugen Sie sich so oft, mein Freund?" — „Ich bin gewohnt, einen Freund so zu grüßen, wenn ich ihn erkenne," antwortete Voltaire und verließ schnell das Zimmer.

SUPPLEMENTARY VOCABULARY

bitten, bat, gebeten to beg
das Blatt sheet, leaf
sich entschließen, entschloß, entschlossen
    to decide
der Erfólg success
grüßen to greet
klopfen to knock
das Papier paper
der Satz sentence

schreiben, schrieb, geschrieben to write
die Tasse cup
der Tee tea
die Tür(e) door
unter under, among
das Urteil verdict, judgment
der Vetter cousin (m.)
das Werk work

---

bekánnt well-known
der Diener servant
doch after all
das Drama drama
erkénnen, erkannte, erkannt to recog-
    nize
sich freuen to rejoice
sich halten für to consider oneself
die Kühnheit boldness

die Lehre teaching, lesson
lieb dear
der Mitarbeiter collaborator
sich verbéugen to bow
der Vers verse
vorlesen, las vor, vorgelesen to read
    aloud
der Zettel piece of paper

LESSON XII

Declension of Adjectives. Weak Declension of the Adjective. Declension of Weak Nouns. Adjectives used as Nouns

54. *The declension of adjectives.* — There are two distinct types of adjectives in German:

(*a*) The undeclined, or *predicate* adjective.

(*b*) The declined, or *attributive* adjective.

The rule is: Adjectives are always declined before a noun, or when used as a noun.

Predicate Adjective: Der Soldat ist schlau. *The soldier is shrewd.*

Attributive Adjective: Der schlaue Soldat sieht den alten Bauer.
    The shrewd soldier sees the old peasant.

55. *The attributive adjective,* or descriptive adjective used before a noun, has a twofold declension:

(a) The so-called strong declension of the adjective has endings practically equivalent to those of the demonstrative adjective biefer:

biefer Knabe	biefe Stadt	biefes Zimmer
kleiner Knabe	kleine Stadt	kleines Zimmer

NOTE: This declension will be treated in the following lesson.

(b) The weak declension of the adjective is used when the adjective is preceded by the definite article or an equivalent demonstrative with endings like biefer:

biefer kleine Sohn	biefe kleine Stadt	biefes große Zimmer
biefes kleinen Sohns	biefer kleinen Stadt	biefes großen Zimmers
biefem kleinen Sohn	biefer kleinen Stadt	biefem großen Zimmer
biefen kleinen Sohn	biefe kleine Stadt	biefes große Zimmer

Note that the weak adjective forms for feminine and neuter are the same.

Learn the following scheme of endings:

MASCULINE	FEMININE	NEUTER
biefer ——e	biefe ——e	biefes ——e
biefes ——en	biefer ——en	biefes ——en
biefem ——en	biefer ——en	biefem ——en
biefen ——en	biefe ——e	biefes ——e

The above adjective endings are used after the following words:

aller, der, biefer, jeder, jener, mancher, folcher, welcher

Note that several descriptive adjectives before the noun take the same endings: biefe fchöne, kleine Stadt.

56. The declension of weak masculine nouns is similar to that of the weak adjective:

der kleine Knabe (*boy*)	dieser schlaue Soldat
des kleinen Knaben	dieses schlauen Soldaten
dem kleinen Knaben	diesem schlauen Soldaten
den kleinen Knaben	diesen schlauen Soldaten

Note that some weak masculine nouns end in –e in the nominative singular, others have no ending.

57. Adjectives are frequently used in German as nouns, and as such are always capitalized; they have the regular adjective endings.

der Deutsche	diese Heilige	das Schöne
des Deutschen	dieser Heiligen	des Schönen
dem Deutschen	dieser Heiligen	dem Schönen
den Deutschen	diese Heilige	das Schöne

Der schlaue Soldat

Ein Bauer wanderte einst auf der Landstraße. Er war sehr mit sich selbst zufrieden, denn er hatte im letzten Dorf ein Pferd verkauft und damit viel Geld verdient. Da begegnete er einem Soldaten. Dieser hatte den Bauer mit seinem Pferd am Marktplatz gesehen und wußte von dem guten Handel. Er begann gleich ein Gespräch mit 5 dem Bauer, erzählte vom großen Krieg, von diesem und jenem Helden und ein bißchen von sich selbst. Endlich bat er den Bauer um Geld. „Auch meine Tasche ist leer," meinte dieser, „den letzten Pfennig habe ich beim Wirt im Dorf gelassen." „Das tut mir leid," sagte der schlaue Soldat, „so müssen wir miteinander einen kurzen 10 Gang zum heiligen Alphonsus machen. Er hat mir immer geholfen. Was er schenkt, wollen wir miteinander teilen. Das steinerne Bild des heiligen Alphonsus steht in der Kapelle am steilen Hügel." Der träge Bauer wollte zuerst von diesem Gang nichts wissen. Auch hatte er Angst. Er dachte: „Vielleicht wartet ein Kamerad dieses 15 Burschen in der einsamen Kapelle auf mich, und dann verliere ich das ganze Geld." Aber der Soldat ließ ihm keine Wahl.

So gingen sie an die einsame Kapelle. Hier fand der Bauer aber
keinen Kameraden des Soldaten; da stand an der hinteren Wand
wirklich nur das steinerne Bild des heiligen Alphonsus. Der Fremde
kniete zuerst eine Weile davor und betete. „Jetzt," sagte er dann
5 zum Bauer gewandt, „hat mir der Heilige ein Zeichen gegeben." Er
ging und hielt sein Ohr an den steinernen Mund des Heiligen, dann
kam er wieder zum geizigen Bauer und erzählte munter: „Der
Heilige hat mir eben eine Mark geschenkt; sie muß schon in meiner
Tasche stecken." Wirklich hatte der Bursche eine Mark in der Tasche,
10 zeigte sie dem Bauer und versprach ihm feierlich, sie mit ihm zu
teilen. Nun mußte der Bauer ebenfalls beten, und dieses Mal ging
es noch viel besser. Wieder hielt der Fremde sein Ohr an den Mund
des Heiligen und erzählte dann: „Hundert Mark hat dir der Heilige
geschenkt. Das Geld steckt schon in deiner Tasche." Der Bauer
15 wurde ganz bleich und wollte es nicht glauben, aber der schlaue
Soldat machte ihm Mut und lobte den Heiligen. „Der heilige
Alphonsus hat bis jetzt immer die Wahrheit gesprochen," sagte er.
So mußte der geizige Bauer das ganze Geld mit dem schlauen
Burschen teilen.

VOCABULARY

die **Angst** fear, anxiety; **Angst haben**
  to be afraid
der **Bauer** peasant, farmer
begegnen to meet (*with dat.*)
das **Bild** picture, image
bitten, bat, gebeten (um *with acc.*)
  to beg, ask
ebenfalls likewise
einsam lonely, lonesome
einst once upon a time
das **Geld** money
halten (hält), hielt, gehalten to hold
heilig holy
helfen (hilft), half, geholfen to help
hinter (*adj.*) rear
hundert hundred
immer always
knien to kneel

der **Krieg** war
leer empty
letzt last
loben to praise
die **Mark** mark (*coin equal to nearly
  forty cents*)
der **Mund** mouth
das **Ohr** ear
der **Pfennig** penny (*100 = a mark*)
schenken to present, donate
der **Soldát** soldier
die **Tasche** pocket
träge lazy
die **Wand** wall
die **Weile** while
der **Wirt** innkeeper
das **Zeichen** sign
zufrieden satisfied

beten to pray
bleich pale
der Bursche (des Burschen) fellow
der Gang walk; corridor
geizig stingy
das Gespräch conversation
der Handel bargain, deal
der Kamerád (des Kameráden) comrade

die Kapélle chapel
die Landstraße highway
miteinander with one another
nächst next, nearest
schlau sly, shrewd
steinern of stone
teilen to divide, share
verkaufen to sell

EXERCISES

(a) Formulate sentences in which the following groups of words appear in the genitive, dative, and accusative, singular: der geizige Bauer, die einsame Kapelle, das nächste Dorf.

(b) Supply the proper form of the adjective:

1. Mein Kamerad hat den (*famous*) Preis bekommen. 2. Wir werden beim (*shrewd*) Wirt eine (*good*) Mahlzeit bestellen. 3. Ich habe diesen (*pale*) Mund auch gesehen. 4. Er zeigte uns die (*empty*) Tasche. 5. Sie begegneten einander auf der (*long*) Fahrt. 6. Im (*last*) Krieg hatte er das (*one*) Ohr verloren. 7. Die Stadt lag am Eingang des (*narrow*) Tals. 8. Der (*shrewd*) Bauer freute sich über den (*good*) Handel. 9. Wo ist der Vater dieses (*faithful*) Burschen? 10. In diesem (*deep*) Brunnen hat man es gefunden. 11. Wir hielten am Tor der (*lonely*) Stadt. 12. Dieser (*steep*) Weg führt auf die (*romantic*) Burg. 13. Das (*new*) Geld ist nicht so groß wie das (*old*). 14. Wer hat dieses (*splendid*) Bild gemacht? 15. Jedes (*faithful*) Pferd folgt seinem Herrn.

(c) Formulate sentences, in which the following nouns appear in the genitive, dative, and accusative, singular: der Kamerad, der Soldat, der Fremde, die Heilige, das Schöne.

WRITTEN TRANSLATION

1. Have you read the story of the shrewd soldier and the stingy farmer? 2. One day a soldier met a farmer on the highway. 3. The farmer had gone to the nearest city to sell his horse. 4. He succeeded in selling the old horse and he now rejoiced over this good deal. 5. But it did not last long, for the shrewd soldier knew how

much money he had.   6. The farmer did not care-to give this stranger any money.   7. Then the sly fellow made him a proposition.   8. The farmer had to climb to the nearest hill with him. 9. On its top stood a chapel.   10. There the stranger knelt in-front-of the stone image for-a-long-time.   11. Then the miracle happened. 12. The money was in the soldier's pocket.   13. Had it been there the whole day?   14. The farmer wanted to say something (etwas), but this shrewd fellow did not let him talk (speak).   15. "The saint helps every good soldier and he surely will help you," he remarked quickly.   16. But this time the saint helped the soldier more than the farmer.

SUPPLEMENTARY READING

Das schwere Faß

Dem englischen Studenten war es verboten, in seinem Zimmer Bier oder Wein zu trinken.   Eines Tages fand man in dem Zimmer eines jungen Studenten ein Faß Bier.   Man fragte ihn: „Warum haben Sie gegen die Vorschrift der Universität Bier in Ihrem Zimmer?"   „Ich trinke es auf Vorschrift meines Arztes," antwortete der Student schnell.   „Und hat Sie das Bier stärker gemacht?"   Der Student nickte: „Gewiß, mein Herr.   Am ersten Tag, als das Faß kam, konnte ich es nicht von der Stelle bewegen. Nach einer Woche schon gelang es mir, das runde Faß ohne Mühe vom einen Ende des Zimmers zum andern zu rollen."

Was ist der König wert?

Der englische König Georg II. (der Zweite) aus dem Hause Hannover war auch ein Freund des guten, deutschen Biers.   In Deutschland fühlte er sich mehr zu Hause, als in England.   So verließ er oft seine Familie und sein Land, um im alten Vaterland zu leben.   Einmal war er über ein Jahr in Deutschland geblieben, da fand man eines Morgens einen Zettel am Tor des königlichen Schlosses.   Darauf stand: „Verloren gegangen — ein Mann mit einer Familie.   Der ehrliche Finder bekommt eine Belohnung von vier und ein halb Schillingen.   Niemand hält ihn einer Krone * wert."

* Eine Krone hat fünf Schillinge.

SUPPLEMENTARY VOCABULARY

bewégen to move
deutſch German
das Ende end
erſt first
das Faß keg
halb half
jung young
die Krone crown
der Morgen morning

niđen to nod
niemand nobody
rund round
die Stelle place
trinken, tranf, getrunfen to drink
vier four
der Wein wine
wert (*with gen.*) worth, worthy (of)
zu Hauſe at home

die Belöhnung reward
das Bier beer
ehrlich honest
einmal once
engliſch English
der Finder finder
föniglich royal
mein Herr sir

die Mühe effort
rollen to roll
ſtärfer stronger
der Studént student
verbíeten, verbot, verboten to prohibit
die Vorſchrift regulation, order,
   prescription

LESSON XIII

Strong Declension of the Adjective. Mixed Declension of the Adjective. Present and Past Participles as Adjectives

58. The so-called *strong declension* of the adjective is used when the adjective stands before the noun and is not preceded by a limiting word such as the article or the demonstrative adjectives.

The forms of the singular are:

	MASCULINE	FEMININE	NEUTER
N.	guter Wein	lange Zeit	wertloſes Zeug (*worthless*
G.	guten Weins	langer Zeit	wertloſen Zeugs *stuff*)
D.	gutem Wein	langer Zeit	wertloſem Zeug
A.	guten Wein	lange Zeit	wertloſes Zeug

Like dieſer these endings show the gender, number, and case of the following noun.

Note that with the exception of the genitive case of the masculine and neuter (which appears rather rarely and in fixed expressions) these forms are like those of the demonstrative adjective dieſer, dieſe, dieſes.

59. *Adjectives used as substantives.* — Adjectives used as nouns and not preceded by a limiting word are declined according to this declension (cf. § 57).

Examples: du Guter (*i.e.* Mann)
du Kleine (*you little girl*)
nichts Koſtbares (*nothing precious*)
viel Wertloſes (*much that is worthless*)
etwas Schönes (*something beautiful*)

60. *The so-called "mixed declension" of the adjective.* — After the defective forms of the so-called fein=words, that is, after the nominative singular masculine and the nominative and accusative singular neuter (which in these forms do not show the gender or case of the noun) the strong declension of the adjective is used. All the other forms are weak.

The forms of the singular are:

	MASCULINE		FEMININE
N.	ein	vornehmer Engländer	ihre koſtbare Uhr
G.	eines	vornehmen Engländers	ihrer koſtbaren Uhr
D.	einem vornehmen Engländer		ihrer koſtbaren Uhr
A.	einen vornehmen Engländer		ihre koſtbare Uhr
	a distinguished Englishman		*her costly watch*

	NEUTER	
N.	ein	schönes Schloß
G.	eines	schönen Schloſſes
D.	einem schönen Schloß	
A.	ein	schönes Schloß

Note that "*such a* (distinguished) Englishman" may be rendered either by: (*a*) **folch ein** vornehmer Engländer or (*b*) **ein folcher** vornehmer Engländer.

61. Adjectives used as nouns when preceded by so-called **fein=words** follow this declension. Compare:

der Fremde	but	ein Fremder
der Deutsche		ein Deutscher
das Kleine (*the baby*)		ein Kleines

62. The present participle is regularly formed by adding –end to the present infinitive stem: spielend, helfend. Contraction appears in some verbs such as wandern, funkeln: wandernd, funkelnd.

63. The present participle and past participle when used as attributive or descriptive adjectives or as nouns follow the same rules for declension as other adjectives:

Examples:	du funkelnder Stern	*thou sparkling star*
	der denkende Mensch	*the thinking human being*
	verlorenes Geld	*lost money*
	ein gut gekleideter Herr	*a well-dressed gentleman*
	die geladene Pistole	*the loaded pistol*
	ein Schlafender	*a sleeping man*
	der Gefangene	*the captive*

Die Pistole

Eine seltsame Geschichte berichtet Johann Peter Hebel von einem vornehmen Engländer. Der König hatte an einem schönen Sommer= tag in seinem herrlichen Garten eine große Gesellschaft versammelt. Da stellte sich ein gut gekleideter Herr mit einer Pistole unter dem langen braunen Rock in einem einsamen Teil des königlichen Gartens 5 hinter einen Baum. Es dauerte nicht lange, da kam ein vornehmer Herr mit funkelndem Ring am Finger und einem großen Stern auf der Brust in jenen einsamen Teil des Gartens, um ein bißchen allein zu sein. Er dachte an nichts Schlimmes, da sah er plötzlich einen Fremden vor sich. Dieser hielt eine Pistole gegen seine Brust und 10 bat ihn höflich, keinen Lärm zu machen. Es muß schlimm sein, vor einer Pistole zu stehen, denn man kann nie wissen, was darin steckt. Der vornehme Herr versprach also zu schweigen, denn er dachte: „Lieber will ich mein Geld verlieren, als mein Leben."

5 „Lieber Herr, wollen Sie nicht Ihre goldene Uhr um einen guten Preis verkaufen?" fragte der Dieb. Der vornehme Herr blickte nach der Pistole und sagte: „Gewiß, mein Herr." Der Bursche gab ihm einen Pfennig dafür. Mit dem funkelnden Ring und dem großen Stern auf der Brust ging es ihm auch nicht besser. Endlich hatte 10 der Herr nichts Kostbares mehr zu verkaufen und dachte: „Nun läßt mich der Dieb gewiß gehen." Dieser begann aber wieder: „Lieber Herr, ich habe auch manches Schöne zu verkaufen," und er zeigte ihm viel wertloses Zeug. Das mußte der Herr um teures Geld kaufen. „Wollen Sie für den Rest des Geldes nicht auch 15 meine Pistole kaufen?" fragte der Fremde endlich. „Es ist eine sehr gute und sehr teure Pistole." — „Solch ein dummer Dieb," dachte der vornehme Herr und kaufte die Pistole. Dann sagte er schnell: „Halt! Du schlimmer Bursche, oder ich schieße!" Der schlaue Dieb aber sprang aus dem Garten in den Wald und rief: „Schießen Sie 20 nur! mein Herr. Sie ist nicht geladen!"

Dies ist vor langer Zeit in London geschehen. Man braucht aber nicht nach London zu gehen. Eine solche Geschichte können wir auch in unserer herrlichen Gegenwart erleben. Nur geschieht es jetzt auf offener Straße. Auch ist der Dieb nicht immer so höflich und nimmt 25 sich nicht immer so viel Zeit.

VOCABULARY

der **Baum** tree	**lieber** rather
berichten to report, tell	**offen** open
braun brown	**plötzlich** suddenly
die **Brust** chest, breast	der **Ring** ring
der **Engländer** Englishman	der **Rock** coat
der **Finger** finger	der **Sommer** summer
der **Garten** garden	**schießen**, schoß, geschossen to shoot
die **Gegenwart** present	der **Stern** star
die **Gesellschaft** company	der **Teil** part
kleiden to dress	**teuer** expensive, dear
der **König** king	die **Uhr** watch, clock

denken an (*acc.*) to think of
der Dieb thief
dumm stupid
es geht mir gut I am (faring) well
funkeln to sparkle
geladen loaded
golden golden
höflich polite
königlich royal
kostbar precious, costly
der Lärm noise

lieb dear
die Pistóle pistol
der Rest remainder, rest
schlimm bad, wicked; ich denke an
    nichts Schlimmes I suspect no
    evil
seltsam strange, curious
versámmeln to assemble
vornehm distinguished
wertlos worthless
das Zeug stuff

EXERCISES

(*a*) Supply the missing words:

1. Er hatte (*a precious*) Ring. 2. Werden Sie (*your expensive*) Uhr verkaufen? 3. (*A golden*) Stern funkelte an seiner Brust. 4. Ich habe mit (*my old*) Pistole geschossen. 5. Das war (*a brown*) Pferd. 6. Wir haben (*many-a dear*) Freund verloren. 7. Gestern waren wir in (*a royal*) Schloß. 8. Das ist der Koffer (*of a distinguished*) Herrn. 9. Haben Sie (*this strange*) Buch gelesen? 10. Sprich jetzt nicht von (*our stingy*) Wirt. 11. Es kann ohne (*great*) Mut nicht gelingen. 12. Ich muß immer an (*that old*) Bild denken. 13. Sie saßen neben (*an open*) Fenster. 14. (*Deep*) Sehnsucht lag in seinem Blick. 15. (*Such a stupid*) Bursche. 16. Er fiel auf (*a steep*) Weg. 17. Hast du (*their lonely*) Haus gesehen? 18. Er war ihm (*a dear*) Sohn.

(*b*) Translate the following expressions and use them in sentences:

1. everything that-is-great, nothing that-is-new, much that-is-interesting, many-a strange-thing.

2. Present Participles: our wandering student, the following story, your questioning glance, one who-is-kneeling, one who-is-loving, the silent woods.

3. Past Participles: the assembled crowd, his loaded pistol, that lost war, your promised ring, the rescued horse, one who-is-lost.

4. Adjectives as Nouns: no stranger, our saint, an old-man, a traveling-man.

WRITTEN TRANSLATION

1. Johann Peter Hebel has told us this interesting story of (von) the distinguished Englishman and the polite thief. 2. The well-dressed stranger did not have to wait long behind that large tree in the royal garden. 3. Soon he saw our distinguished gentleman with his sparkling star on his (the) breast and a small book in his (the) hand. 4. He had left the royal company and was looking-for a lonely spot in the garden. 5. The stranger behind the tree knew this gentleman, a famous poet, and he also knew such a gentle poet could not defend himself against an armed (bewaffnet) thief. 6. He did not intend-to injure (verletzen) the wandering poet, for his pistol was not loaded. 7. He succeeded, however, in stealing (zu stehlen) much that-was-costly: a golden ring, an expensive watch, and a beautiful star. 8. With the pistol in his gentle hand the poet wanted-to recover (wiedererlangen) that [which he had] lost, but the thief had been too cunning for-him. 9. This is an old story, but it can happen even today in our own country.

SUPPLEMENTARY READING

Conrad Ferdinand Meyer

Säerspruch

Bemeßt den Schritt! Bemeßt den Schwung!
Die Erde bleibt noch lange jung!
Dort fällt ein Korn, das stirbt und ruht.
Die Ruh ist süß. Es hat es gut.
Hier eins, das durch die Scholle bricht.
Es hat es gut. Süß ist das Licht.
Und keines fällt aus dieser Welt,
Und jedes fällt, wie's Gott gefällt.

Abendwolke

So stille ruht im Hafen
Das tiefe Wasser dort,
Die Ruder sind entschlafen,
Die Schifflein sind im Port.

Nur oben in dem Äther
Der lauen Maiennacht,
Dort segelt noch ein später
Friedfert'ger Ferge sacht.

Die Barke still und dunkel
Fährt hin im Dämmerschein
Und leisem Sterngefunkel
Am Himmel und hinein.

SUPPLEMENTARY VOCABULARY

brechen (bricht), brach, gebrochen to break
dunkel dark
die Erde earth
der Gott God
der Hafen harbor
der Himmel heaven
leise soft, faint
das Licht light

oben above
spät late
sterben (stirbt), starb, ist gestorben to die
still(e) quiet(ly)
süß sweet
die Welt world
die Wolke cloud

---

der Äther ether
die Barke barge, boat
bemessen (bemißt), bemaß, bemessen to measure
der Dämmerschein dusk
entschlafen (entschläft), entschlief, entschlafen to go to sleep
der Ferge ferryman
friedfertig peaceful
hin along
hinein into (it)
das Korn grain
lau mild

die Maiennacht May night
das Ruder oar
die Ruh(e) rest
sacht soft
der Säerspruch song of the sower
das Schifflein little boat
die Scholle clod, soil
der Schritt stride, step
der Schwung swing
segeln to sail
das Sterngefunkel twinkling of the stars

LESSON XIV

Plural Forms of the Definite Article, the Possessive Adjectives, and Other Demonstratives or Limiting Words. Plural Forms of Nouns. Plural Forms of the Adjective Declensions

64. The plural forms of the definite article, the possessive adjective, the demonstrative adjective, and other limiting words all follow the same declension. In the plural there is one set of endings for all genders.

N.	die (meine, diese, welche) Mädchen	i.e.	–e
G.	der (meiner, dieser, welcher) Mädchen		–er
D.	den (meinen, diesen, welchen) Mädchen		–en
A.	die (meine, diese, welche) Mädchen		–e

65. Striking features of every German noun are:

1. Distinct gender, usually denoted by the definite article.

2. Definite case, which, however, is not always distinguished by a change of form.

3. Distinct plural form.

Note the general rules for the declension of the noun:

1. Feminine nouns remain unchanged throughout the singular.

2. Masculine nouns of the First, Second, and Third Declensions add –ŝ (or –eŝ, if necessary) in the genitive singular.

3. All neuter nouns have –ŝ (or –eŝ, if necessary) in the genitive singular.

4. The obsolescent dative singular ending –e may appear in all monosyllabic neuter nouns, and in all monosyllabic masculine nouns of the Second and Third Declensions.

5. The dative plural of all nouns ends in –n, except when the stem form already has this ending.

66. *The classification of nouns.* — The nouns in German are commonly classified according to the plural form.

There are four such regular declensions. The *First Declension* adds no ending in the nominative, genitive, and accusative plural to the stem form of the singular. Most nouns of this class also have the umlaut in the plural, if possible.

	Sing.	Pl.	Sing.	Pl.
N.	der Garten	die Gärten	das Fenster	die Fenster
G.	des Gartens	der Gärten	des Fensters	der Fenster
D.	dem Garten	den Gärten	dem Fenster	den Fenstern
A.	den Garten	die Gärten	das Fenster	die Fenster

To the First Declension belong:

(*a*) Masculine and neuter nouns ending in –er, –el, –en.

(*b*) The two feminine nouns Mutter and Tochter.

(*c*) The diminutives with the suffixes –ᚷen and –lein, the former being more common in North Germany and the latter in South Germany. The stem vowel is umlauted if possible. The noun becomes a neuter, for instance: der Bruder — das Brüderlein, die Schwester — das Schwesterchen.

(*d*) The neuter collective nouns with the prefix Ge– and the suffix –e, for instance: das Gebirge, *the mountain range.*

The following nouns of this declension have been used in the preceding lessons:

Singular	Plural	Singular	Plural
der Amerikaner	die Amerikaner	der Koffer	die Koffer
der Bruder	die Brüder	der Kuchen	die Kuchen
der Brunnen	die Brunnen	der Nebel	die Nebel
der Bürger	die Bürger	der Ritter	die Ritter
der Dichter	die Dichter	der Sommer	die Sommer
das Fenster	die Fenster	das Theater	die Theater
der Führer	die Führer	der Vater	die Väter
der Garten	die Gärten	der Wagen	die Wagen
der Gipfel	die Gipfel	das Wetter	die Wetter
der Graben	die Gräben	das Zimmer	die Zimmer

67. The *Second Declension* adds –e in the nominative, genitive, and accusative plural, to the stem of the singular. Most masculine nouns take the umlaut in the plural, if possible. *All* feminine nouns in this declension take the umlaut. The neuter nouns of this declension *never* take the umlaut.

SINGULAR:				
N.	der Baum	die Nacht	das Jahr	
G.	des Baums	der Nacht	des Jahrs	
D.	dem Baum(e)	der Nacht	dem Jahr(e)	
A.	den Baum	die Nacht	das Jahr	
PLURAL:				
N.	die Bäume	die Nächte	die Jahre	–e
G.	der Bäume	der Nächte	der Jahre	–e
D.	den Bäumen	den Nächten	den Jahren	–en
A.	die Bäume	die Nächte	die Jahre	–e

To the Second Declension belong:

(*a*) The large majority of masculine nouns of one syllable. With but few exceptions they have umlaut in the plural, if possible.

(*b*) Some common feminine nouns of one syllable with the stem vowel a, au, or u, which is always umlauted in the plural.

(*c*) A few common neuter nouns of one syllable, which never take the umlaut in the plural.

(*d*) Many polysyllabic nouns of various genders.

The following nouns of this declension have been used in the previous lessons:

	Singular	Plural		Singular	Plural
(*a*)	der Bach	die Bäche		der Park	die Parke
	der Bahnhof	die Bahnhöfe *		der Preis	die Preise
	der Baum	die Bäume		der Raum	die Räume
	der Berg	die Berge		der Ring	die Ringe
	der Blick	die Blicke		der Rock	die Röcke
	der Brief	die Briefe		der Sohn	die Söhne
	der Dieb	die Diebe		der Spruch	die Sprüche
	der Eingang	die Eingänge *		der Stern	die Sterne
	der Feind	die Feinde		der Tag	die Tage
	der Freund	die Freunde		der Teil	die Teile
	der Fuß	die Füße		der Turm	die Türme
	der Herbst	die Herbste		der Weg	die Wege
	der Hut	die Hüte		der Wein	die Weine
	der Kopf	die Köpfe		der Wirt	die Wirte
	der Krieg	die Kriege		der Wunsch	die Wünsche
	der Marktplatz	die Marktplätze *		der Zug	die Züge
(*b*)	die Angst	die Ängste	(*c*)	das Jahr	die Jahre
	die Brust	die Brüste		das Pferd	die Pferde
	die Nacht	die Nächte		das Spiel	die Spiele
	die Stadt	die Städte		das Stück	die Stücke
	die Wand	die Wände		das Tor	die Tore
(*d*)	der Abend	die Abende		das Gespräch	die Gespräche
	der Aufenthalt	die Aufenthalte		der Pfennig	die Pfennige
	der Charakter	die Charaktere			

* Cf. § 75.

68. The *Third Declension* adds –er in the nominative, genitive, and accusative plural, to the stem form of the singular. All nouns of this declension take the umlaut in the plural, if possible.

	Sing.	Pl.	Sing.	Pl.
N.	das Schloß	die Schlösser	der Mann	die Männer
G.	des Schlosses	der Schlösser	des Mannes	der Männer
D.	dem Schloß(ffe)	den Schlössern	dem Mann(e)	den Männern
A.	das Schloß	die Schlösser	den Mann	die Männer

To the Third Declension belong:

(*a*) The large majority of neuter nouns of one syllable.

(*b*) Very few masculine nouns of one syllable.

(*c*) All nouns with the suffix –tum, *e.g.* das Herzogtum, *duchy*.

The following nouns of this declension have been used in the preceding lessons:

Singular	Plural	Singular	Plural
das Bad	die Bäder	das Haus	die Häuser
das Bild	die Bilder	das Land	die Länder
das Dach	die Dächer	das Schloß	die Schlösser
das Dorf	die Dörfer	das Tal	die Täler
das Geld	die Gelder	der Wald	die Wälder

69. The First, Second, and Third Declensions are commonly called the *Strong Declensions*, the striking features being the ending –s or –es in the genitive singular of masculine and neuter nouns and the use of the umlaut to help form the plural.

For example, compare the English equivalents with the following German nouns:

Singular		Plural	
der Fuß	*foot*	die Füße	*feet*
die Gans	*goose*	die Gänse	*geese*
die Maus	*mouse*	die Mäuse	*mice*
das Kind	*child*	die Kinder	*children*

The Fourth Declension, which is commonly called the Weak Declension, will be treated in the following lesson.

NOTE: The student should always learn not only the nominative singular form of each noun with the definite article which shows the gender of the noun, but also the nominative plural form.

70. *The plural endings of the adjective declensions.* — The *Strong Declension* of the adjective has the same endings in the plural as the demonstrative adjective dieſer (cf. § 64):

SINGULAR

N.	ſchöner Garten	große Stadt	neues Land
G.	ſchönen Gartens	großer Stadt	neuen Landes
D.	ſchönem Garten	großer Stadt	neuem Land(e)
A.	ſchönen Garten	große Stadt	neues Land

PLURAL

N.	ſchöne Gärten	große Städte	neue Länder	−e
G.	ſchöner Gärten	großer Städte	neuer Länder	−er
D.	ſchönen Gärten	großen Städten	neuen Ländern	−en
A.	ſchöne Gärten	große Städte	neue Länder	−e

71. The *Weak Declension* of the adjective has the endings −en *throughout* the plural:

SINGULAR

N.	dieſer ſchöne Garten	jede große Stadt	welches neue Land
G.	dieſes ſchönen Gartens	jeder großen Stadt	welches neuen Landes
D.	dieſem ſchönen Garten	jeder großen Stadt	welchem neuen Land(e)
A.	dieſen ſchönen Garten	jede große Stadt	welches neue Land

PLURAL

N.	dieſe ſchönen Gärten	alle großen Städte	welche neuen Länder
G.	dieſer ſchönen Gärten	aller großen Städte	welcher neuen Länder
D.	dieſen ſchönen Gärten	allen großen Städten	welchen neuen Ländern
A.	dieſe ſchönen Gärten	alle großen Städte	welche neuen Länder

72. The *Mixed Declension* of the adjective likewise has the ending –en *throughout* the plural:

SINGULAR

N.	mein	schöner Garten	unsere große Stadt	kein	neues Land
G.	meines	schönen Gartens	unsrer großen Stadt	keines	neuen Landes
D.	meinem	schönen Garten	unsrer großen Stadt	keinem	neuen Land(e)
A.	meinen	schönen Garten	unsere große Stadt	kein	neues Land

PLURAL

N.	meine	schönen Gärten	unsere großen Städte	keine	neuen Länder
G.	meiner	schönen Gärten	unserer großen Städte	keiner	neuen Länder
D.	meinen	schönen Gärten	unseren großen Städten	keinen	neuen Ländern
A.	meine	schönen Gärten	unsere großen Städte	keine	neuen Länder

Note especially that ein, eine, ein have only singular forms:

		PLURAL
N.	ein schöner Garten	schöne Gärten
G.	eines schönen Gartens	schöner Gärten
D.	einem schönen Garten	schönen Gärten
A.	einen schönen Garten	schöne Gärten

Das Rätselspiel

Reisende aller Art fuhren auf dem kleinen Dampfer den Rhein hinunter nach Köln. Sie freuten sich alle über den schönen Rhein und sangen Rheinlieder. An beiden Ufern konnten sie sanfte Hügel mit herrlichen Weinbergen erblicken. Auf ihren Gipfeln standen alte Schlösser, und zu ihren Füßen lagen liebliche Dörfer und Städtchen. 5 Dazwischen sahen sie wundervolle Gärten mit vornehmen Häusern mit kleinen Häfen und Segelbooten. Endlich aber hatten sie diesen romantischen Teil des Rheins hinter sich. Die Landschaft wurde offen und flach. Weite Felder und Wälder dehnten sich jetzt an den Ufern des Rheins. Die Reisenden auf dem Schiff waren einer nach 10 dem andern still geworden. Einige schliefen schon, andere wachten noch und sahen müde den langen Rhein hinunter. Nur einer, ein Student aus München, war munter geblieben und machte nun

einigen jungen Leuten den Vorschlag, Rätsel zu raten. Man setzte sich und der Student erklärte das Rätselspiel. Jeder durfte ein Rätsel aufgeben (*propose*). Der Gefragte aber mußte eine Antwort finden oder dem Fragenden fünf Pfennige bezahlen. Konnte einer
5 die richtige Antwort geben, dann bekam er vom Fragenden zehn Pfennige.

Nun begannen sie ihr Spiel. „Wie viele Eier konnte der Ritter Goetz von Berlichingen nüchtern essen?" fragte der erste Bursche. „Nur eines," antwortete der Student schnell, „denn nach dem ersten
10 Ei war er nicht mehr nüchtern." Die nächste Frage kam von einem Mädchen: „Fünf Kinder teilen fünf Eier. Jedes bekommt ein Ei und eines bleibt auf dem Teller. Wie kann das sein?" „Das ist leicht," meinte der Student, „das letzte Kind muß das Ei mit dem Teller nehmen, dann kann es das Ei darin liegen lassen, solange es
15 will." Die andern lachten und der Student bekam wieder seine zehn Pfennige. Dieses Mal fragte ein junger Bursche: „Wie viele Tage sind seit Abrahams Tod vergangen?" Der Student wußte allein wieder die Antwort. „Nur sieben Tage, denn nach den ersten sieben Tagen kommen wieder sieben Tage und so weiter." Den
20 Studenten konnten sie nicht fangen. Dieser wußte immer eine Antwort und machte nie einen Fehler. So mußte er selber den andern ein Rätsel aufgeben und er ließ sie nicht lange warten. „Wie kann man an einem klaren Tag im Schatten von Bonn nach Köln reiten?" Keiner der Gefragten konnte das Rätsel lösen, und sie
25 bezahlten alle ihre fünf Pfennige. Da lachte der Student und sagte: „Wo die Sonne scheint, da muß er zu Fuß gehen." Dann steckte er mit der einen Hand das Geld in die Tasche und zeigte mit der andern den Rhein hinunter. Da erblickten sie in der Ferne die Dächer der ‚heiligen Stadt' und darüber die zwei Türme des grauen,
30 berühmten Kölner Doms.

VOCABULARY

der **andere** the other
die **Antwort** (Antworten) answer
die **Art** (Arten) kind, type
das **Ei** (Eier) egg

erklären to explain, declare
essen (ißt), aß, gegessen to eat
fangen (fängt), fing, gefangen to catch

der **Fehler** (Fehler) mistake
das **Feld** (Felder) field
flach flat, level
die **Frage** (Fragen) question
fünf five
grau gray
jung young
das **Kind** (Kinder) child
klein small
die **Leute** people
das **Lied** (Lieder) song
lösen to solve

das **Mädchen** (Mädchen) girl
müde tired
richtig correct
das **Schiff** (Schiffe) boat, ship
sieben seven
singen, sang, gesungen to sing
die **Sonne** (Sonnen) sun
der **Teller** (Teller) plate
das **Ufer** (Ufer) bank, shore
wachen to remain or be awake
zehn ten

---

bezahlen to pay
der **Dampfer** (Dampfer) steamer
(sich) **dehnen** to extend
der **Dom** (Dome) cathedral
der **erste** the first
der **Hafen** (Häfen) harbor
Kölner of Cologne
nüchtern with empty stomach
raten (rät), riet, geraten guess, advise

das **Rätsel** (Rätsel) riddle
der **Rhein** Rhine; den Rhein hinunter down the Rhine
der **Schatten** (Schatten) shade
das **Segel** (Segel) sail
und so weiter (usw.) etc.
vergangen (p. p. of vergehen to pass) past, bygone
der **Weinberg** (Weinberge) vineyard
zu Fuß gehen to walk

EXERCISES

(*a*) Decline in the singular and plural:

1. dieser Hafen; 2. kein Krieg; 3. jenes kleine Kind; 4. unser neues Lied; 5. ein tiefer Graben; 6. ein singendes Mädchen; 7. ein verlorener Tag.

(*b*) Put all nouns and noun modifiers into the singular:

1. Welche Zimmer hast du bestellt? 2. Meine Freunde fanden mit ihren Pferden den Weg. 3. Er hatte diese Sprüche nie gelesen. 4. Nicht alle Väter können sich über ihre Söhne freuen. 5. Er wußte nichts vom Tod seiner Feinde. 6. In jenen Dörfern gab es keine Brunnen. 7. Sind Sie als Kind oft auf Bäume geklettert? 8. Solche Gräben gibt es hier nicht mehr. 9. An allen Bahnhöfen suchte er nach uns. 10. Sitzplätze gibt es nicht mehr. 11. In seinen Büchern konnte er nichts finden. 12. Auf steilen Wegen erreichte er den Gipfel. 13. Er hatte oft Briefe von seinen Brüdern bekommen. 14. Diese Dörfer lagen in lieblichen Tälern. 15. In solchen Jahren hatte man Zeit dafür.

(c) Put all nouns and noun modifiers into the plural:

1. Er hatte keinen Wunsch mehr. 2. Er will nur ein leichtes Rätsel aufgeben. 3. Das Kind singt ein neues Lied. 4. Welches Ei ißt du? 5. Dieses Schloß steht am Ufer des Rheins. 6. Jeder hatte seinen Teller vor sich. 7. Von diesem Hügel konnte man keine Stadt erblicken. 8. Du mußt das deinem Freund erklären. 9. Man suchte ihn im Garten, im Wald und im Weinberg. 10. Sie wanderten durch einen jungen Wald. 11. Von einem solchen Feind hatte er noch nie gehört. 12. In dieser Nacht konnte er nicht schlafen. 13. Man fing den Dieb, aber er hatte den Ring schon verkauft. 14. Nicht jeder König hat solch ein romantisches Land. 15. Du kannst den Gipfel jenes Berges jetzt nicht sehen. 16. Wir mußten wegen unseres Koffers hier bleiben.

WRITTEN TRANSLATION

1. Travelers from (aus) all countries are-visiting the Rhine every summer. 2. They find on its banks romantic cities with famous old houses and splendid gardens. 3. Some of these cities are famous for (wegen) their cathedrals, others are famous for their towers, gates, and fountains; the villages and little-towns between Bingen and Koblenz, however, are famous for their castles and vineyards. 4. The boats on the Rhine do not travel (fahren) as (so) fast as (wie) the trains on the shore, but they give you (einem) a better view of (auf) the hills and castles. 5. You can always find young people on these boats. 6. The time passes quickly with gay songs and games (plays) of-all kind[s]. 7. Sometimes they guess riddles. 8. It is not easy to find new riddles. 9. Often one lad or one girl of the company knows the riddle and can give the correct answer at-once. 10. Do you know the riddle of the five eggs on the plate? 11. In our time (the) people no longer care-to guess riddles as in bygone days.

SUPPLEMENTARY READING

Lorelei

„Es ist schon spät, es wird schon kalt,
Was reitst du einsam durch den Wald?
Der Wald ist lang, du bist allein,
Du schöne Braut! Ich führ' dich heim!"

„Groß ist der Männer Trug und List,
Vor Schmerz mein Herz gebrochen ist,
Wohl irrt das Waldhorn her und hin,
O flieh! du weißt nicht, wer ich bin."

„So reich geschmückt ist Roß und Weib,
So wunderschön der junge Leib,
Jetzt kenn' ich dich — Gott steh mir bei!
Du bist die Hexe Lorelei."

„Du kennst mich wohl — von hohem Stein
Schaut still mein Schloß tief in den Rhein.
Es ist schon spät, es wird schon kalt,
Kommst nimmermehr aus diesem Wald!"

Joseph von Eichendorff

SUPPLEMENTARY VOCABULARY

fliehen, floh, ist geflohen to flee
der Gott (Götter) God
das Herz (Herzen) heart
irren to err, wander aimlessly
kalt cold
der Leib (Leiber) body

reich rich
der Schmerz (Schmerzen) sorrow, pain
spät late
der Stein (Steine) stone, rock
das Weib (Weiber) woman

---

die Braut (Bräute) bride
heim home; ich führe dich heim I shall take you home
her und hin to and fro
die Hexe (Hexen) witch
die List (Listen) ruse, treachery
Lorelei *a siren of the Rhine*
nimmermehr nevermore
das Roß (Rosse) horse

schauen to look
schmücken to adorn
steh mir bei! help me
der Trug (*poetic for* Betrug) deceit
das Waldhorn (Waldhörner) hunting horn
was (*here* = warum) why
wohl indeed
wunderschön wondrous fair

LESSON XV

**Fourth or Weak Declension of the Noun. Irregular Nouns.
Compound Nouns. Plural Form of the Adjective
Declension after viele, manche, etc.**

73. The *Fourth Declension* of the noun, commonly called
the Weak Declension, adds –en in all cases of the plural to the

stem form of the singular. The umlaut is never used to form the plural of this declension. If the singular form ends in –e, only –n is added in the plural.

1. To this class belongs the large majority of feminine nouns, especially those ending in –e, –in, –heit, –feit, –schaft, –ung, and the foreign suffixes –tät, –if, –ur, –ion, which are stressed.

Examples:

Singular	Plural
die Antwort	die Antworten
die Woche	die Wochen
die Freundin	die Freundinnen
die Schönheit (*beauty*)	die Schönheiten
die Feierlichfeit (*festivity*)	die Feierlichfeiten
die Landschaft	die Landschaften
die Zeitung (*newspaper*)	die Zeitungen
die Universität	die Universitäten
die Fabrif (*factory*)	die Fabrifen
die Natúr	die Natúren
die Statión	die Statiónen

Note that feminine words of this declension have but two forms, one for all cases of the singular, and the other for all cases of the plural.

Examples:

	Singular		
N.	die Uhr	die Straße	die Studentin
G.	der Uhr	der Straße	der Studentin
D.	der Uhr	der Straße	der Studentin
A.	die Uhr	die Straße	die Studentin

	Plural		
N.	die Uhren	die Straßen	die Studentinnen
G.	der Uhren	der Straßen	der Studentinnen
D.	den Uhren	den Straßen	den Studentinnen
A.	die Uhren	die Straßen	die Studentinnen

Note that many masculine nouns denoting living beings may form a corresponding feminine noun by adding –in to the stem form. This suffix doubles the n before the plural ending, and the vowel preceding the suffix regularly takes the umlaut, if possible.

Examples:

der Dichter (*poet*)	die Dichterin
der Wirt (*landlord*)	die Wirtin
der Graf (*count*)	die Gräfin
der Studént (*student*)	die Studéntin
der Fürst (*prince*)	die Fürstin

2. There are a few masculine nouns in this class. They have the ending –en (or –n) in all forms of the singular and plural except the nominative singular.

	SING.	PL.	SING.	PL.
N.	der Knabe (*boy*)	die Knaben	der Fürst	die Fürsten
G.	des Knaben	der Knaben	des Fürsten	der Fürsten
D.	dem Knaben	den Knaben	dem Fürsten	den Fürsten
A.	den Knaben	die Knaben	den Fürsten	die Fürsten

Note that most of these masculine nouns denote living beings, *i.e.* male animals and men.

The plural form of nouns of this declension that have been used in previous lessons is as follows:

(*a*) Feminine nouns:

Antworten	Kapellen	Schönheiten
Arten	Kirchen	Schwestern
Aussichten	Kusinen	Sitten
Bewegungen	Landkarten	Straßen
Brücken	Landschaften	Tanten
Burgen	Literaturen	Taschen
Ecken	Mauern	Uhren
Fahrten	Mengen	Universitäten
Gesellschaften	Moden	Wahlen
Familien	Minuten	Wahrheiten
Frauen	Nichten	Wanderungen
Geschichten	Opern	Wochen
Hallen	Pistolen	Zeitungen

(*b*) Masculine nouns:

Burschen	Kameraden	Soldaten
Helden	Menschen	Studenten

74. *Irregular nouns:*

(*a*) A few very common masculine and neuter nouns have singular forms like those of the strong declension and plural forms like those of the weak declension. For example:

	Sing.	Pl.	Sing.	Pl.
N.	der Bauer	die Bauern	das Auge	die Augen
G.	des Bauers	der Bauern	des Auges	der Augen
D.	dem Bauer	den Bauern	dem Auge	den Augen
A.	den Bauer	die Bauern	das Auge	die Augen

Some nouns of this declension are:

das Drama	der See
das Museum (*pl.* die Muséen)	der Staat
das Ohr	der Untertan

Note the shift of the accent in the plural forms of:

	Sing.	Pl.	Sing.	Pl.
N.	der Doktor	die Doktóren	der Proféssor	die Professóren
G.	des Doktors	der Doktóren	des Proféssors	der Professóren
D.	dem Doktor	den Doktóren	dem Proféssor	den Professóren
A.	den Doktor	die Doktóren	den Proféssor	die Professóren

(*b*) The following nouns are quite irregular:

	Sing.	Pl.	Sing.	Pl.
N.	der Herr	die Herren	das Herz	die Herzen
G.	des Herrn	der Herren	des Herzens	der Herzen
D.	dem Herrn	den Herren	dem Herzen	den Herzen
A.	den Herrn	die Herren	das Herz	die Herzen

(*c*) Some masculine and neuter nouns borrowed from foreign languages, especially French and English, retain the –s throughout the plural, for example: das Auto, die Autos.

75. *Compound nouns.* — The last component of a compound noun determines the gender and declension of the whole noun. For example, compare:

die Wand	das Bild	with	das Wandbild (Wandbilder)
das Land	die Karte	with	die Landkarte (Landkarten)
der Vater	die Stadt	with	die Vaterstadt (Vaterstädte)
die Bahn	der Hof	with	der Bahnhof (Bahnhöfe)

76. After the plural forms **andere, einige, mehrere, solche, viele, wenige,** the strong declension of the adjective is commonly used in the nominative and accusative; **alle** and **manche** are followed by the weak declension of the adjective throughout:

N.	einige alte	Leute	alle freien Plätze
G.	einiger alten	Leute	aller freien Plätze
D.	einigen alten	Leuten	allen freien Plätzen
A.	einige alte	Leute	alle freien Plätze

Der König kommt

Vor hundert Jahren gab es in Deutschland noch viele kleine und ganz kleine Staaten. Die Fürsten in den kleinen Staaten waren Herzoge und Grafen, in den großen aber waren es Könige. Die Könige von Preußen waren wegen ihrer einfachen Sitten und wegen ihrer Sorge um das Wohl des Staates bei ihren Untertanen be= 5 sonders beliebt. König Friedrich Wilhelm IV. (der Vierte) kam einst auf seinen Fahrten in eine kleine Stadt. Wie in vielen andern Städtchen wollte man ihn auch hier mit großen Ehren empfangen. Die alten Mauern und Tore, die engen, krummen Straßen und freien Plätze, die Häuser und Kirchen und alle öffentlichen Gebäude 10 der kleinen Stadt waren mit Fahnen und Blumen in allen Farben geschmückt. Alle braven Bürger der Stadt und viele treue Bauern aus den nahen Dörfern warteten in den Hauptstraßen und am Marktplatz, um den König zu empfangen. Die Frauen hatten sich besonders schön gekleidet und auch die Männer trugen ihre neuen Hüte 15 und Röcke. Die jungen Burschen waren auf die Dächer und Bäume geklettert, am Stadttor aber standen die kleinen Knaben und schöne Mädchen in weißen Kleidern mit ihren Blumen und Liedern bereit.

Endlich fuhren die königlichen Wagen vors Tor. Die Menge jubelte, die Musik spielte, und die weiß gekleideten Mädchen warfen 20 ihre Blumen in den Wagen des Fürsten. Dieser freute sich über

seine treuen Untertanen, er dachte aber auch mit Sorge an seinen
leeren Magen, denn er wußte, wie lange diese Feierlichkeiten immer
dauerten.   Dann schwieg die versammelte Menge plötzlich.   Alle
Augen wandten sich nach dem Fürsten.   Der Bürgermeister hatte
5 sich vor den königlichen Wagen gestellt und begann mit den Worten:
„Allerhöchster, gnädiger Herr König.   Hannibal stand vor den
Toren Roms, da . . .", weiter kam der gute Bürgermeister aber
nicht, denn der König vollendete den Satz für ihn: . . . „war er gewiß
ebenso hungrig, wie euer König.   Kommen Sie, lieber Bürger=
10 meister, wir wollen uns eine Mahlzeit bestellen!"   Mit diesen Worten
faßte Friedrich Wilhelm seinen treuen Bürgermeister am Arm, hob
ihn in den Wagen und fuhr an den jubelnden Bürgern und Bauern
vorbei in die Stadt.

VOCABULARY

der **Arm** (Arme) arm
das **Auge** (des Auges, die Augen) eye
die **Blume** (Blumen) flower
brav honest, good
die **Ehre** (Ehren) honor
empfangen (empfängt), empfing,
   empfangen to receive
die **Farbe** (Farben) color
fassen to take hold of
der **Fürst** (Fürsten) sovereign
der **Graf** (Grafen) count
heben, hob, gehoben to lift
das **Jahr** (Jahre) year
das **Kleid** (Kleider) dress

der **Knabe** (Knaben) boy
krumm crooked
der **Magen** (Mägen) stomach
der **Mann** (Männer) man, husband
die **Musik** music
(das) **Preußen** Prussia
der **Satz** (Sätze) sentence
spielen to play
der **Staat** (des Staates, die Staaten)
   state
tragen (trägt), trug, getragen to
   carry, wear
weiß white
das **Wort** (Worte) word

---

allerhöchster, gnädiger Herr König
   most sovereign and gracious
   Lord and King
an (*dat.*) . . . **vorbei** past
beliebt popular, favorite
der **Bürgermeister** burgomaster,
   mayor
einfach plain, simple
die **Fahne** (Fahnen) flag
die **Feierlichkeit** (Feierlichkeiten) fes-
   tivity, ceremony
der **Herzog** (Herzoge) duke

hungrig hungry
jubeln to cheer, rejoice
öffentlich public
(das) **Rom** Rome
schmücken to decorate
die **Sitte** (Sitten) custom
die **Sorge** (Sorgen) care, concern
der **Untertan** (des Untertans, die
   Untertanen) subject
vollenden to complete
weiter farther, on
das **Wohl** (*no pl.*) welfare

EXERCISES

(*a*) Decline in the singular and plural:

1. unſere Sorge; 2. dieſer Soldat; 3. mein Auge; 4. die neue Landkarte; 5. mancher treue Kamerad; 6. kein ſchwaches Herz.

(*b*) Decline in the plural:

1. some old families; 2. all young people; 3. many public societies.

(*c*) Put all plural nouns and noun modifiers into the singular:

1. Wir haben oft die Schönheiten dieſer Landſchaft bewundert. 2. Er kannte die einfachen Sitten dieſes Landes. 3. Er hatte oft von dieſen alten Univerſitäten gehört. 4. Alle Staaten haben ihre Hauptſtädte. 5. In ſolchen Jahren gibt es immer Kriege. 6. Alle Häuſer waren mit großen Fahnen geſchmückt. 7. Der König dachte nicht an das Wohl ſeiner Untertanen. 8. Deinen Knaben ſollte man dieſe romantiſchen Geſchichten nicht erzählen. 9. Wer kennt die Namen dieſer Helden? 10. Trotz dieſer großen Sorgen lachte er oft.

(*d*) Put all nouns and noun modifiers into the plural:

1. Er war mit dieſer Frage nicht zufrieden. 2. Welche neue Oper haſt du gehört? 3. Ich habe noch nie von unſrem kleinen Gefangenen erzählt. 4. Kein Soldat verteidigte das alte Stadttor. 5. Dieſer junge Burſch iſt ein Freund von mir. 6. Auf dieſer weiten Fahrt wurde ſeine Taſche nie leer. 7. Er ſpielte jenes herrliche Stück nie wieder. 8. Sie war eine ſolche lange Wanderung nicht gewohnt. 9. Mancher hungrige Student hatte dort etwas zu eſſen bekommen. 10. Im folgenden Jahr reiſte er in ein fremdes Land.

WRITTEN TRANSLATION

1. In olden times many people showed a-great-deal-of interest in (for) stories about (von) kings, dukes, counts, etc. 2. During the last thirty (dreißig) years, however, many sovereigns have

lost their thrones (der Thron, *use sing.*). 3. Some are leading the lives (*use sing.*) of-plain citizens. 4. Perhaps they hope their sons will one day rule their lost countries. 5. But not many of-these princes have been as popular with (bei) their subjects as [was] Frederick (Friedrich) the Great of (von) Prussia. 6. His subjects admired him for (wegen) his great courage and his concern about (um) the welfare of his citizens. 7. Frederick assembled at his court many famous men of-his country and of-other states. 8. Voltaire enjoyed Frederick's hospitality (Gastfreundschaft) [for] two years, and these two great men certainly experienced many interesting hours with each other. 9. But finally the friends became enemies and Voltaire had-to leave Berlin. 10. Frederick showed [an] interest not only in (für) poets and professors, but (sondern) also in the plain people, in his peasants and soldiers.

SUPPLEMENTARY READING

Er ist's

Frühling läßt sein blaues Band
Wieder flattern durch die Lüfte;
Süße, wohlbekannte Düfte
Streifen ahnungsvoll das Land.
Veilchen träumen schon,
Wollen balde kommen.
— Horch, von fern ein leiser Harfenton!
Frühling, ja du bist's!
Dich hab' ich vernommen!

Eduard Mörike

Septembermorgen

Im Nebel ruhet noch die Welt,
Noch träumen Wald und Wiesen:
Bald siehst du, wenn der Schleier fällt,
Den blauen Himmel unverstellt,
Herbstkräftig die gedämpfte Welt
In warmem Golde fließen.

Eduard Mörike

Wanderers Nachtlied

Über allen Gipfeln
Ist Ruh,
In allen Wipfeln
Spürest du
Kaum einen Hauch;
Die Vögelein schweigen im Walde.
Warte nur, balde
Ruhest du auch.

Johann Wolfgang Goethe

SUPPLEMENTARY VOCABULARY

blau blue
fern distant; von fern from a distance
fließen, floß, geflossen to flow, stream

der Frühling spring
das Gold gold
die Luft (Lüfte) air, breeze
träumen to dream

---

ahnungsvoll filled with foreboding
das Band (Bänder) ribbon
der Duft (Düfte) odor, fragrance
flattern to flutter
gedämpft mellowed
der Harfenton (Harfentöne) sound of a harp
herbstkräftig autumn-strong
horchen to harken
die Ruh(e) quiet, silence

der Schleier (Schleier) veil
spüren to feel
streifen to touch lightly
unverstellt unobstructed
das Veilchen (Veilchen) violet
vernehmen (vernimmt), vernahm, vernommen to sense
das Vögelein (Vögelein) little bird
der Wipfel (Wipfel) treetop
wohlbekannt well-known

REVIEW LESSON III

(Lessons XI–XV)

READING EXERCISE

1. In den guten, alten Zeiten gab es selten etwas so Schönes für die einfachen Bürger einer kleinen Stadt, wie den feierlichen Empfang ihres geliebten Fürsten. 2. Da gab es weiß gekleidete Mädchen, muntere Musik, jubelnde Untertanen, eine Stadt mit Fahnen und Blumen geschmückt. 3. Seit dem frühen Morgen (*morning*)

füllte der Lärm der Wartenden die Hauptstraße zwischen dem alten Stadttor und dem Marktplatz. 4. Plötzlich schwiegen die munteren Gespräche, alle Augen wandten sich nach dem steinernen Stadttor, denn dort zeigte sich jetzt der königliche Wagen. 5. Hinter dem jungen König im ersten Wagen fuhren in den folgenden Wagen viele vornehme Herren. 6. Der König fuhr durch die jubelnde Menge zum alten Rathaus oder einem andern öffentlichen Gebäude. 7. Dort waren die vornehmen Bürger der Stadt versammelt. Der bleiche Bürgermeister empfing seinen Fürsten mit feierlichen Worten. 8. Der junge König ärgerte sich manchmal über die langen Feier= lichkeiten. Er wußte aber, er durfte das seinen treuen Untertanen nicht zeigen. Er mußte königlich und gnädig (*gracious*) bleiben. 9. Viele dieser einfachen Bürger und Bauern von außerhalb der Stadt führten ein einsames Leben und hatten oft schwere Tage, aber nun sollten sie sich doch einmal von ganzem Herzen freuen dürfen. 10. An diesem Tag sollte es hier keine Hungrigen geben, alle sollten froh werden.

DRILL EXERCISE

(*a*) Render the following sentences in the past tense and add the missing ending:

1. Kennen Sie d– alt– König? 2. D– erst– Preis gehört d– ander– Soldaten. 3. Ich werde Ihnen ein berühmt– Bild nennen. Welch– berühmt– Bild? 4. D– still– Mädchen sitzt in sein– klein– Zimmer und wartet. 5. Er ißt immer aus ein– flach– Teller. 6. Er trägt den Ring in sein– leer– Tasche. 7. Der Herzog emp= fängt mich mit ein– höflich– Frage. 8. Wir werden dies– schlau– Dieb nichts sagen. 9. D– groß– Schiff füllt sich schnell. 10. Ich werde durch d– erst– Zimmer dies– vornehm– Hauses gehen.

(*b*) Reproduce the sentences of (*a*) in the present perfect tense.

(*c*) Change the singular nouns and their modifiers into the plural:

1. Dieser alte Soldat hat den König selbst gebeten. 2. Auf welchen Baum ist der kleine Knabe geklettert? 3. Unser liebes Kind

hat das gewiß vergessen. 4. Ihr Fürst hat nie einen Krieg geführt. 5. Sie hatten ihr letztes Ei gegessen. 6. An dem steilen Ufer fand er eine seltsame Blume. 7. Über dem flachen Feld funkelte ein großer Stern. 8. Wer war der Führer dieser vornehmen Gesellschaft?

(d) Change the plural nouns and their modifiers into the singular:

1. In den folgenden Wochen half er seinen neuen Freunden. 2. Alle goldenen Ringe mußten die Bürger dem Staat geben. 3. Höfliche Antworten gab man uns nicht. 4. Das waren schlimme Jahre für die jungen Kinder. 5. Was ist der Preis dieser alten Uhren? 6. Stille Bäume stehen in den einsamen Gärten. 7. Seine ersten Bücher waren sehr beliebt. 8. Diese königlichen Worte sollte man nie vergessen.

(e) Use the present or past participle of the verb in parenthesis as an attributive adjective:

1. Wir fanden ihn in einem (verlassen) Haus. 2. Der (nennen) Graf war im königlichen Schloß. 3. Welches (vergessen) Lied hat sie gesungen? 4. Wir begegneten einem vornehm (kleiden) Herrn. 5. Der Kopf des (schlafen) Knaben war besonders schön. 6. Wir sahen seinen viel (bewundern) Garten. 7. Es war ein Brief von seiner (lieben) Frau. 8. Er holte sein Geld aus dem (brennen) Gebäude. 9. Das ist ein wohl (verdienen) Preis. 10. Wir konnten durch das (öffnen) Tor blicken.

Translate into German, using, if possible, impersonal or reflexive verbs:

1. How is your little brother? — He is not well today. — I (Das) am sorry. 2. He played on the street yesterday while (während) it rained. 3. He felt-cold, but he was afraid to tell it to us, for he was-supposed-to dress himself warmly and he had not done it. 4. Now he has caught-a-cold and we are not surprised at (über) it. 5. I hope he will recover quickly. 6. How are you, little man? We have not seen each other for many weeks. 7. I have brought you something good to eat. 8. Won't you sit down, Mr. Braun? Charles, fetch a chair (der Stuhl) for Mr. Braun,

there is no chair in the room. 9. No, thank [you], Mrs. Schulz, I can sit down on the bed (das Bett), it is very comfortable here. 10. I don't want to be a stranger in this house; I want to belong to (zu) the family.

LESSON XVI

Review of the Word Order of the Sentence. The Conjunctions. Word Order of the Dependent Clause

77. The order of the independent sentence or independent clause has several striking features, which may here be reviewed (cf. § 12).

1. The verb occupies syntactically the second position in the sentence, regardless of what comes first.

Compare the following forms of a simple sentence:

> Es **gab** vor hundert Jahren in Deutschland viele kleine Staaten.
> Vor hundert Jahren **gab** es in Deutschland viele kleine Staaten.
> In Deutschland **gab** es vor hundert Jahren viele kleine Staaten.
> Viele kleine Staaten **gab** es vor hundert Jahren in Deutschland.

Common *exceptions* to this position of the verb are, as in English, the interrogative and imperative forms, which may stand first:

> Kommt er heute oder morgen?   Nehmen Sie dieses Buch!

2. Expressions of time precede those of place:

> Sie kommen heute nach München.

3. The pronominal object precedes an expression of time:

> Wir sehen ihn oft.

4. The dative case normally precedes the accusative, except when the latter is a personal pronoun:

> Er gab dem Freund das Buch.
> Er gab ihm das Buch.
> Er gab es dem Freund.
> Er gab es ihm.

5. In the oblique cases, that is, those other than the nominative, the personal pronoun follows the finite verb of an independent clause if the subject is a noun:

> Heute hat ihm der Lehrer ein neues Buch gegeben.
> Heute hat er ihm ein neues Buch gegeben.

6. Review the word order of the verbal adjunct (cf. § 15).

7. Review the position of nicht (cf. § 15).

78. *Conjunctions.* — As in English, there are two classes of conjunctions in German, namely co-ordinating and sub-ordinating.

1. The co-ordinating conjunctions are used to connect various parts of speech, such as nouns, adjectives, verbs, etc., and also clauses. Both in English and German they have no influence on the word order of the clause.

The co-ordinating conjunctions in German are:

aber *but*	sondern *but rather*
denn *for*	und *and*
entweder . . . oder *either . . . or*	weder . . . noch *neither . . . nor*
oder *or*	

Note especially that denn is a *co-ordinating* conjunction:

> Er ging gestern nicht nach der Stadt, denn es hat den ganzen Tag geregnet.

The co-ordinating conjunction sondern, *but rather*, *but on the contrary*, should be noted especially. It is used after a negative assertion which is contradicted by a following positive statement. For example, compare:

> Es war nicht sein Buch, aber ich gab es ihm.
> Es war nicht sein Buch, sondern meines.

2. The subordinating conjunctions introduce subordinate clauses, which are unique in German in that the finite verb in such a clause stands at the end. All other parts of speech remain unchanged. This is called the *transposed word order*.

The most common subordinating conjunctions are:

als *when*	**indém** *while*	**während** *while*
bis *until*	**nachdém** *after*	**wann** *when* (interrog.)
da *since* (causal)	**ob** *whether*	**weil** *because*
damit *in order that*	**obgléich** *although*	**wenn** *if, when, whenever*
daß *that, so that*	**seitdém** *since* (temporal)	**wie** *how, as*
ehe *before*	**sobáld** *as soon as*	**wo** *where*

Examples:

Er wartete, **bis** sein Freund nach Hause **kam**.

Er hat mich gestern abend besucht, **nachdem** er mit der Arbeit fertig **war**.

Ich weiß nicht, **ob** ich morgen kommen **kann**.

If the subordinate clause stands first, the main clause naturally has the inverted word order, that is, it begins with the verb, which is usually followed by the subject.

Examples:

Nachdem er mit der Arbeit fertig **war, hat** er mich gestern abend besucht.

Seitdem er in der Stadt **wohnt, habe** ich ihn oft gesehen.

Note that all dependent clauses are set off by commas.

79. Observe the difference in the usage of **als, wenn**, and **wann**, meaning *when:*

als refers to a single action in the past, regardless of tense:

Als ich ins Zimmer **komme**, was sehe ich da! (historical present)

Als er mich gestern **besuchte**, habe ich es ihm gesagt.

wenn meaning *when* refers to incompleted action, and accordingly is used with a present or future tense:

Wenn er morgen nach Hause **kommt**, werde ich ihn besuchen.

wenn meaning *whenever* may be used with any tense:

Jedes Mal, **wenn** er nach der Stadt **kam**, hat er mich besucht.

wann is used in questions, direct or indirect:

Wann kommt er? Ich weiß nicht, **wann** er kommt.

80. A participle modifying a noun must precede the noun and be preceded by its own modifiers.

Examples:

Er erblickte einen aus dem Schnee ragenden Baumstumpf.

He noticed a tree stump projecting out of the snow.

Er wohnte in seinem an der Weser gelegenen Schloß.
He lived in his castle situated on the river Weser.

Er erzählte es seinen dort versammelten Freunden.
He related it to his friends (that were) assembled there.

Zwei Münchhausen Geschichten

Ein bekannter Reisender, der Baron von Münchhausen, wohnte
vor mehr als hundertfünfzig Jahren in seinem an der Weser ge=
legenen Schloß. Er hatte in seinen jungen Jahren viel erlebt, denn
er war weit gereist und hatte in fremden Ländern als Soldat gedient.
Abends erzählte der alte Herr oft seinen bei ihm versammelten 5
Freunden von seinen vielen Abenteuern. Einer seiner Bekannten
sammelte diese seltsamen Geschichten, und da dieser später in England
wohnte, ließ er sie in englischer Sprache erscheinen. Weil dieses
Buch berühmt wurde, und einem bekannten deutschen Dichter gefiel,
erschien von ihm schon im folgenden Jahr eine deutsche Übersetzung. 10
Als Münchhausen einst in Rußland (*Russia*) reiste und den
ganzen Tag geritten war, wurde er abends so müde, daß er fast vom
Pferd fiel. Überall lag tiefer Schnee. Während der Baron nun
vergeblich nach einem Haus suchte, wo er über Nacht bleiben konnte,
erblickte er nicht weit von sich einen aus dem Schnee ragenden Baum= 15
stumpf, band sein Pferd daran, machte sich daneben ein Bett von
Stroh und schloß die Augen. Als er wieder erwachte, war es schon
heller Tag. Wie erstaunt war er, als er sah, daß er nicht neben
seinem treuen Pferd, sondern auf einem Marktplatz vor einer Kirche
lag. Sein Pferd aber hing oben am Turm der Kirche. Warum es 20
dort oben hing, konnte er sich bald erklären. In der Nacht hatte
noch tiefer Schnee auf dem Dorf gelegen, dann war das Wetter
plötzlich warm geworden, sodaß er auf dem schmelzenden Schnee
tiefer und tiefer sank. Der Baumstumpf aber war kein Baumstumpf
gewesen, sondern die Spitze eines Kirchturms. Sobald nun Münch= 25
hausen sah, daß sein Pferd noch lebte, nahm er seine Pistole und
schoß nach dem Halfter (*halter*). Dieser riß und das Pferd fiel dem
Baron vor die Füße. Schnell bestieg er es und ritt weiter.

Ein anderes Mal mußte Münchhausen zwei Tage lang einen Fuchs verfolgen. Wie kam es denn, daß er dieses Tier nicht erreichen konnte? Der Baron sagte sich: „Entweder wohnt in diesem Fuchs eine übernatürliche Kraft, oder mein Pferd hat seine alte Kraft
5 verloren." Endlich kam er aber doch dem Fuchs so nahe, daß er auf ihn schießen konnte. Das Tier stürzte zu Boden und nun konnte Münchhausen das Rätsel lösen. Der Fuchs hatte vier Beine unter dem Leib und vier auf dem Rücken. Als die zwei unteren Paare müde geworden waren, hatte er sich einfach auf den Rücken geworfen,
10 und konnte dann, ohne daß er müde wurde, mit frischer Kraft weiter.

VOCABULARY

das **Bein** (Beine) leg
das **Bett** (des Bettes, die Betten) bed
binden, band, gebunden to tie
der **Boden** (Böden) ground
deutsch German
dienen (*with dat.*) to serve
frisch fresh
der **Fuchs** (Füchse) fox
fünfzig fifty
hangen (hängt), hing, gehangen to hang
hell bright
die **Kraft** (Kräfte) power, strength
der **Leib** (Leiber) body
oben above
das **Paar** (Paare) pair

reißen, riß, gerissen to tear
der **Rücken** (Rücken) back
sammeln to collect
schießen, schoß, geschossen to shoot
der **Schnee** snow
schwach weak
selten seldom, rare(ly)
sinken, sank, ist gesunken to sink
die **Spitze** (Spitzen) point, tip
steigen, stieg, ist gestiegen to climb
das **Stroh** straw
stürzen to fall, plunge
das **Tier** (Tiere) animal
überall everywhere
vier four
wohnen to dwell, live

---

das **Abenteuer** adventure
der **Baron** (Barone) baron
der **Baumstumpf** (Baumstümpfe) tree stump
bekannt well-known
der **Bekannte** acquaintance
beschreiben, beschrieb, beschrieben to describe
englisch English
erscheinen, erschien, ist erschienen to appear
erstaunt astonished
erwachen to wake up

genug enough
ragen to project
schmelzen (schmilzt), schmolz, geschmolzen to melt
die **Sprache** (Sprachen) language
übernatürlich supernatural
die **Übersetzung** (Übersetzungen) translation
unter (*adj.*) lower
verfolgen to pursue
vergeblich in vain
die **Weser** *river in North Germany*

EXERCISES

(*a*) Connect the following sentences by using the conjunctions suggested, giving the independent clause first:

1. Er erlebte viele Abenteuer. Er reiste in Rußland. (*while*)
2. Er stieg endlich vom Pferd. Er war sehr müde geworden. (*because*)
3. Er wußte [das] nicht. Das Pferd hing am Kirchturm. (*that*)
4. Er legte sich auf den Boden. Es war sehr kalt. (*although*)
5. Das Pferd fiel ihm vor die Füße. Sein Halfter war gerissen. (*after*)
6. Der Baron mußte den Fuchs zwei Tage lang verfolgen. Er konnte ihn fangen. (*before*)
7. Münchhausen wußte [es] nicht. Hatte sein Pferd die alte Kraft verloren? (*whether*)
8. Er konnte das Rätsel lösen. Das Tier lag am Boden. (*as soon as*)

(*b*) Reverse the order of the sentences of (*a*), placing the dependent clause first.

(*c*) Use in the following sentences the proper conjunction, aber or sondern:

1. Der vornehme Herr war kein Graf, —— ein Dichter. 2. Der Heilige hatte dem Soldaten nie geholfen, —— der Bauer wußte es nicht. 3. Der Heilige half nicht dem Bauer, —— dem Soldaten. 4. Der Dieb wartete nicht, —— er sprang gleich aus dem Fenster. 5. Der Bauer wollte nicht mit dem Soldaten gehen, —— er hatte keine andere Wahl. 6. Der Koffer gehörte nicht einem Freund, —— Thomas Mann selber. 7. In Deutschland findet man jetzt nicht mehr viele kleine Staaten, —— einen großen Staat. 8. Der König hatte nichts gegen die Worte des Bürgermeisters, —— er dachte auch an seinen leeren Magen. 9. Münchhausen ritt nicht mehr weiter, —— er legte sich auf den Schnee. 10. Er war kein großer Führer, —— er hatte viele treue Freunde.

(*d*) Connect the following sentences with the proper conjunction, — wenn, wann, or als:

1. Sie fragten mich, —— das Buch erscheinen wird.   2. ——
der Bauer mit dem Soldaten in die Kapelle trat, war sie leer.
3. Der König mußte an seinen leeren Magen denken, —— der
Bürgermeister zu sprechen begann.   4. Wir wissen nicht, —— sie
nach Berlin kommen.   5. Jedes Mal, —— der König in die
Stadt kam, gab es große Feierlichkeiten.   6. Er konnte sich nicht
erinnern, —— das geschehen war.   7. Er sah sie am Fenster, ——
er gestern ins Zimmer trat.   8. —— Thomas Mann auf Reisen
ging, wollte er es bequem haben.

(e) Replace the object nouns, direct or indirect, by pronouns and change the word order where necessary:

1. Er schließt selten seine Fenster bei Nacht.   2. Ich habe meinem
Bruder die Tiere gezeigt.   3. Er wird ihnen das Haus beschreiben.
4. Wir haben es seiner Mutter nie gesagt.   5. Ich werde es dem
Vater erklären. 6. Wir haben gestern seinen Bruder auf der Straße
gesehen.   7. Ihr habt uns dieses Abenteuer nie erzählt.   8. Der
Dieb hatte dem Grafen seine goldene Uhr genommen.   9. Ich
sammelte letztes Jahr seine Briefe.   10. Hast du deiner Freundin
den Ring geschenkt?

(f) Form sentences using the following words in correct
word order:

1. empfangen, höflich, in seinem Haus, gestern.   2. den ganzen
Tag, suchen, vergeblich, im Wald.   3. hören, gut, selten, im Theater.
4. ihn verlassen, plötzlich, in Berlin, vor zwei Wochen.   5. erklären,
offen, heute abend, auf dem Marktplatz.

WRITTEN TRANSLATION

1. As soon as the citizens of the little-town heard that their king
was-to visit them on (an *with dat.*) the following day, they decorated
their windows with large flags and fresh flowers.   2. Since they did
not know the exact hour when their sovereign was-to arrive (an=
kommen), many of them had-to wait three hours before they caught-
sight-of the royal carriage.   3. When the carriage drove through
the city-gate they all cheered.   4. Although the king had become
very tired and hungry because he had been sitting in his carriage
almost the whole day, he tried to show these faithful subjects that

everything had pleased him very [much]. 5. To-be-sure (zwar) the mayor was not allowed-to finish (beenden) his long speech (Rede), but he was not sorry (*impers.*), for the king treated (behandeln) him very courteously.

SUPPLEMENTARY READING

Alexander der Große und sein Lehrer

Als Alexander der Große sein Heer durch Kleinasien (*Asia Minor*) führte, kam er auch vor die Stadt Lampsacus. Da die Stadt ihre Tore vor ihm schloß und ihn in seinem Marsch hinderte, machte er bekannt, daß er als Strafe für diesen Trotz Lampsacus im Sturm nehmen wollte, um den andern Städten zu zeigen, wie vollständig 5 er zerstören konnte. Da sandten die Bürger von Lampsacus ihren Mitbürger Anaximenes, den Lehrer Alexanders, zu ihm, um ihn zu bitten, die Stadt zu schonen. Als Alexander seinen Lehrer sah, erriet er sogleich seine Absicht. Er fürchtete die Gewalt seiner Worte. Darum schrie er laut, ehe Anaximenes reden konnte: „Ich habe 10 meine Pläne gemacht und kann deine Bitte nicht erfüllen!" Da sagte der alte Lehrer: „Das tut mir leid, ich wollte dich eben bitten, Lampsacus zu zerstören. Aber ich weiß, daß du dein königliches Wort halten mußt." So mußte Alexander sein Wort halten und die Bitte seines Lehrers nicht erfüllen. Er konnte also Lampsacus 15 nicht zerstören.

SUPPLEMENTARY VOCABULARY

die **Absicht** (Absichten) intention
darum therefore
die **Gewalt** (Gewalten) power
das **Heer** (Heere) army
hindern to impede, handicap
laut loud
der **Marsch** (Märsche) march

reden to speak
schreien, schrie, geschrien to exclaim, cry
die **Strafe** (Strafen) punishment
der **Sturm** (Stürme) storm, assault
der **Trotz** defiance
vollständig complete(ly)

die **Bitte** (Bitten) request
erfüllen to fulfill, comply with
erraten (errät), erriet, erraten to guess

der **Mitbürger** (Mitbürger) fellow citizen
schonen to spare
zerstören to destroy

LESSON XVII

Relative, Interrogative, and Demonstrative Pronouns

81. *Relative pronouns.* — The common relative pronoun
ber, bie, baš, *who, that, which,* is inflected as follows:

	SINGULAR			PLURAL
	Masculine	*Feminine*	*Neuter*	
N.	ber	bie	baš	bie
G.	beſſen	beren	beſſen	beren
D.	bem	ber	bem	benen
A.	ben	bie	baš	bie

Note that the forms are like those of the definite article, except
in the genitive singular and plural, and the dative plural. Since
the relative pronoun introduces a dependent clause, that clause
will always have the *Transposed Word Order,* that is, the finite verb
will stand at the end.

Examples:

Der Baron von Münchhauſen, ber eine lange Reiſe in Rußland gemacht hatte,
konnte von vielen ſeltſamen Abenteuern erzählen.

Das Pferd, beſſen Halfter geriſſen hatte, fiel auf den Marktplatz.

Der Freund, bem er dieſe Geſchichten erzählte, ließ ſie ſpäter in England
erſcheinen.

Der Schnee, auf ben er ſich gelegt hatte, ſchmolz während ber Nacht.

Note that the relative pronoun agrees with the antecedent in
gender and number, but not in case. The case is determined by its
use in the sentence.

The relative pronoun is never dropped as in English:

Die Geſchichte, bie er erzählte, war ſehr intereſſant.
The story he told was very interesting.

Der Schnee, auf ben er ſich legte, war während ber Nacht geſchmolzen.
The snow he lay down upon had melted during the night.

82. The relative pronoun welcher, welche, welches, *who, that, which,* less commonly used today than formerly, lacks forms for the genitive in both the singular and plural.

	SINGULAR			PLURAL
	Masculine	*Feminine*	*Neuter*	
N.	welcher	welche	welches	welche
G.	——	——	——	——
D.	welchem	welcher	welchem	welchen
A.	welchen	welche	welches	welche

Example:

Das Buch, welches (*or* das) er für mich kaufte, war gar nicht teuer.

83. *Indefinite relative pronouns.* — Whereas the relative pronouns der and welcher always refer to a definite noun or pronoun antecedent, the indefinite or compound relative pronouns wer and was do not.

1. **Wer,** *he who, whoever, who,* always stands at the beginning of the sentence and refers to any person whatsoever, without regard to masculine or feminine gender. It includes within itself both the antecedent and the relative, and is therefore commonly called the compound relative pronoun.

MASC. AND FEM. (persons)		NEUTER (things)
N.	wer	was
G.	wessen	(lacking)
D.	wem	(lacking)
A.	wen	was

Example:

Wer Münchhausengeschichten liest, weiß sogleich, daß sie nicht wahr sind.

2. (*a*) **Was,** *that which, what, whatever,* may be used like wer at the beginning of the sentence as a compound relative pronoun:

Was er ihnen erzählt hat, ist nicht wahr.
Was man will, das glaubt man gern.

(*b*) Was is also used as a relative pronoun after indefinite pronouns such as alles, das, etwas, manches, nichts, vieles:

> Nicht alles, was wir tun, gefällt ihm.
> Manches, was er uns erzählte, war mir neu.

(*c*) Was is found likewise after a neuter superlative adjective used as a noun:

> Das Schönste, was sie auf der Reise sahen, war der Rhein.

(*d*) Was is finally used referring to a whole clause:

Der Koffer Thomas Manns war auf dem Sitzplatz, was den Fremden ärgerte.
Münchhausen war immer tiefer gesunken, was er aber nicht wußte.

84. *Prepositional relative pronoun.* — Wo- (or before a vowel wor-) is combined with many prepositions and used as a relative pronoun referring to an entire preceding clause:

> Der Lehrer lobte ihn oft, worüber er sich freute.

85. *The interrogative pronouns* wer *and* was *are declined like the indefinite relative pronoun (cf. § 83):*

Wer hatte die Geschichte erzählt?	*Who had told the story?*
Wessen Pferd hat er gekauft?	*Whose horse did he buy?*
Wen haben Sie da gesehen?	*Whom did you see there?*
Was war geschehen?	*What had happened?*

Was für, *what sort of, what kind of,* is an invariable expression in which für is not treated as a preposition and has no influence on the case of the following noun:

> Was für ein Baum ist das?   In was für einer Stadt wohnt er?

Wo- (or before a vowel wor-) is combined with many prepositions and used as an interrogative pronoun referring only to inanimate objects. Compare:

Wovon hat er erzählt?	and	Von wem hat er erzählt?
Worauf hat er gewartet?	and	Auf wen hat er gewartet?

Note that the interrogative adjective is welcher, welche, welches:

> Welches Buch hat er ihnen gegeben?   *What book did he give them?*

Welcher is also used as a pronoun and is then translated by *which one.*

> Hier sind viele Bücher. Welches wollen Sie?

86. *Demonstrative pronouns.* — The demonstratives dieser, jener, jeder, as well as viele, manche, einige, wenige, etc. are also used as pronouns. The forms are the same as those of the demonstrative adjective dieser (cf. § 43):

> Jeder, der ihn kennt, liebt ihn.
> Er hat keine Karte. Geben Sie ihm diese.

Note that the singular forms of these pronouns should be translated as follows: dieser, *this one;* welcher, *which one;* jeder, *everyone, each one,* etc.

87. The demonstrative pronoun der, die, das has the following forms:

	SINGULAR			PLURAL
	Masculine	*Feminine*	*Neuter*	
N.	der	die	das	die
G.	dessen	deren	dessen	deren, derer
D.	dem	der	dem	denen
A.	den	die	das	die

Note that with the exception of the genitive plural these forms are like those of the relative pronoun der, die, das (cf. § 81):

Denen haben wir es gestern gegeben. *To those we gave it yesterday.*
Deren Vater war nicht da. *Their father was not there.*

Man schämt sich immer derer, die die Wahrheit nicht sagen.
We are always ashamed of those who do not tell the truth.

Note that derer appears only before a relative clause.

88. Derjenige is used emphatically as the antecedent of a following relative pronoun and also less commonly as an emphatic demonstrative pronoun.

The forms are:

	SINGULAR			PLURAL
	Masculine	*Feminine*	*Neuter*	
N.	derjenige	diejenige	dasjenige	diejenigen
G.	desjenigen	derjenigen	desjenigen	derjenigen
D.	demjenigen	derjenigen	demjenigen	denjenigen
A.	denjenigen	diejenige	dasjenige	diejenigen

Mit denjenigen, die so denken, will ich nichts zu tun haben.
With people who think that way, I will have nothing to do.

Note that these forms are like those of the definite article plus a weak adjective. They are written as one word.

Friedrich der Große

Wer deutsche Geschichte kennt, weiß, welche außerordentliche Rolle Friedrich der Große in der Entwicklung Preußens gespielt hat. Es gibt kaum einen Fürsten, dem sein Land so viel verdankt, wie Preußen seinem „alten Fritz." Hier war ein junger König, über dessen Ehr-
5 geiz man zuerst an den Höfen der Nachbarländer lachte, der sich aber sehr bald im Krieg gegen diese Länder als großen Heerführer erwies. Hier war ein Mensch, den selbst seine Feinde wegen seines Muts, seiner edlen Gesinnung und seiner Tapferkeit im Leiden stets bewunderten. Was er sich einmal als Ziel gesetzt hatte, das verfolgte
10 er, bis es erreicht war. So verteidigte er Schlesien (*Silesia*), das er in seinem ersten Krieg gegen Österreich (*Austria*) erobert hatte, in zwei Kriegen gegen halb Europa. Gegen so viele Feinde konnte er freilich nicht immer siegen. Es gab Tage, an denen er sich und sein Land verloren glaubte. Aber immer wieder war er zu neuem
15 Kampf bereit. Gegen Ende jenes Krieges, der sieben Jahre dauern sollte, als eben Preußen am Ende seiner Kraft war, geschah etwas, was dem ganzen Krieg eine neue Wendung gab. Rußland machte mit Preußen Frieden, wonach die anderen Feinde Friedrichs sich so schwach fühlten, daß sie auch bereit waren, mit Preußen Frieden zu
20 schließen. Durch diesen Frieden wurde Preußen der führende Staat in Deutschland.

Friedrich der Große.

Man darf aber auch nicht vergessen, was Friedrich der Große im Frieden für sein Land getan hat. Er half nicht nur den Bauern, die während der langen Kriege besonders gelitten hatten, sondern gründete auch Fabriken aller Art. Zum Schutz des einfachen 5 Mannes gab er viele neue Gesetze, deren Bedeutung man nicht hoch genug schätzen kann. Wer eine so schwere Jugend hinter sich hat, wie Friedrich der Große, kennt die Leiden der Menschen. Friedrichs Vater, welcher selbst nach den strengen Sitten eines Soldatenkönigs lebte, wollte aus dem begabten Knaben, den nur die großen Dichter 10 und Denker interessierten, einen tüchtigen Soldaten machen. So kam es zum dauernden Kampf zwischen Vater und Sohn. Die Flucht nach England, welche Friedrich endlich plante, und von der sein Vater hörte, noch ehe der Sohn das Land verlassen hatte, kostete diesem fast das Leben. Der König warf seinen Sohn und dessen 15 Freund, der ihm bei der Flucht helfen sollte, ins Gefängnis. Friedrich mußte dabei sein, als man seinen Freund zum Tode führte, was einen so tiefen Eindruck auf ihn machte, daß er von nun an seine ganze Kraft in den Dienst des Staates stellte.

VOCABULARY

außerordentlich extraordinary
edel noble
das Ende (des Endes, die Enden) end
freilich to be sure, of course
der Friede (des Friedens) peace
halb half
der Kampf (Kämpfe) struggle, battle

die Kraft (Kräfte) strength, power
leiden, litt, gelitten to suffer
das Leiden suffering, sorrow
der Nachbar (des Nachbars, die Nachbarn) neighbor
stets always, constantly
streng strict
das Ziel (Ziele) aim, goal

die Bedeutung (Bedeutungen) meaning, significance
begabt talented
dauernd continuous
der Denker (Denker) thinker
der Dienst (Dienste) service
der Ehrgeiz ambition
der Eindruck (Eindrücke) impression
einmal once
die Entwicklung (Entwicklungen) development

erobern to conquer
(sich) erweisen, erwies, erwiesen to show, prove (himself)
Európa Europe
die Fabrik (Fabriken) factory
die Flucht flight
das Gefängnis (Gefängnisse) prison
das Gesetz (Gesetze) law
die Gesinnung (Gesinnungen) attitude of mind
gründen to establish

der **Heerführer** (Heerführer) general
die **Jugend** youth
kosten to cost
die **Rolle** (Rollen) part, rôle
schätzen to estimate, esteem, appreciate

der **Schutz** protection
siegen to conquer, be victorious
die **Tapferkeit** bravery, fortitude
tüchtig thorough
verdanken to owe, be indebted
die **Wendung** (Wendungen) turn

EXERCISES

(a) Supply the interrogative pronoun or adjective:

1. In —— Jahr schloß Preußen Frieden? 2. —— König war bei seinen Untertanen so beliebt? 3. Gegen —— führte er Krieg? 4. —— Bedeutung hat dieses Wort? 5. (*What kind of*) Gefängnisse gibt es in diesem Land? 6. —— verdankt Preußen so viel? 7. In (*whose*) Schutz steht er? 8. In (*what kind of a*) Haus wohnt er? 9. —— seiner Nachbarn hat es gesagt? 10. In —— Gesetz steht das? 11. (*What kind of*) Rollen hat er gespielt? 12. —— Ziele hat er sich gesetzt?

(b) Supply the relative pronoun:

1. Der Freund, (*to whom*) er das verdankte, hatte ihm schon oft geholfen. 2. Der Student, (*whom*) er fragte, konnte ihm keine Antwort geben. 3. Der Bauer, (*who*) ihn noch nie gesehen hatte, mußte lachen. 4. Der Graf, (*whose*) Namen er nicht kannte, ging mit ihm.

(c) In the sentences of exercise (b), put the antecedent in the plural and change the relative pronoun accordingly.

(d) Change the antecedent into the corresponding feminine form.

(e) Change the antecedent to „Mädchen."

(f) Fill in the proper form of the relative pronouns: der, wer, or was:

1. Er sagt nicht alles, —— er weiß. 2. Das Haus, in —— er wohnt, hat zehn Zimmer. 3. Das Lied, —— wir singen, ist allen bekannt. 4. Vieles von dem, —— er uns zeigte, gefiel uns nicht. 5. Die Gesellschaft, in —— wir uns befanden, gefiel uns nicht. 6. Jeder, —— sein Buch kennt, schätzt es. 7. Er erklärte seine Antworten, —— uns besonders interessierte. 8. Der Eindruck,

—— er macht, ist ein guter. 9. Das ist etwas, —— wir nicht wissen können. 10. —— tüchtig ist, kann hier bleiben.

(*g*) Form interrogative sentences, using the compound whenever possible:

Example: Er wartet auf einen Brief. Worauf wartet er?

1. Er spielt mit dem Kind. 2. Sie bitten um Geld. 3. Ihr habt so lange nach ihm gesucht. 4. Der Vater hat sich über eure Antworten gefreut. 5. Es ist aus Gold gemacht. 6. Er hat viel von ihren seltsamen Sitten gehört. 7. Sie sind zum Bürgermeister gegangen. 8. Wir schmücken das Zimmer mit Blumen. 9. Mein Freund hat nie über mich gelacht.

WRITTEN TRANSLATION

1. The favorite adventure-stories of the good Baron belong to (zu) that type [of] stories which we all can enjoy, and the humor (ber Humor) of-which we all can appreciate. 2. Those (*use:* derjenige) of us who have read these stories are-indebted to-them [for] many-a merry (fröhlich) hour. 3. Whatever we (Was wir auch) may (mögen) think of (von) them as works (Werke) of (der) literature, their humor (*not inverted*) pleases us and one remembers them so easily. 4. Who does not remember the horse which the Baron tied to the top of the church-tower, or the fox that had legs on his back, or the ladies (Damen) through whose open carriage Münchhausen leaped with his horse when he pursued the fox, or the cannonball (die Kanonenkugel) on which the Baron leaped and which was-to carry him into the castle of the enemy? 5. The man who first collected these stories lived in England when the book appeared, thus the English were the first to enjoy (who could enjoy) the Münchhausen-stories.

SUPPLEMENTARY READING

Heinrich VIII

Heinrich VIII. (der Achte), dessen leidenschaftliches Temperament bekannt ist, glaubte sich einst vom König von Frankreich beleidigt. Er rief also einen seiner Beamten zu sich, der wegen seiner Gewandtheit berühmt war, und befahl ihm, dem König von Frankreich, den er haßte, persönlich eine beleidigende Antwort des englischen Königs zu bringen. Der Beamte, dem dieser Befehl sehr gefährlich schien, schnitt ein saures Gesicht und wollte nicht nach Frankreich reisen. Da tröstete ihn Heinrich mit den Worten: „Wenn du den Kopf ver= lierst, sollen alle Franzosen, die ich in meine Macht bekommen kann, den Kopf verlieren." — „Schön, aber von allen Köpfen in der Welt paßt leider keiner so gut auf meine Schultern, wie dieser," sagte der Beamte schnell, indem er auf seinen eigenen Kopf deutete. Der König lachte, vergaß seinen Zorn und behielt den Beamten am Hof, und so behielt auch dieser seinen Kopf auf den Schultern.

Wanderers Nachtlied

Der du von dem Himmel bist,
Alles Leid und Schmerzen stillest,
Den, der doppelt elend ist,
Doppelt mit Erquickung füllest,
Ach, ich bin des Treibens müde!
Was soll all der Schmerz und Lust?
Süßer Friede,
Komm, ach komm in meine Brust!

Goethe

SUPPLEMENTARY VOCABULARY

befehlen (befiehlt), befahl, befohlen (*dat.*) to command
doppelt double
füllen to fill
hassen to hate
leider unfortunately

der **Beamte** (die Beamten) official
der **Befehl** (Befehle) order
beleidigen to offend, insult
deuten auf (*with acc.*) to point to
elend miserable, wretched
die **Erquickung** (Erquickungen) refreshment
(das) **Frankreich** France
der **Franzose** (Franzosen) Frenchman
gefährlich dangerous

die **Macht** (Mächte) power
sauer sour
scheinen, schien, geschienen to seem
schneiden, schnitt, geschnitten to cut
die **Schulter** (Schultern) shoulder
trösten to console

Heinrich Henry
das **Leid** sorrow
leidenschaftlich passionate
passen to fit
persönlich personal
stillen to quiet
das **Temperament** temperament
das **Treiben** activity, bustle
was soll das? what does that mean?
der **Zorn** anger

LESSON XVIII

Review of the Adjective Declensions. Comparison of the Adjective and Adverb

89. *Predicate and attributive adjective.* — In German there is a distinct difference between the predicate adjective and the attributive adjective.

(a) The predicate adjective suffers no declensional changes.

(b) The attributive adjective always has declensional endings depending upon the gender, number, and case of the following noun, and whether or not it is preceded by a limiting word that has distinct declensional endings.

These features should be especially noted in the comparison of the adjective. The same rules for adjective endings apply in the comparative and superlative as in the positive forms.

90. 1. *Comparison of the adjective.* — The comparative is formed by adding –er, the superlative by adding –ſt, to the stem or positive form of the adjective.

The *predicate adjective* forms are:

Positive	Comparative	Superlative
ſchön	ſchöner	am ſchönſten
jung	jünger	am jüngſten
glücklich	glücklicher	am glücklichſten
warm	wärmer	am wärmſten

The *attributive adjective* forms are:

Positive	Comparative	Superlative
der warme Tag	der wärmere Tag	der wärmſte Tag
ſein ſchönes Bild	ſein ſchöneres Bild	ſein ſchönſtes Bild
unſer junger Freund	unſer jüngerer Freund	unſer jüngſter Freund

Note that the stem vowels a, o, u have umlaut, if possible, in the comparative and superlative forms of most monosyllabic words.

The superlative form of most adjectives ending in –b or –t or a sibilant (s, sch, ß, z) is –est, except in present participles.

Predicate Adjective	Attributive Adjective
am ältesten	der älteste Mann
am heißesten	die heißeste Nacht
am frischesten	die frischesten Blumen
am kürzesten	der kürzeste Tag
am gesündesten	die gesündesten Leute
am ergreifendsten	das ergreifendste Drama

2. Adjectives ending in –e, –el, –en, –er drop the –e– of the syllable before the comparative ending:

Predicate Adjective			Attributive Adjective
Positive	Comparative	Superlative	Superlative
weise	weiser	am weisesten	der weiseste Mann
selten	seltner	am seltensten	das seltenste Buch
edel	edler	am edelsten	des edelsten Fürsten
dunkel	dunkler	am dunkelsten	die dunkelsten Nächte
finster	finstrer	am finstersten	die finstersten Wälder

Note that inflected positive forms usually drop this e: der eble Fürst.

91. A superlative adjective in the predicate appears in its attributive form when the noun is implied:

> Von diesen Seen ist der Königssee der schönste (See).
> *Of these lakes King Lake is the most beautiful (lake).*

Otherwise the predicate form with am is used:

> Am Abend ist der Königssee am schönsten.

92. *Irregular comparison*

Predicate Adjective			Attributive Adjective
Positive	Comparative	Superlative	Superlative
gut	besser	am besten	das beste Buch
hoch	höher	am höchsten	der höchste Berg
groß	größer	am größten	das größte Gebäude
nah(e)	näher	am nächsten	mein nächster Weg
viel	mehr	am meisten	die meisten Leute
lieb (*adj.*) gern (*adv.*) } lieber		am liebsten	der liebste Freund

Note the peculiarities of the preceding forms:

(*a*) The −c− in ḥoḍ is dropped in the attributive adjective forms of the positive and throughout the comparative:

der hohe Berg   der höhere Berg

(*b*) The superlative form of naḥ(e) inserts −c− before the −ḥ−.

(*c*) The superlative form of groß is contrary to the rule stated in § 90.

(*d*) The article is used with the superlative form of viel

die meiſten Leute   *most people*

93. *Adjectives used as adverbs.* — Most adjectives can be used as adverbs, employing always the predicate adjective form:

Dieſer Knabe hat es beſſer getan.
Er ſchreibt am ſchönſten von allen.

Note the common German idioms:

Ich **habe** das ſehr **gern.**	*I like it very much.*
Ich **leſe** das ſehr **gern.**	*I like very much to read it.*
Wir bleiben lieber hier.	*We prefer to stay here.*
Er tut das **am liebſten.**	*He likes best to do that.*

The superlative adverb, when used absolutely, *i.e.* without implying comparison, has the attributive form:

Sie hat aufs ſchönſte geſungen.   *She sang most beautifully.*

94. When comparison is not implied, the comparative of the adjective or adverb means *rather* and the superlative *very:*

Er iſt ein höherer Beamter. *He is a rather high official.*
Er war ſchon ein älterer Mann. *He was already a rather old man.*
Eine ältere Dame. *An elderly lady.*
Er hat ſchon längere Zeit gewartet. *He had waited a rather long time.*
Die neueren Sprachen. *The modern languages.*
Mit größter Hochachtung. *With very great respect.*
Eine allerliebſte Melodie. *A very charming melody.*

Note the last example, where aller (a genitive plural) is prefixed to the superlative form to heighten comparison:

Die allerschönsten Lieder.   *The most beautiful songs of all.*

95. *The use of* als *and* wie *in comparison.*

1. Als is used after the comparative degree:

Mein Bruder ist größer als ich.   *My brother is taller than I.*

2. Wie is used after the positive degree (affirmative or negative):

Mein Bruder ist so groß wie ich.   *My brother is as tall as I.*
Mein Bruder ist nicht so groß wie ich.   *My brother is not so tall as I.*

Bismarck

Otto von Bismarck gehört gewiß zu den berühmtesten Staats=
männern aller Zeiten.   Manche sehen in ihm Deutschlands größten
politischen Führer in den letzten hundert Jahren.   Diesen Ruhm
verdankt er weniger den politischen Zeitumständen als seiner
eigenen Kraft und Klugheit, seinem klaren Blick für die Bedürfnisse 5
seines Landes und anderer Länder, für die Charaktere und Ziele der
Fürsten und Staatsmänner Europas.

Nach dem Wunsch seiner Eltern sollte er höherer Verwaltungs=
beamter in Preußen werden.   Aber nur kurze Zeit stand er im Ver=
waltungsdienst, wo es ihm nicht gefiel.   Dann versuchte er es im 10
Heer, auch hier fühlte er sich nicht glücklicher.   Zu viele waren über
ihm und er war eben ein geborener Führer.   Endlich gab ihm sein
Vater eines der großen Güter der Familie zur Verwaltung.   Hier
nun, als freier Herr auf eigenem Boden, fühlte sich Bismarck am
glücklichsten; hier zeigten sich seine Führereigenschaften aufs schönste. 15
Während er seine Bauern vielleicht mit größerer Strenge behandelte
als manche andere Herren, sorgte er doch besser für sie als die meisten
seiner Kollegen.   Es war eine hohe Ehre für Bismarck, als der
König von Preußen ihn als Gesandten auf den Bundestag (*Federal
Diet*) in Frankfurt sandte, denn in diesem Kreise war er einer der 20
jüngsten Staatsmänner.   Bald erkannte man aber, daß er der

klügste und mutigste unter ihnen war. Er wußte, die Interessen
Preußens gegen Österreich und die kleineren deutschen Staaten
erfolgreich zu verteidigen. Eine noch bessere Schule für den politischen
Führer fand er in Petersburg, wohin ihn der König nach sieben
5 Jahren sandte, und wo er die Gesinnungen und Ziele der Fürsten
und Staatsmänner Europas am besten studieren konnte. Hier
mußte er nun erkennen, daß die Schwäche Preußens in dem dauernden
Streit der deutschen Staaten untereinander lag. So faßte er den
Gedanken, ein einigeres Deutschland zu gründen. Ehe ihm aber
10 dieses größte Werk seines Lebens gelang, mußte es zwischen dem
älteren Österreich und dem jüngeren Preußen zum Krieg kommen
um die führende Rolle in Deutschland. Preußen siegte nach kurzem
Kampf. Vielleicht ist es das Genialste gewesen, was Bismarck als
Staatsmann je getan hat, daß er gegen den Rat seines Königs und
15 dessen Heerführer den Feinden den Frieden möglichst leicht machte.
So gewann er die süddeutschen Staaten für sich. Vier Jahre
später stellten sie sich im Krieg gegen Frankreich auf Preußens Seite.
In früheren Jahren, als Gesandter in Frankfurt, mußte er oft
gegen diese kleineren deutschen Staaten kämpfen, nun durfte er den
20 Gedanken eines einigen Deutschlands, den er in Petersburg gefaßt
hatte, selbst verwirklichen.

Über Bismarck erzählt man sich viele lustige Geschichten. Eine
der allerbekanntesten ist die folgende.

Eines Tages wollte der König einen einfachen, aber besonders
25 tüchtigen Soldaten belohnen, und er bat Bismarck, ihm persönlich
das Eiserne Kreuz auf die Brust zu heften. Bismarck tat so etwas
nicht besonders gern, am wenigsten, wenn er für diese Stunde etwas
Wichtigeres geplant hatte. „Gewiß sind solch einem armen Soldaten
hundert Taler lieber als das Eiserne Kreuz,“ dachte er bei sich, als
30 er auf den Marktplatz fuhr, wo man schon längere Zeit auf ihn
wartete. Und so fragte er den Soldaten, der schon ein älterer Mann
war. „Sagen Sie mir offen, was ist Ihnen lieber, hundert Taler
oder das Eiserne Kreuz?“ „Exzellenz, wenn ich fragen darf,“ ant=
wortete der Soldat, „wie viel Taler ist das Kreuz wert?“ Bismarck
35 sagte erstaunt: „Wenigstens drei Taler.“ „Dann ist es mir am

liebsten, wenn ich das Kreuz und siebenundneunzig (97) Taler
bekommen kann," antwortete der Soldat schnell. Bismarck aber
heftete lachend dem schlauen Mann das Eiserne Kreuz auf die Brust
und gab ihm die 97 Taler aus seiner eigenen Tasche.

VOCABULARY

eigen own
die Eltern (pl.) parents
entstehen, entstand, ist entstanden to
  come into existence, rise
fassen: einen Gedanken fassen to
  conceive an idea
geboren born
gern gladly, willingly
gewinnen, gewann, gewonnen to win,
  gain
das Gut (Güter) estate
die Klasse (Klassen) class
kurz short
leicht easy, light

möglich possible
der Rat (Räte) advice; council,
  councilor
der Ruhm fame
die Schule (Schulen) school
die Schwäche (Schwächen) weakness
die Seite (Seiten) side; page
sorgen für to provide for
spät late
der Streit (no pl.) quarrel, dispute
studieren to study
das Werk (Werke) work
wichtig important

---

der Beamte (die Beamten) official
das Bedürfnis (Bedürfnisse) need
behandeln to treat
belohnen to reward
die Eigenschaft (Eigenschaften) quality, characteristic
einig united
das Eiserne Kreuz Iron Cross (a dec-
  oration)
erfolgreich successful
erkennen, erkannte, erkannt to recognize
Exzellénz (Your) Excellency
(das) Frankreich France
der Gedanke (des Gedankens, die Gedanken) thought
genial talented, ingenious
der Gesandte (die Gesandten) envoy
heften to fasten
je ever
kämpfen to fight

klug wise, clever
die Klugheit cleverness
der Kollége (Kollegen) colleague
der Kreis (Kreise) circle
persönlich personal(ly)
politisch political
siebenundneunzig ninety-seven
so etwas such a thing
der Staatsmann (Staatsmänner)
  statesman
die Strenge severity
der Taler (Taler) old coin; normal
  value 73 cents
der Umstand (Umstände) circumstance
die Verwáltung (Verwaltungen) administration
verwirklichen to realize, materialize
wenigstens at least
wert worth

EXERCISES

(*a*) Supply the positive and comparative of the missing adjective:

1. ein (*good*) Staatsmann; 2. mancher (*clever*) Rat; 3. die (*large*) Fabrik; 4. ein (*splendid*) Gedanke; 5. welches (*easy*) Spiel; 6. kein (*noble*) Kampf; 7. unser (*young*) Bruder; 8. dieser (*long*) Aufenthalt; 9. eine (*quick*) Entwicklung; 10. jenes (*high*) Ziel.

(*b*) Supply the positive and superlative of the missing adjective:

1. der (*weak*) Staat; 2. seine (*fresh*) Eier; 3. auf dieser (*high*) Spitze; 4. mit meinem (*old*) Führer; 5. ihr (*small*) Knabe; 6. die (*beautiful*) Form; 7. das Gute; 8. im (*near*) Wald; 9. in (*short*) Zeit; 10. dieses (*faithful*) Tier.

(*c*) Compare in accordance with the following model:

Münchhausens „Abenteuer"; Goethes „Faust"; die Bibel —— berühmt.

Münchhausens „Abenteuer" sind berühmt, Goethes „Faust" ist berühmter, die Bibel ist am berühmtesten, Münchhausens „Abenteuer" sind nicht so berühmt wie Goethes „Faust."

1. Haus, Kirche, Berg —— hoch; 2. Graf, Fürst, König —— vornehm; 3. Pferd, Auto, Eisenbahn —— schnell; 4. Tag, Stunde, Minute —— kurz; 5. Ring, Uhr, Auto —— kostbar; 6. Tasche, Magen, Kopf —— leer; 7. Bauer, Soldat, Student —— ißt viel.

(*d*) Use superlatives properly, either with am, or with the definite article only:

1. Dies ist (hell) Stern. 2. Dieses Haus ist (schön) im Dorf. 3. Während der Nacht liest er (viel). 4. Eier sind im Winter (teuer). 5. Unter diesen Knaben ist er (jung). 6. Diese Antwort ist (einfach). 7. Das Wasser ist in diesem See (rein). 8. Wer von diesen Herren ist (höflich)? 9. Wir arbeiten (gern) morgens. 10. Von unseren Studenten ist er (tüchtig). 11. Er ist nicht immer (klug). 12. Sie ist von allen (reich).

(e) Translate:

1. One cannot always like him (cf. § 93). 2. They do not like to travel. 3. This is the most interesting-thing we have experienced. 4. Does he like his son better than his daughter? 5. They gave him the most expensive-thing they could find. 6. I preferred to stay in the city. 7. They liked his book best. 8. Do you like best to study in the evening?

WRITTEN TRANSLATION

1. Who was greater, Bismarck or Frederick the Great? 2. This (Das) is one of the most difficult questions one can find. 3. Perhaps it is more correct to ask: Which-one of these two (both) has played a more important part in the development of Prussia, as (wie) it appears today? 4. For Frederick the Great many things (many-a-thing) were easier to attain (erreichen) than for Bismarck, because Frederick was a king and ruled his country as-an (als) absolute (uneingeschränkt) sovereign, as (wie) most of the sovereigns of his time. 5. If Bismarck wanted to see at-least his more important ideas realized, he had to consider (berücksichtigen) not only the wishes of his king but also those of the highest officials of the court and of the army. 6. Although Frederick had more enemies at the other courts of Europe, Bismarck, especially during the first years of his political life, had to fight against enemies of-all kind[s] in his own country. 7. Some believe that Frederick was more successful as [an] army-leader than (denn) as [a] statesman, whereas everyone knows that Bismarck was most successful when he dealt-with (treated) political questions. 8. His book *Thoughts and Reminiscences* (Erinnerungen) belongs to (zu) the best-known works of the political literature of-Germany. 9. Many people who know the book believe that it is the best that any (a) German citizen who wants to become a statesman can read.

SUPPLEMENTARY READING

Der König unterſchreibt

Von Georg II. (dem Zweiten) berichtet man folgende Geſchichte: Als eine der höchſten Staatsſtellen frei wurde, wollte man ihm einen ſehr tüchtigen Beamten empfehlen, wagte es aber nicht, da man die ungünstige Meinung kannte, die der König von dem Herrn hatte. Endlich ging Lord Chesterfield mit dem fertigen Dokument zum König, bei dem er in hoher Gunst stand. Als dieser den Namen des von ihm wenig geschätzten Beamten auf dem Dokument erblickte, rief er: „Was, das soll ich unterschreiben? Lieber ernenne ich den Teufel selbst." „Sehr gern," antwortete der gewandte Chesterfield, indem er höflich lächelnd hinter den Stuhl des Königs trat. „Nur darf ich vielleicht bemerken, daß das Dokument mit den Worten beginnt: ‚Meinem geschätzten lieben Vetter...'" Da lachte der König, nahm Tinte und Feder, die Lord Chesterfield ihm reichte, und unterschrieb das Dokument.

Das zerbrochene Ringlein

In einem kühlen Grunde
Da geht ein Mühlenrad,
Mein' Liebste ist verschwunden,
Die dort gewohnet hat.

Sie hat mir Treu' versprochen,
Gab mir ein'n Ring dabei,
Sie hat die Treu gebrochen,
Mein Ringlein sprang entzwei.

Ich möcht' als Spielmann reisen
Weit in die Welt hinaus
Und singen meine Weisen
Und gehn von Haus zu Haus.

Ich möcht' als Reiter fliegen
Wohl in die blut'ge Schlacht,
Um stille Feuer liegen
Im Feld bei dunkler Nacht.

Hör' ich das Mühlrad gehen:
Ich weiß nicht, was ich will —
Ich möcht' am liebsten sterben,
Da wär's auf einmal still!

Joseph von Eichendorff

SUPPLEMENTARY VOCABULARY

empfehlen (empfiehlt), empfahl, empfohlen to recommend
die Feder (Federn) pen, feather
fertig finished
das Feuer (Feuer) fire
fliegen, flog, ist geflogen to fly
der Grund (Gründe) ground, valley
die Gunst favor
kühl cool
lächeln to smile
die Mühle (Mühlen) mill
der Name (des Namens, die Namen) name
reichen to reach, hand
sterben (stirbt), starb, ist gestorben to die
der Stuhl (Stühle) chair
die Tinte (Tinten) ink
der Vetter (des Vetters, die Vettern) cousin
wagen to venture, risk

auf einmal suddenly
bemérken to remark, notice
bieten, bot, geboten to offer
blutig bloody
dabéi at the same time
das Dokumént (Dokumente) document
entzwéifpringen, fprang entzwei, ift entzweigefprungen to break in two
ernénnen, ernannte, ernannt to appoint
gewándt clever, adroit
hináus out

(ich) möchte (I) should like
das Mühl(en)rad (Mühlenräder) mill wheel
der Reiter (Reiter) rider
der Spielmann (Spielleute) minstrel
die Staatsftelle (Staatsftellen) government position
der Teufel (Teufel) devil
die Treue truth, loyalty
ungünftig unfavorable
unterfchréiben, unterfchrieb, unterfchrieben to sign
wäre would be

LESSON XIX

Inseparable and Separable Compound Verbs. The Particles hin– and her–. Cardinals and Ordinals

96. German has two kinds of compound verbs, simple verbs compounded with inseparable prefixes, and those compounded with separable prefixes.

The *inseparable prefixes* are:

be–	ge–
ent– (emp– before f)	ver–
er–	zer–

These prefixes are unstressed and never separated from the simple verb. Verbs compounded with inseparable prefixes are conjugated like simple verbs except for the *omission of the* ge– *in the past participle.*

> beginnen, begann, begonnen
> gehören, gehörte, gehört
> entftehen, entftand, entftanden

Sliding synopsis:

I reach the summit, etc.	*I don't promise him anything, etc.*
Ich erreiche den Gipfel.	Ich verfpreche ihm nichts.
Du erreichteft den Gipfel.	Du verfprachft ihm nichts.
Er hat den Gipfel erreicht.	Er hat ihm nichts verfprochen.

Wir hatten den Gipfel erreicht.	Wir hatten ihm nichts versprochen.
Ihr werdet den Gipfel erreichen.	Ihr werdet ihm nichts versprechen.
Sie werden den Gipfel erreicht haben.	Sie werden ihm nichts versprochen haben.

The following verbs with inseparable prefixes have occurred in previous lessons:

bedecken, sich befinden, begegnen, beginnen, behandeln, beherrschen, bekommen, belohnen, beobachten, beschreiben, bestimmen, bestellen, besuchen, bewahren, bewundern, bezahlen

empfangen, entstehen

erblicken, ergreifen, erkennen, erwerben, erinnern, erklären, erobern, erreichen, erscheinen, erwachen, sich erweisen, erzählen

gefallen, gehören, genießen, geschehen, gewinnen

verbieten, verdanken, verdienen, verfolgen, vergehen, vergessen, verlassen, verlieren, vermissen, versammeln, versprechen, verteidigen, verwirklichen

97. Verbs compounded with *separable prefixes* may be compared with such English verbs as: *to go out, stand up, bring along.*

The separable prefixes are *always stressed* and, in independent sentences, are separated from the simple verb in:

(*a*) the present tense; (*b*) the past tense; (*c*) the imperative.

(*a*) Ich bringe meinen Koffer mit.

(*b*) Ich brachte meinen Koffer mit.

(*c*) { Bring deinen Koffer mit!
 Bringt euren Koffer mit!
 Bringen Sie Ihren Koffer mit!

Note that the prefix, when separated, stands at the very end of the clause or sentence. In dependent clauses, the verb standing at the end of the clause is joined with the prefix. Compare:

Er führt das Drama nicht auf.	*He does not produce the drama.*
Obgleich er das Drama nicht aufführt, ...	*Although he does not produce the drama, ...*
Sie zeichneten sich immer aus.	*They always distinguished themselves.*
Obgleich sie sich immer auszeichneten, ...	*Although they always distinguished themselves, ...*

In the case of separable compound verbs the ge– in the past participle and the zu, when used with the infinitive, stand between the prefix and the stem.   Compare:

	SIMPLE VERB	SEPARABLE VERB	INSEPARABLE VERB
Inf.	{ suchen (*to seek*)	aussuchen (*to select*)	besuchen
	{ zu suchen	auszusuchen	zu besuchen
Past P.	gesucht	ausgesucht	besucht
Inf.	{ kommen	ankommen	bekommen
	{ zu kommen	anzukommen	zu bekommen
Past P.	gekommen	angekommen	bekommen

Sie hat keine Zeit, einen neuen Hut auszusuchen.
Sie hat keine Zeit, mich zu besuchen.
Sie hat heute einen neuen Hut ausgesucht.
Sie hat mich heute besucht.

Sliding synopsis:

I am not training him, etc.

Ich bilde ihn nicht aus.
Du bildetest ihn nicht aus.
Er hat ihn nicht ausgebildet.

Wir hatten ihn nicht ausgebildet.
Ihr werdet ihn nicht ausbilden.
Sie werden ihn nicht ausgebildet haben.

I am bringing the book along, etc.

Ich bringe das Buch mit.
Du brachtest das Buch mit.
Er hat das Buch mitgebracht.

Wir hatten das Buch mitgebracht.
Ihr werdet das Buch mitbringen.
Sie werden das Buch mitgebracht haben.

It is known that I am not training him, etc.

Man weiß, daß ich ihn nicht ausbilde.
Man weiß, daß du ihn nicht ausbildetest.
Man weiß, daß er ihn nicht ausgebildet hat.

Man weiß, daß wir ihn nicht ausgebildet hatten.
Man weiß, daß ihr ihn nicht ausbilden werdet.
Man weiß, daß sie ihn nicht ausgebildet haben werden.

It is possible that I bring the book along, etc.

Es ist möglich, daß ich das Buch mitbringe.
Es ist möglich, daß du das Buch mitbrachtest.
Es ist möglich, daß er das Buch mitgebracht hat.

Es ist möglich, daß wir das Buch mitgebracht hatten.
Es ist möglich, daß ihr das Buch mitbringen werdet.
Es ist möglich, daß sie das Buch mitgebracht haben werden.

98. *The particles* hin *and* her are often found as separable prefixes, either alone or in combination with a preposition or an adverb. **Her,** meaning *hither*, indicates a motion toward the speaker, or the place from which the speaker describes the action. **Hin,** meaning *hence*, indicates a motion away from the speaker.

Examples:

Komm herein!	*Come in!*	Geh hinein!	*Go in!*
Komm heraus!	*Come out!*	Geh hinaus!	*Go out!*
Komm herunter!	*Come down!*	Geh hinunter!	*Go down!*
Komm herauf!	*Come up!*	Geh hinauf!	*Go up!*

Hin and her must be added to the adverbs hier, da, dort when they appear in connection with a verb of motion:

Komm hierher!	*Come over here!*
Geh nicht dahin!	*Don't go over there!*

Note that in the above sentences hier and da may be suppressed:

Komm her!	*Come here!*
Geh nicht hin!	*Don't go there!*

Hin and her may appear as adjuncts to modal auxiliaries. The dependent infinitive is then often suppressed:

Darfst du hin?	*Are you allowed (to go) there?*
Der Kerl muß her!	*The fellow must (come) here!*

99. *Variable prefixes.* — A few prefixes, of which durch, über, unter, um are the most common, form either separable or inseparable compound verbs. Compare English verbs such as *to overlook* and *to look over*, *to undergo* and *to go under*. The dictionary should be consulted in case of doubt. In the majority of such compound verbs these prefixes are inseparable:

He supports us, etc.	*He takes over the supervision, etc.*
Er unterstützt uns.	Er übernimmt die Aufsicht.
Er unterstützte uns.	Er übernahm die Aufsicht.
Er hat uns unterstützt.	Er hat die Aufsicht übernommen.

BUT:

The boat goes under, etc.

Das Boot geht unter.
Das Boot ging unter.
Das Boot ist untergegangen.

100. *Cardinals.* — The cardinal numbers are as follows:

0	null	20	zwanzig
1	eins	21	einundzwanzig
2	zwei	22	zweiundzwanzig
3	drei	30	**dreißig**
4	vier	40	vierzig
5	fünf	50	fünfzig
6	sechs	60	**sechzig**
7	sieben	70	**siebzig**
8	acht	80	achtzig
9	neun	90	neunzig
10	zehn	100	**hundert**
11	elf	101	hundertundeins
12	zwölf	102	hundertundzwei
13	dreizehn	300	dreihundert
14	vierzehn	1 000	**tausend**
15	fünfzehn	1939	neunzehnhundertneun=
16	**sechzehn**		unddreißig
17	**siebzehn**	1 000 000	eine Million
18	achtzehn	2 000 000	zwei Millionen
19	neunzehn	1 000 000 000	eine Milliarde

Note the spelling of sechzehn, siebzehn, dreißig, sechzig, siebzig, hundert, tausend, and the formation of numbers above twenty with reversed word order: einundzwanzig, sechsundfünfzig, etc. Large numbers (except dates) are broken up in groups of three figures.

Cardinals are ordinarily not inflected, with the exception of eins. This number is often spaced in print to differentiate it from the indefinite article. Before a noun it is treated like the article. Standing alone, as a pronoun, it takes the strong endings. Preceded by the definite article it has the weak endings.

Ein Soldat sitzt und einer steht. *One soldier is sitting and one standing.*

Ich sehe fünf neue Häuser, eines steht auf dem Hügel.
I see five new houses, one stands on the hill.

Sie haben zwei Söhne, der eine ist in Berlin.
They have two sons, one of them is in Berlin.

101. *Ordinals.* — Most ordinals are obtained by adding the suffix –t to the corresponding cardinal up to nineteen, and –st from twenty upwards. Ordinals are adjectives and take the endings of attributive adjectives.

1st:	(der, die, das) **erste**	10th:	(der) zehnte
2nd:	(der) zweite	11th:	(der) elfte
3rd:	(der) **dritte**	19th:	(der) neunzehnte
4th:	(der) vierte	20th:	(der) **zwanzigste**
5th:	(der) fünfte	21st:	(der) einundzwanzigste
6th:	(der) sechste	100th:	(der) hundertste
7th:	(der) sieb(en)te	101st:	(der) hunderterste
8th:	(der) **achte**	1000th:	(der) tausendste
9th:	(der) neunte		

Note the irregular formation of: der erste, der dritte, der achte:

Das erste deutsche Buch. Mein erstes deutsches Buch.

When the ordinal is written as a figure, the suffix is replaced by a period: 1.; 2.; 56.; II.; XI., etc.

102. *Dates.* — The expression *in 1775* must be rendered in German either by: 1775, or im Jahre 1775:

Goethe kam 1775 nach Weimar.
Goethe kam im Jahre 1775 nach Weimar.

The day and month are expressed as follows:

Heute ist der 1. Mai (der erste Mai).
Am Nachmittag des 1. Mai (des ersten Mai).
Wir sahen ihn am 1. Mai (am ersten Mai).

In dating letters, the accusative is required (cf. § 5*b*):

Berlin, den 1. Mai 1939.

NOTE: The names of the months and the days of the week are listed in the Appendix, page 324.

Schillers Jugend

Am 10. November 1759 hat Friedrich Schiller, der große
deutsche Dichter, im Städtchen Marbach bei Ludwigsburg das
Licht der Welt erblickt. Er war das zweite Kind eines einfachen,
aber tüchtigen Mannes, der als Offizier und Feldarzt (*army
surgeon*) mehrere Kriege mitgemacht und viel von der Welt ge= 5
sehen hatte. Im Jahre 1766, also in Friedrichs siebtem Lebensjahr,
brachte der Vater, der im Dienst des Herzogs von Württemberg
stand, seine Familie nach Ludwigsburg. Aus dem einsamen,
zwischen Hügeln und Wäldern liegenden Städtchen Lorch, wo der
Knabe zwei glückliche Jahre zugebracht hatte, kam er nun plötzlich in 10
diese Stadt, die sich durch ihr glänzendes Hofleben vor allen andern
Städten des Landes auszeichnete. Die Offiziere des Herzogs hatten
mit ihren Familien freien Zutritt zu Theater und Oper. Auf den
späteren Theaterdichter muß diese neue Welt einen großen Eindruck
gemacht haben. 15

Der Herzog hatte in einem Schloß bei Stuttgart für die be=
gabtesten Söhne seiner Offiziere eine Schule gegründet, um sie dort
für sich zu tüchtigen und willigen Beamten auszubilden. Im Jahre
1773, also in seinem 14. Lebensjahr, trat Schiller dort ein. Es
geschah gegen seinen Willen und gegen den Wunsch seines Vaters. 20
Der Herzog hatte es befohlen. Da nicht nur das äußere Leben,
sondern auch die geistige Entwicklung der jungen Leute strengen
Regeln unterworfen war, und der Herzog alle Gedankenfreiheit unter=
drückte, können wir leicht verstehen, daß das erste Schauspiel, das der
junge Dichter in der „Karlsschule" verfaßte, sich gegen den Despotis= 25
mus wandte. Schiller war selbst dabei, als man am 13. Januar
1782 sein Schauspiel „Die Räuber" in Mannheim aufführte. Bald
führte man es auch an andern größeren Theatern auf, und überall
machte es einen gewaltigen Eindruck. Sobald der Herzog erkannte,
was Schiller in diesem Drama ausdrücken wollte, verbot er ihm das 30
Dichten aufs strengste. Nun faßte Schiller den Gedanken, aus
Württemberg zu fliehen. Es war der 22. September 1782. Der
Herzog gab eben ein großes Fest für seine Gäste aus Rußland, also

Rudolf Lesch

Friedrich Schiller.

konnte Schiller seinen geheimen Plan ausführen. Sobald er in
Mannheim ankam, ging er zu dem ihm bekannten Theaterdirektor
Dalberg. Dieser empfing ihn aber ziemlich kühl, als er hörte, daß
Schiller vor dem Herzog geflohen war. Er weigerte sich auch, das
neue Schauspiel, das Schiller mitgebracht hatte, aufzuführen oder 5
den Dichter mit Geld zu unterstützen. So begannen nun für
Schiller jene Jahre, in denen er arm und heimatlos von Ort zu
Ort zog und seine frühen Dramen schrieb, die in gewaltigen Bildern
die furchtbare Macht des Despotismus darstellten.

VOCABULARY

arm poor
darstellen to depict, represent
dichten to compose literary works
das Fest (Feste) festival
fliehen, floh, ist geflohen to flee
der Gast (Gäste) guest
* geheim secret
glänzen to shine, glisten; **glänzend** brilliant
der Januar January

kühl cool
das Licht (Lichter) light
die Macht (Mächte) power
der November November
der Offizier (Offiziere) army officer
der Ort (Orte) place, town
die Regel (Regeln) rule
verfassen to compose
die Welt (Welten) world
ziemlich rather, fairly

---

ankommen, kam an, ist angekommen to arrive
aufführen to stage, produce
ausbilden to train
ausdrücken to express
ausführen to carry out
äußer– external
sich auszeichnen to distinguish oneself
* befehlen (befiehlt), befahl, befohlen *(dat.)* to command
der Despotismus despotism
eintreten (tritt ein), trat ein, ist eingetreten to enter
die Freiheit liberty
furchtbar terrible
geistig intellectual, spiritual
gewaltig powerful

heimatlos homeless
mitbringen, brachte mit, mitgebracht to bring along
mitmachen to participate (in)
der Räuber (Räuber) robber
unterdrücken to suppress, oppress
unterstützen to support
unterwerfen (unterwirft), unterwarf, unterworfen to subject
verbieten, verbot, verboten to prohibit
sich weigern to refuse
der Wille (des Willens) will
willig willing
zubringen, brachte zu, zugebracht to spend *(time)*
der Zutritt access

* Henceforth the accent is not indicated with words having the following unstressed prefixes: be–, ent–(emp–), er–, ge–, ver–, zer–.

EXERCISES

(a) Read the following sentences in the present, present perfect, and future tenses:

1. Der Zug kam um 5 Uhr 27 an.   2. Man verbot ihnen, das Schauspiel aufzuführen.   3. Sie brachten zwei Nächte an diesem Ort zu.   4. Sie unterstützte alle Armen des Dorfes.   5. Der Gast zeichnete sich durch seinen Mut aus.   6. Er befahl seinen Offizieren, den Kampf um acht Uhr zu beginnen.   7. Sie bildeten ihre Soldaten nicht so gut aus.   8. Brachte er seine Freunde mit?   9. Unterwarfen sie sich dieser furchtbaren Macht nicht?   10. Führte er seinen gewaltigen Gedanken aus?   11. Was stellte dieses Bild dar? 12. Machtet ihr das Fest nicht mit?

(b) Prefix to sentences 1–7: Ich weiß, daß, and to sentences 8–9: ich frage, ob, and read the sentences in the present tense and present perfect tense.

(c) Use the three forms of the imperative in sentences (3), (4), (6), (8), (9).

(d) Select from the text all subordinate clauses containing a separable verb in the past tense.   Reproduce these clauses as principal sentences.

(e) Supply the proper form of the infinitive:

1. Es ist nicht einfach, ihn (belohnen).   2. Ich habe vergessen, mein Buch (mitbringen).   3. Versprecht ihr, diese Fremden nicht (unterdrücken).   4. Man hat mir verboten (mitmachen).   5. Sie haben den Wunsch, mir alles (erklären).   6. Er befahl ihnen, den Feind (unterwerfen).   7. Ihr habt nicht die Macht, diesen Plan (ausführen).   8. Sie begannen gleich, uns (verfolgen).   9. Das ist nicht leicht (ausdrücken).   10. Er hat mich gebeten, die Nacht in seinem Hause (zubringen).

(f) Lesen Sie auf deutsch:

Goethe lebte vom 28. August 1749 bis zum 22. März 1832, Lessing vom 22. Januar 1729 bis zum 15. Februar 1781. Johannes Kepler ist am 27. Dezember 1571 geboren, Leibniz am 1. Juli 1646, Kant am 22. April 1724, Nietzsche am 15. Oktober 1844.

Schillers Todestag ist der 9. Mai 1805; der Todestag Friedrich Barbarossas fällt auf den 10. Juni 1190, der von Dante auf den 14. September 1321.

WRITTEN TRANSLATION

1. When Goethe and the Duke of Weimar visited the Karlsschule in 1779 the young people produced Goethe's *Clavigo*. 2. Schiller, who had distinguished himself in his studies and received several prizes on (bei) this occasion, played the part of (des) Clavigo. 3. On December 15, 1780, Schiller left the Karlsschule in order to enter (into) the army as Regimentsmedicus. 4. His first drama, *The Robbers*, appeared as [a] book in 1781, but Dalberg did not dare to produce it in this form. 5. At first the Duke enjoyed the fame that Schiller had attained through his *Robbers* and did nothing to suppress the drama. 6. But soon he recognized Schiller's revolutionary spirit also in his poems which appeared in 1782. 7. When the Regimentsmedicus left Stuttgart on May 25 for (zu) a second visit in Mannheim and spent two days there without furlough (Urlaub), the Duke expressed his indignation and Schiller had to promise not to write [any] more dramas. 8. The Regimentsmedicus, however, could not suppress his poetic talent long, and finally, on the night of the 22nd of September, he carried out his plan to flee.

SUPPLEMENTARY READING

Die vier Fahrgäste

Der berühmte englische Schauspieler Garrick war eines Tages mit seinem Freund zu einem vornehmen Herrn in dessen Landhaus eingeladen. Die Freunde waren froh, als sie auf dem nahen Platz eine leere Kutsche fanden und stiegen ein. Der Kutscher weigerte sich aber abzufahren, solange er nicht vier Fahrgäste hatte. Garrick, 5 der fürchtete, zu spät im Landhause anzukommen, kam auf den Gedanken, sich dem Kutscher als dritten Fahrgast vorzustellen. Er schlich also aus der Kutsche, zog den Hut tief ins Gesicht, änderte seine Stimme und fragte den Kutscher: „Ist noch ein Platz in der

Kutsche frei?" Dann stieg er ein. Nach kurzer Zeit wiederholte er das Experiment, indem er sich als vierten Fahrgast vorstellte. In seiner Freude über die gelungene List verzählte sich (*made a mistake in counting*) Garrick aber und stellte sich noch als fünften Fahrgast vor. „Es sind schon vier Herren in der Kutsche," sagte der Kutscher und wollte eben abfahren, da machte der Freund die Wagentür auf und rief: „Wir sind alle dünn und können schon noch für ihn Platz machen."

Nachts im Wald

Bist du nie des Nachts durch Wald gegangen,
Wo du deinen eigenen Fuß nicht sahst?
Doch ein Wissen überwand dein Bangen:
Dich führt der Weg.

Hält dich Leid und Trübsal nie umfangen,
Daß du zitterst, welchem Ziel du nahst?
Doch ein Wissen überwand dein Bangen:
Dich führt dein Weg.

Christian Morgenstern

SUPPLEMENTARY VOCABULARY

ändern to change
aufmachen, machte auf, aufgemacht to open
dünn thin
die Freude (Freuden) joy

nah near, near-by
die Stimme (Stimmen) voice
wiederholen, wiederholte, wiederholt to repeat
zählen to count

---

abfahren (fährt ab), fuhr ab, ist abgefahren to depart
das Bangen anxiety
einladen (ladet ein *or* lädt ein), lud ein, eingeladen to invite
einsteigen, stieg ein, ist eingestiegen to get in (a carriage)
der Fahrgast (Fahrgäste) passenger
die Kutsche (Kutschen) cab
der Kutscher (Kutscher) cabman
der Schauspieler (Schauspieler) actor

schleichen, schlich, ist geschlichen to sneak
die Trübsal (Trübsale) tribulation
überwinden, überwand, überwunden to overcome
umfangen, umfing, umfangen to clasp
sich vorstellen to introduce oneself
die Wagentür (Wagentüren) carriage door
zittern to tremble

REVIEW LESSON IV

(Lessons XVI–XIX)

READING EXERCISE

1. Was viele an Bismarck am meisten bewundern, ist die politische Klugheit und Tapferkeit, mit der er ein Ziel verfolgt, das er einmal für sein Land als wichtig erkannt hat. 2. Wenn er einen genialen Gedanken gefaßt hatte, tat er alles, was in seiner Macht stand, ihn zu verwirklichen. 3. Wen er durch die Macht seiner Persönlichkeit (*personality*) für sich gewonnen hatte, der unterwarf sich ihm willig, und wer sich in seinem Dienst tüchtig und treu erwies, den belohnte er gern. 4. Als Beamter fühlte er sich nicht wohl, in der Verwaltung eines großen Gutes zeichnete er sich durch seine persönlichen Eigenschaften aus, als Staatsmann aber war er am erfolgreichsten. 5. Da er in Rußland als Gesandter erkannte, daß nur ein einiges Deutschland in Europa Macht gewinnen konnte, wurde es bald sein höchstes Ziel, die süddeutschen Staaten für Preußen zu gewinnen. 6. Obgleich die meisten Heerführer und selbst der König dagegen waren, gelang es Bismarck, den süddeutschen Staaten den Frieden so leicht wie möglich zu machen. 7. Wer heute die Entwicklung Deutschlands studiert, kann leicht erkennen, wie viel es dieser politischen Klugheit Bismarcks verdankt. 8. Das Deutsche Reich, das Bismarck gründen half, genoß einen Frieden, der über vierzig Jahre dauerte. 9. Nachdem es dann den großen Krieg verloren hatte und nachdem seine Nachbarstaaten es über zehn Jahre lang unterdrückt hatten, fand es sich selbst wieder und wurde einiger als je.

DRILL EXERCISE

(*a*) Supply the words in parentheses and read in the present perfect tense:

1. Ich habe (*no great*) Kampf (mitmachen). 2. Haben sie dir (*an important*) Rat (geben)? 3. Wir haben nie (*a rare*) Werk

(finden). 4. Er hat noch nie mit (*a strong*) Tier (kämpfen). 5. Habt ihr den Plan mit (*fresh*) Kraft (ausführen)? 6. Ein (*high*) Offizier hat für ihn (sorgen). 7. Das Schauspiel hat (*no noble*) Streit (darstellen). 8. Hat man ihn später in (*a strict*) Schule (ausbilden)? 9. Sie haben (*a young*) Gast (mitbringen). 10. Wir sind an (*a cool*) Ort (fliehen).

(*b*) Render the sentences of exercise (*a*) in the past tense and use the comparative form of the adjective.

(*c*) Use the superlative properly, either in the predicate or attributive form:

1. Ist der Fuchs von allen Tieren (schlau)? 2. Seine Macht war in jenen Jahren (gewaltig). 3. Von allen Lichtern brennt dieses (hell). 4. Diese war von seinen Fragen (leicht). 5. An diesem Ort liegt der Schnee (tief).

(*d*) Supply the relative or interrogative pronoun:

1. Der Ring, —— sie am Finger trug, war sehr kostbar. 2. Ich weiß, an —— er gedacht hat. 3. Der Graf, in (*whose*) Schloß ich wohnte, sammelte seltene Bilder. 4. Ich habe schon alles gehört, —— du mir sagen willst. 5. Die Universitäten, an —— er studiert hat, waren alle in Süddeutschland. 6. Der Baum, an —— ich das Tier gebunden hatte, stand vor dem Haus. 7. Die Regel, nach —— er dichten wollte, war wertlos. 8. Es ist das Gewaltigste, —— ich in meinem Leben erlebt habe. 9. Die Soldaten, auf —— sie geschossen haben, waren ihre Freunde. 10. Am 14. Juni bekam er den ersten Preis, —— ihn außerordent= lich freute. 11. Man nahm alle diejenigen gefangen, in (*whose*) Häusern man eine oder mehrere Pistolen fand. 12. Das Fest, an —— er das Schauspiel geben wollte, war am 18. Januar. 13. Alles, —— hier entstanden ist, hat durch den Krieg gelitten. 14. Die Armen, für —— er nicht mehr sorgen konnte, verließen ihn.

(*e*) Formulate two questions on each of the following sentences:

1. Er mußte an die Schwächen seiner Kollegen denken. 2. Der Engländer wohnte bei dem Grafen. 3. Sie fragten den älteren

Bruder. 4. Der Herzog sprach gern mit einfachen Leuten. 5. Die ganze Klasse lachte über diese Geschichte.

(f) Lesen Sie auf deutsch:

1. Kopernikus lebte vom 19. Februar 1473 bis zum 24. Mai 1543, Hegel vom 27. August 1770 bis zum 14. September 1831. 2. Johannes Brahms ist am 7. Mai 1833 geboren, Johann Sebastian Bach am 21. März 1685. 3. Albrecht Dürer ist am 6. April 1528 gestorben, Eduard Mörike am 4. Juni 1875.

TRANSLATION INTO GERMAN

1. While the Duke of Württemberg was giving a brilliant festival in his famous castle near (bei) Stuttgart, Schiller fled to Mannheim. 2. Schiller had brought-along a new drama, called *Fiesko*, but when he read (*use* vorlesen) it to-the actors (Schauspieler), they did not like it (*use* gefallen). 3. After his own money and that of-his friend Andreas Streicher, who had fled with him to Mannheim, was used-up (aufgebraucht), Schiller gladly accepted (annehmen) the invitation (die Einladung) of Frau von Wolzogen to come to her estate where Schiller intended-to work on (an *with dat.*) his third drama which he called *Kabale* (*intrigue*) *und Liebe*. 4. Schiller stayed in Bauerbach from December 7, 1782 to (bis zum) July 24, 1783. 5. The drama he composed during this time made a powerful impression on those who saw it in Mannheim on the evening of April 15, 1784.

LESSON XX

Compound Tenses of the Modal Auxiliaries and of sehen, hören, lassen, heißen. Expressions of Time

103. The *regular past participle* of the modal auxiliaries is formed like that of the weak verbs. The stem vowel is the same as in the past tense (cf. § 46): gedurft, gekonnt, gemocht, gemußt, gesollt, gewollt.

This past participle is used together with the present and past tense of haben to form the present perfect and past per-

fect tenses of modal auxiliaries, provided that the infinitive
dependent on the modal auxiliary is *not* expressed:

> Er hat nicht mitgekonnt.   *He could not (come) along.*
> Sie hatten es so gewollt.   *They had wanted it this way.*

When a dependent infinitive is implied, the implication
may be expressed by es:

> Konnten Sie ihn besuchen?   Nein, ich habe es nicht gekonnt.
> *Could you visit him?*   *No, I have not been able (to do so).*

104. When the dependent infinitive is expressed, the
modal auxiliary employs a past participle which is identical
in form with the infinitive, and thus "two infinitives" appear,
the modal auxiliary always immediately following the dependent infinitive.   This is commonly called *"the double-
infinitive" construction.*   Compare:

> Ich habe es nicht gekonnt.   *I could not (do) it.*
> Ich habe ihn nicht besuchen können.   *I could not visit him.*
>
> Er hat es nicht gewollt.   *He did not want it.*
> Er hat nicht kommen wollen.   *He did not want to come.*
>
> Sie hatten nicht mitgedurft.   ⎫
> Sie hatten nicht mitgehen dürfen.   ⎬ *They had not been allowed to go along.*

The double-infinitive construction is also used for the
verbs sehen, hören, lassen, heißen in the compound tenses, when a
dependent infinitive is expressed.   Compare:

> Ich habe ihn nie gehört.   Ich habe ihn nie singen hören.
> Habt ihr uns nicht gesehen?   Habt ihr uns nicht kommen sehen?

The verb lassen with a dependent infinitive may have:
(*a*) The meaning *to allow, let:*

> Mein Vater hat mich gehen lassen.   *My father allowed me to go.*

(*b*) It may mean *to cause something to be done* or *have
something done:*

> Mein Vater hat mich rufen lassen.   *My father had me called.*
> Er hatte ein Haus bauen lassen.   *He had a house built.*

Note that in the latter case the verb dependent on laſſen has a passive meaning in English, expressed by the past participle, while the German uses the active infinitive.

105. *Word order.* — The "two infinitives" are never separated and always appear at the end of the sentence or clause, even in dependent clauses. In the latter the tense auxiliary (always a form of haben) will immediately precede the double infinitive. Compare:

Er hat nicht mitgehen dürfen.
Ich weiß, daß er nicht hat mitgehen dürfen.

Ich habe es kommen ſehen.
Ich ſage dir, daß ich es habe kommen ſehen.

Sie hatten mich kommen laſſen.
Nachdem ſie mich hatten kommen laſſen, erzählten ſie mir alles.

This word order is also used with these verbs in the future tense:

Ich werde es ihm ſelber ſagen müſſen. *I shall have to tell him myself.*
Es tut mir leid, daß ich es ihm ſelber werde ſagen müſſen.

106. *Expressions of time.* — Study the following expressions:

Wieviel Uhr iſt es? or Wie ſpät iſt es? *What time is it?*

Es iſt ſieben Uhr. *It is seven o'clock.*
Es iſt ein Viertel nach ſieben or Es iſt ein Viertel acht (*i.e.* 7:15).
Es iſt halb acht. *It is half past seven.*
Es iſt ein Viertel vor acht or Es iſt drei Viertel acht (*i.e.* 7:45).
Es iſt zehn Minuten vor acht (*i.e.* 7:50).
Es iſt fünf Minuten nach acht (*i.e.* 8:05).
Es iſt halb eins or halb ein Uhr (*i.e.* 12:30).

Um wieviel Uhr beginnt es? Es beginnt um acht Uhr.
At what time does it begin? It begins at eight o'clock.

heute morgen, heute nachmittag. **this** *morning,* **this** *afternoon.*

Note that *a quarter past* may be expressed either by ein Viertel nach with the preceding hour or ein Viertel with the coming hour.

Likewise *a quarter to* may be expressed by ein Viertel vor or drei Viertel with the coming hour. Half past must be rendered by halb with the coming hour.

Do not confuse Uhr (*o'clock*) with Stunde (*hour*):

> Der Zug soll um **fünf Uhr** ankommen. Wir müssen also noch **zwei Stunden** warten.

Note that here um means *at*.

Any public announcements, such as railroad timetables and announcements of meetings, performances, etc., make use of the 24-hour system, the hours P.M. being expressed by the figures 12 to 24.

> *The train leaves at 11:53 A.M.* (*11:53 P.M.*).
> Der Zug geht um elf Uhr dreiundfünfzig (dreiundzwanzig Uhr dreiund= fünfzig).

> *The performance starts at eight o'clock.*
> Die Aufführung beginnt um 20 Uhr.

Michael Kohlhaas

I. Teil

Einer der interessantesten Charaktere aus der Zeit der Reforma= tion ist der Roßhändler Michael Kohlhaas, wie ihn Heinrich von Kleist in seiner berühmten Novelle dargestellt hat. Es war sein stark entwickeltes Rechtsgefühl, das aus dem einfachen, geschätzten
5 und geachteten Bürger einen der furchtbarsten Menschen seiner Zeit gemacht hat.

Eines Tages, als Kohlhaas mit mehreren Pferden, die er in der Stadt verkaufen wollte, an der Burg des Junkers von Tronka vor= beiritt, wollte ihn der Beamte des Junkers nicht durchlassen. Da
10 der Roßhändler schon oft mit seinen Pferden vorbeigeritten war, aber solange der alte Herr von Tronka lebte, hier noch nie hatte Zoll bezahlen müssen, glaubte er dem Beamten nicht und wollte den neuen Herrn des Schlosses selbst sprechen. Dieser hieß ihn den Zoll bezahlen, oder zwei seiner Pferde auf der Burg zurücklassen, bis er
15 ihm die Erlaubnis zum Pferdehandel von der Hauptstadt bringen

konnte. Dem Junker hatten nämlich die zwei Pferde des Roß=
händlers besonders gefallen, er hatte aber den von Kohlhaas ge=
nannten Preis nicht bezahlen wollen. So ließ Kohlhaas die beiden
Pferde mit seinem Knecht zurück. Wie erstaunt war er, als er in der
Hauptstadt hörte, daß der Junker ihn nur hatte schrecken wollen, und   5
daß er die von ihm gewünschte Erlaubnis gar nicht brauchte. Als
er dann zur Burg des Junkers zurückkehrte und seine Pferde wieder=
sah, die er dort hatte zurücklassen müssen, waren aus den glänzenden,
starken Pferden schmutzige, ausgehungerte Arbeitstiere geworden.
Und wo war sein Knecht? Weil er die Pferde seines Herrn nicht 10
auf den Äckern des Junkers hatte arbeiten lassen wollen, hatte er die
Burg verlassen müssen.

Mit diesen Tieren wollte Kohlhaas nicht nach Hause zurückkehren.
Er ging nach Dresden zu einem bekannten Advokaten, der ihm zu
helfen versprach. Nachdem mehrere Wochen vergangen waren, ohne 15
daß der Advokat etwas von sich hatte hören lassen, sandte er endlich
Kohlhaas einen Brief. Darin erzählte er, daß er auf Wunsch des
Hofes die Klage gegen den Junker hatte fallen lassen müssen. Der
Roßhändler wandte sich nun durch einen Freund, der ein geschätzter
höherer Beamter des Fürsten war, an den Fürsten selbst. Aber auch 20
das war vergeblich. Jetzt war Kohlhaas entschlossen, sich mit eigener
Macht sein Recht zu verschaffen. Mehr noch als der Gedanke an den
treuen mißhandelten Knecht und die schönen mißhandelten Pferde,
schmerzte ihn das Gefühl, daß der Junker von Tronka ihm ein
solches Unrecht hatte antun dürfen, nur weil er ein einfacher Roß= 25
händler war, und der andere Freunde am Hofe des Fürsten hatte.
Nun geschah etwas, was des Roßhändlers Plan überflüssig machen
sollte, was aber in Wahrheit ihn am stärksten dazu trieb, sich selbst
sein Recht zu verschaffen. Seine Frau, die diesen Plan in Kohlhaas
hatte wachsen sehen, hatte ihm versprochen, die Klage gegen den 30
Junker selbst in die Hände des Fürsten zu legen. Eine bittende
Frau wird der Fürst eher empfangen, als einen Roßhändler, dachte
sie sich. Es gelang ihr auch, an den Hof zu kommen. Als sie sich
aber eben dem Fürsten zu Füßen werfen wollte, stieß ein Soldat sie
so heftig vor die Brust, daß sie schwer krank nach Hause zurück= 35

kehrte und nach kurzer Zeit starb. Jetzt gab es für Kohlhaas keinen anderen Weg mehr. Wenn der Junker von Tronka seine beiden ausgehungerten Tiere nicht mit eigener Hand in den Ställen des Roßhändlers dick fütterte, wollte Kohlhaas mit seinen Knechten
5 seine Burg überfallen, und dann mußte Blut fließen.

VOCABULARY

achten to respect
der Acker (Äcker) (cultivated) field
arbeiten to work
das Blut blood
dick stout
sich entschließen, entschloß, entschlossen to resolve
entwickeln to develop
fließen, floß, ist geflossen to flow
die Hand (Hände) hand
legen to lay, put

mehrere several
nach Hause homeward, home
das Recht (Rechte) right
schrecken to frighten
stark strong
stoßen (stößt), stieß, gestoßen to push
treiben, trieb, getrieben to drive
wachsen (wächst), wuchs, ist gewachsen to grow
zurückkehren, kehrte zurück, ist zurückgekehrt to return

der Advokat (Advokaten) lawyer
ausgehungert emaciated
durchlassen, ließ durch, durchgelassen to allow to pass
eher rather
die Erlaubnis permission
füttern to feed; dick —, fatten
das Gefühl (Gefühle) feeling
heftig violent
heißen, hieß, geheißen to bid, command
der Junker (Junker) nobleman, squire
Kleist, Heinrich v. famous German writer (1777–1811)
der Knecht (Knechte) hired man
mißhandeln, mißhandelte, mißhandelt to abuse

nämlich namely
die Novelle (Novellen) novelette
der Pferdehandel horse trading
das Rechtsgefühl sense of justice
der Roßhändler horse dealer
schmerzen to hurt, pain
schmutzig dirty
der Stall (Ställe) stable
überflüssig superfluous
Unrecht antun to do injustice
verschaffen to procure
vorbeireiten, ritt vorbei, ist vorbeigeritten (an with dat.) to ride past
der Zoll (Zölle) toll
zurücklassen, ließ zurück, zurückgelassen to leave behind

EXERCISES

(a) Answer the following questions with a dependent infinitive in the present perfect tense:

1. Wollte Kohlhaas den Zoll bezahlen? 2. Mußte er zwei Pferde auf der Burg zurücklassen? 3. Mochte der Junker den

Preis für die Pferde bezahlen? 4. Durfte der Junker die Pferde mißhandeln? 5. Ließ er sie auf seinen Äckern arbeiten? 6. Konnte der Advokat dem Roßhändler helfen? 7. Hieß der Junker den Knecht aus der Burg gehen? 8. Hörte die Frau den Roßhändler von seinem Plan sprechen? 9. Sollte der Junker die Pferde selbst füttern?

(b) Answer the questions 1, 6, and 8 of (a) in the present perfect tense without a dependent infinitive and noun object.

(c) Reproduce the following sentences in the present perfect tense:

1. Ich muß jeden Abend die Tiere in den Stall treiben. 2. Darfst du mit ihnen zurückkehren? 3. Könnt ihr es nicht besser ausdrücken? 4. Wir sehen ihn nie nach Hause gehen. 5. Er mag das Pferd nicht so mißhandeln. 6. Soll er seine Gäste mitbringen? 7. Wollt ihr auf der Straße bleiben? 8. Er läßt sie zu sich kommen. 9. Wir hören ihn oft sprechen.

(d) Reproduce the subordinate clauses in the past perfect tense:

1. Er gab mir die Erlaubnis nicht, weil er sich nie dazu entschließen konnte. 2. Er sagt, daß er ihn nicht hindern mochte. 3. Wir konnten ihn nicht achten, weil er nie arbeiten wollte. 4. Ich wußte, daß er den Plan nicht ausführen ließ. 5. Wir waren erstaunt, ihn hier zu erblicken, da wir ihn nicht ins Zimmer treten hörten. 6. Er ließ es geschehen, weil er es nicht verbieten durfte.

(e) Translate:

1. The play begins at eight o'clock; what time is it now? It is half past seven, so we shall-have-to wait half an hour. 2. When did the train arrive? It arrived this morning at half past nine and we were at (in) the hotel at a quarter to ten. 3. It is ten minutes after seven. Shall we go now? 4. Can you return home tonight? Yes, certainly. The last train will leave (goes) at eleven forty-two.

WRITTEN TRANSLATION

1. After Kohlhaas had been-forced-to leave two of his horses in the castle of the nobleman he went to (in) the capital where he heard that he did not need to pay the toll. 2. When he returned to the castle he found his splendid horses dirty and emaciated, and his hired-man was not there. 3. Kohlhaas went to his faithful hired-man and learned (*use* erfahren) from him why he had not been permitted to stay with (bei) the horses. 4. He had not allowed (*use* laſſen) the horses of his master to work on the fields of the nobleman. 5. The lawyer to whom Kohlhaas went had not been able to help him because the nobleman had too many friends at the court. 6. The high official who claimed (*use modal aux.*) to be the horse-dealer's friend could not do anything for him either (auch). 7. At first Kohlhaas had not wanted to procure justice for-himself through his own power, but after he had seen his wife return from the journey to (an, *acc.*) the court seriously ill, he was determined to demand his right from the nobleman by-force (mit Gewalt).

SUPPLEMENTARY READING

Ludwig XI.

Ludwig XI., der von 1461–1483 König von Frankreich war, glaubte an die Macht der Sterne im Leben der Menſchen. Bei allen wichtigen Entſchlüſſen fragte er zuerſt ſeinen Hofaſtrologen (*court astrologer*). Einmal hatte dieſer ihm bei einem wichtigen Entſchluß raten müſſen, hatte aber nicht das Richtige treffen können. So ließ ihn der König in ſein Zimmer kommen. Nachdem er ein paar Worte mit dem Hofaſtrologen gewechſelt hatte, ſagte der König mit ſtrengem Geſicht: „Sage mir, an welchem Tage wirſt du ſterben?" Der Aſtrolog, der ahnte, daß eine falſche Antwort ihm den Hals koſten konnte, ſprach trotz ſeiner inneren Erregung mit ruhiger Stimme: „Es ſteht in den ewigen Sternen geſchrieben, daß ich drei Tage vor dem König von Frankreich ſterben werde." Da ſchickte ihn der abergläubiſche (*superstitious*) König, anſtatt in den Tod, zu ſeinem Hofarzt, der von nun an für die Geſundheit des Aſtrologen ſorgen mußte.

Die Beiden

Sie trug den Becher in der Hand
— Ihr Kinn und Mund glich seinem Rand —
So leicht und sicher war ihr Gang,
Kein Tropfen aus dem Becher sprang.

So leicht und fest war seine Hand.
Er ritt auf einem jungen Pferde
Und mit nachlässiger Gebärde
Erzwang er, daß es zitternd stand.

Jedoch, wenn er aus ihrer Hand
Den leichten Becher nehmen sollte,
So war es beiden allzuschwer:
Denn beide bebten sie so sehr,
Daß keine Hand die andre fand
Und dunkler Wein am Boden rollte.

Hugo von Hofmannsthal

SUPPLEMENTARY VOCABULARY

dunkel dark
ewig eternal
falsch false, wrong
fest firm, steady
der Hals (Hälse) neck
jedoch however, yet
das Kinn (Kinne) chin

schicken to send
sicher steady
streng strict
treffen (trifft), traf, getroffen to hit, meet
wechseln to change, exchange

---

ahnen to suspect
anstatt instead
beben to tremble, quiver
der Becher (Becher) cup, goblet
der Entschluß (Entschlüsse) decision
die Erregung (Erregungen) excitement
erzwingen, erzwang, erzwungen to bring about by force, compel
der Gang gait

die Gebärde (Gebärden) gesture
die Gesundheit health
gleichen, glich, geglichen (*with dat.*) to resemble
der Hofarzt (Hofärzte) court physician
nachlässig nonchalant
der Rand (Ränder) edge
ruhig quiet, calm
der Tropfen (Tropfen) drop

LESSON XXI

Classification of the Strong Verbs

107. *Formation of the strong verb reviewed.* — Remember in connection with strong verbs that:

(*a*) The stem vowel of the past tense always differs from that of the infinitive and that the past participle frequently shows still another change of stem vowel.

(*b*) The stem vowels a and, with few exceptions, e are modified in the second and third person singular of the present indicative.

(*c*) The first and third person singular of the past indicative have no personal endings.

(*d*) The past participle always ends in –en (or –n).

108. *Classes of strong verbs.* — According to the vowel change in the principal parts, the strong verbs are commonly divided into seven groups. These are listed below, together with the strong verbs that have occurred in previous lessons (including the Supplementary Reading). If both the simple and the compound verb have occurred, only the simple verb is listed.

CLASS I. Vowel change ei — i — i

> beißen, biß, gebissen, *to bite*
> gleichen, glich, geglichen, *to resemble*
> greifen, griff, gegriffen, *to seize*
> leiden, litt, gelitten, *to suffer*
> reißen, riß, gerissen, *to tear*
> reiten, ritt, ist geritten, *to ride on horseback*
> schleichen, schlich, ist geschlichen, *to sneak*
> schneiden, schnitt, geschnitten, *to cut*
> schreiten, schritt, ist geschritten, *to step, walk*
> streiten, stritt, gestritten, *to quarrel*

Vowel change ei — ie — ie

bleiben, blieb, ift geblieben, *to remain*
erweifen, erwies, erwiefen (refl.), *to prove to be*
fcheinen, fchien, gefchienen, *to shine, appear*
fchreiben, fchrieb, gefchrieben, *to write*
fchreien, fchrie, gefchrieen, *to cry, shout*
fchweigen, fchwieg, gefchwiegen, *to be silent*
fteigen, ftieg, ift geftiegen, *to climb*
treiben, trieb, getrieben, *to drive*
verzeihen, verzieh, verziehen, *to forgive*

CLASS II. Vowel change ie — o — o

bieten, bot, geboten, *to offer*
fliegen, flog, ift geflogen, *to fly*
fliehen, floh, ift geflohen, *to flee*
frieren, fror, gefroren, *to freeze*
genießen, genoß, genoffen, *to enjoy*
riechen, roch, gerochen, *to smell*
fchieben, fchob, gefchoben, *to push, shove*
fchießen, fchoß, gefchoffen, *to shoot*
fchließen, fchloß, gefchloffen, *to close*
verlieren, verlor, verloren, *to lose*
ziehen, zog, gezogen, *to draw, pull*

Irregular:

heben, hob, gehoben, *to lift*
fchmelzen (fchmilzt), fchmolz, ift gefchmolzen, *to melt*

CLASS III. Vowel change i — a — u

binden, band, gebunden, *to tie*
dringen, drang, ift gedrungen, *to enter by force*
finden, fand, gefunden, *to find*
gelingen, gelang, ift gelungen (impers.), *to succeed*
klingen, klang, geklungen, *to sound*
fingen, fang, gefungen, *to sing*
finken, fank, ift gefunken, *to sink*
fpringen, fprang, ift gefprungen, *to jump*
trinken, trank, getrunken, *to drink*
überwinden, überwand, überwunden, *to overcome*
verfchwinden, verfchwand, ift verfchwunden, *to disappear*

Vowel change i — a — o

beginnen, begann, begonnen, *to begin*
gewinnen, gewann, gewonnen, *to win*

CLASS IV.   Vowel change e — a — o

befehlen (befiehlt), befahl, befohlen, *to command*
brechen (bricht), brach, gebrochen, *to break*
helfen (hilft), half, geholfen, *to help*
nehmen (nimmt), nahm, genommen, *to take*
sprechen (spricht), sprach, gesprochen, *to speak*
sterben (stirbt), starb, ist gestorben, *to die*
treffen (trifft), traf, getroffen, *to hit, meet*
werfen (wirft), warf, geworfen, *to throw*

Irregular:

kommen, kam, ist gekommen, *to come*

CLASS V.   Vowel change e — a — e

essen (ißt), aß, gegessen, *to eat*
geben (gibt), gab, gegeben, *to give*
geschehen (geschieht), geschah, ist geschehen, *to happen*
lesen (liest), las, gelesen, *to read*
messen (mißt), maß, gemessen, *to measure*
sehen (sieht), sah, gesehen, *to see*
treten (tritt), trat, ist getreten, *to step*
vergessen (vergißt), vergaß, vergessen, *to forget*

Irregular:

bitten, bat, gebeten, *to beg*
liegen, lag, gelegen, *to lie*
sitzen, saß, gesessen, *to sit*

CLASS VI.   Vowel change a — u — a

einladen (ladt ein *or* ladet ein), lud ein, eingeladen, *to invite*
fahren (fährt), fuhr, ist gefahren, *to ride*
schlagen (schlägt), schlug, geschlagen, *to strike*
tragen (trägt), trug, getragen, *to carry*
wachsen (wächst), wuchs, ist gewachsen, *to grow*

Class VII. Vowel change a — ie (i) — a

> fallen (fällt), fiel, ist gefallen, *to fall*
> fangen (fängt), fing, gefangen, *to catch*
> gefallen (gefällt), gefiel, gefallen, *to please*
> halten (hält), hielt, gehalten, *to hold*
> lassen (läßt), ließ, gelassen, *to let*
> raten (rät), riet, geraten, *to advise*
> schlafen (schläft), schlief, geschlafen, *to sleep*

Vowel change au — ie — au

> laufen (läuft), lief, ist gelaufen, *to run*

Vowel change o — ie — o

> °stoßen (stößt), stieß, gestoßen, *to push*

Vowel change u — ie — u

> rufen, rief, gerufen, *to call*

Irregular verbs with change of stem:

> gehen, ging, ist gegangen, *to go*
> stehen, stand, gestanden, *to stand*
> tun, tat, getan, *to do*

Michael Kohlhaas

II. Teil

Als der Junker nichts von sich hören ließ, drang Kohlhaas mit seinen treuen Knechten in die Burg, zündete sie an und ermordete jeden, der sich ihm in den Weg stellte. Den Junker selbst konnte er aber nicht finden. Der war nach Wittenberg geflohen. Sobald Kohlhaas das hörte, zog er mit seinen Knechten nach Wittenberg 5 und nahm die unzufriedenen Knechte des Junkers mit. Er ließ öffentlich bekannt machen, daß jeder, der den Junker von Tronka schützte, dies mit dem Leben bezahlen sollte. Wer Kohlhaas half, dem versprach er reiche Beute. So kamen viele Unzufriedene und solche, die Abenteuer suchten, herbei und folgten dem Roßhändler nach 10

Wittenberg. Dieser schickte einen Boten in die Stadt und forderte von den Bürgern die Auslieferung (*surrender*) des Junkers. Als er keine Antwort bekam, zündete er die Stadt an mehreren Stellen an. Die Soldaten, die man gegen ihn schickte, besiegte er in kleinen
5 Haufen. So wuchs sein Ruhm schnell, und immer mehr Leute stellten sich auf seine Seite. Der Junker mußte endlich Wittenberg heimlich verlassen, da er der Stadt zu viel Gefahr brachte. Er floh nach Leipzig. Bald darauf erschien Kohlhaas mit seinem Haufen vor Leipzigs Toren. Er stand jetzt auf der Höhe seiner Macht und fühlte
10 sich als der Stellvertreter des heiligen Michael. Und viele glaubten ihm.

Nun aber ließ Luther bekannt machen, daß dieser Kohlhaas kein Kämpfer Gottes sei (*was*), sondern ein Landesfeind. Da ging Kohlhaas heimlich zu Luther, um ihm alles zu erklären. Luther erkannte
15 das Unrecht, das man diesem einfachen Mann angetan hatte, und versprach, den Roßhändler bei seinem Fürsten zu verteidigen, zeigte ihm aber auch, wie groß sein eigenes Unrecht war. Es gelang Luther dann, seinen Fürsten zu überzeugen, daß dem Roßhändler keine andere Wahl blieb, als die Waffen zu ergreifen und sich selbst sein
20 Recht zu verschaffen und so erlaubte der Fürst dem Roßhändler seine Sache vor das Gericht in Dresden zu bringen. Wenn das Gericht gegen Kohlhaas entscheiden sollte, so mußte er seine Gewalttaten (*deeds of violence*) mit dem Leben bezahlen; sollte er aber vor Gericht die Schuld des Junkers beweisen können, so sollte dieser den
25 ganzen Schaden ersetzen.

Luthers Worte hatten auf Kohlhaas einen so tiefen Eindruck gemacht, daß er jetzt das Angebot des Fürsten annahm. In Dresden empfing man ihn freundlich und gab ihm einen tüchtigen Advokaten. Man hielt ihn aber in seinem eigenen Hause gefangen und die Freunde
30 des Junkers wußten die Entscheidung immer wieder zu verhindern. Endlich verlor Kohlhaas den Glauben an die Gerechtigkeit des Gerichts und nahm das Angebot eines seiner Leute an, ihn zu befreien. Dieser hatte den Haufen des Roßhändlers gesammelt und den Krieg auf eigene Faust weiter geführt. Er hatte aber bald erkannt, daß
35 Kohlhaas ein viel besserer Führer war. Die Feinde des Roßhändlers

hörten von diesem Angebot und es gelang ihnen, den Boten mit der
Antwort des Kohlhaas zu fangen. Kohlhaas gestand und man ver=
urteilte ihn als Landesfeind zum Tod. Vor seinem Tod erlebte er
aber noch die Freude, daß er seine Sache gegen den Junker gewann,
daß dieser seine zwei Pferde dick füttern und dem Knecht den ganzen 5
Schaden ersetzen mußte. Der Junker selbst mußte auf zwei Jahre
ins Gefängnis. So stark aber war das Gerechtigkeitsgefühl dieses
Roßhändlers, daß er vor dem Fürsten auf die Kniee sank, ihm für
die endlich errungene Gerechtigkeit dankte und den Tod für seine
Gewalttaten gern auf sich nahm. 10

VOCABULARY

anzünden to kindle, set on fire
beweisen, bewies, bewiesen to prove
der Bote (Boten) messenger
dringen, drang, ist gedrungen to enter
by force
entscheiden, entschied, entschieden to
decide
erklären to explain, declare
erlauben (with dat.) to permit
fordern to demand
die Freude (Freuden) joy
die Gefahr (Gefahren) danger
der Gott (Götter) god

der Haufe (des Haufens, die Haufen)
heap, troop
herbéi hither
das Knie (Kniee) knee
reich rich
die Sache (Sachen) cause, thing
die Schuld guilt
die Stelle (Stellen) spot, place
verlangen to demand
die Waffe (Waffen) weapon
ziehen, zog, gezogen (with haben)
to draw; (with sein) to move,
march

das Angebot (Angebote) offer
annehmen (nimmt an), nahm an,
angenommen to accept
befreien to free
besiegen to defeat
die Entscheidung (Entscheidungen)
decision
ermorden to murder
erringen, errang, errungen to obtain
ersetzen to make restitution
die Faust (Fäuste) fist; auf eigene
Faust at one's own risk
freundlich friendly
gefangen captured, captive
die Gerechtigkeit justice
das Gericht (Gerichte) court of justice

gestehen, gestand, gestanden to confess
heimlich secret
die Höhe (die Höhen) height
der Kämpfer (Kämpfer) champion
warrior
der Schaden (Schäden) damage
schützen to protect
sobald as soon as
der Stellvertreter (Stellvertreter)
representative
überzéugen, überzeugte, überzeugt to
convince
unzufrieden dissatisfied
verhindern to prevent
verurteilen to condemn

EXERCISES

(*a*) Put into the present tense:

1. Er überfiel die Burg bei Nacht.   2. Das Gericht entschied gegen ihn.   3. Er nahm die Entscheidung nicht an.   4. Sie gestanden ihre Schuld.   5. Die Knechte errangen ihre Freiheit. 6. Wir zogen von Stadt zu Stadt.   7. Er befahl uns, den Haufen zu befreien.   8. Ich bewies ihm ihre Schuld.   9. Er lud mich in sein Haus ein.   10. Wir unterschrieben das Dokument nicht. 11. Sie drangen in die Stadt.

(*b*) Reproduce the sentences of (*a*) in the present perfect tense.

(*c*) Put all odd-numbered sentences into the future and all even-numbered sentences into the past tense:

1. Der Zug fährt ab.   2. Wir verlassen den Bahnhof.   3. Er sitzt am Tisch und liest uns vor.   4. Mein Vetter tritt ein.   5. Er trifft mich auf meinem Zimmer und spricht lange mit mir.   6. Ich schlage ihm vor, das Angebot anzunehmen.   7. Der Vater stirbt in wenigen Stunden.   8. Die Söhne streiten um das leicht errungene Geld.

(*d*) Put all sentences of (*c*) with odd numbers into the past perfect tense, introducing them with nachdem and connecting them with the following even-numbered sentences which are to be rendered in the past tense.

(*e*) Insert the correct form of the past participle in the following sentences:

1. Wir standen vor (schließen) Toren.   2. Nach (tun) Arbeit ist gut ruhen.   3. Denkt an euren (fallen) Bruder!   4. Sie aßen von der (verbieten) Frucht.   5. Die (lesen) Bücher lagen auf jenem Tisch.   6. Sie konnten den (verschwinden) Brief nicht finden. 7. Wo ist der hoch (wachsen) Baum?   8. Ich lese ein (binden) Buch lieber.   9. Er hat uns die (versprechen) Freude nicht gemacht. 10. Ich nahm mein (geben) Wort nicht zurück.

WRITTEN TRANSLATION

1. After Kohlhaas had attacked the castle of the nobleman and killed all who defended it, he marched to Wittenberg, for he had heard that von Tronka had fled there (dorthin). 2. Kohlhaas promised the citizens not to set their city on fire if they surrendered (ausliefern) his enemy. 3. Thereupon the nobleman was-forced to flee to Leipzig. 4. When Luther declared publicly that Kohlhaas was (sei) an enemy-of-the-country, the latter visited him secretly and told him of the injustice that the nobleman had done to him. 5. Finally Kohlhaas promised to let the court decide the (über die) guilt of the nobleman. 6. But when the court did not come to a decision Kohlhaas gave his friends (the) permission to free him. 7. Kohlhaas was-forced to confess, after his enemies had captured his messenger. 8. The court sentenced him to death, and Kohlhaas accepted the verdict willingly because the court had also decided that von Tronka should replace the entire damage and go to (ins) prison for (auf, acc.) two years.

SUPPLEMENTARY READING

Der belohnte Dieb

Viele Menschen waren auf der Wiese versammelt, um den Ballon steigen zu sehen, unter ihnen auch Charles J. Fox und sein Bruder. Während der gelbe Ballon sich von der Erde hob und alle Augen ihm in die Höhe folgten, waren Taschendiebe unten fleißig an der Arbeit. So kam es, daß Fox, als er zufällig in seine Tasche griff, schon eine 5 andere Hand darin fand. „Mein Freund," sagte Fox, indem er den Ballon nicht aus den Augen ließ, „Ihr Beruf wird noch Ihr Verderben sein." „Lieber Herr," antwortete der Dieb fast weinend „es ist mein erster Fehltritt (wayward step), meine Frau und meine sechs Kinder haben nichts zu essen." Da gab ihm der freundliche 10 Fox ein Goldstück mit den Worten: „Behalten Sie von nun an Ihre Hand in Ihrer eigenen Tasche." Der Dieb küßte ihm die Hand, dankte und verschwand schnell in der dichten Menge.

Nach einiger Zeit wollte Fox auf seine Uhr sehen. Sie fehlte.

Als er seinem Bruder von diesem Verlust erzählte, sagte dieser er=
staunt: „Weißt du denn nicht, daß dein Freund sie genommen hat?
Ich habe sie selbst in seiner Hand gesehen, aber du hast so freundlich
mit dem Mann gesprochen, daß ich glaubte, du wolltest sie ihm
5 geben."

SUPPLEMENTARY VOCABULARY

dicht dense, thick
fehlen to be absent, be missing
gelb yellow

küssen to kiss
der Verlust (Verluste) loss
weinen to weep

---

die Arbeit (Arbeiten) work
der Ballón (Ballone) balloon
belohnen to reward
der Beruf (Berufe) profession
einig– some
erstaunt astonished

sich heben, hob, gehoben to rise
der Taschendieb (Taschendiebe) pickpocket
das Verderben ruin, destruction
zufällig by chance

LESSON XXII

Formation of the Passive. True and Apparent Passive

109. The passive is formed in English by the verb *to be*
and the past participle. German uses the auxiliary werden
and the past participle of the verb in question:

       I was *asked.*   Ich wurde gefragt.

The auxiliary werden has no ge– in the past participle and
employs sein as its auxiliary to form the present perfect, the
past perfect, and the future perfect of the passive voice:

    I have been *asked.*   Ich bin gefragt worden.
    I suppose he was not asked.   Er wird nicht gefragt worden sein.

In changing a sentence from the active voice to the passive, the object in the active voice becomes the subject in the
passive. The subject of the active then becomes the agent
and is usually introduced by von with the dative.

	ACTIVE	PASSIVE
Pres.	Jeder achtet ihn.	Er wird von jedem geachtet.
Past	Jeder achtete ihn.	Er wurde von jedem geachtet.
Pres. Perf.	Jeder hat ihn geachtet.	Er ist von jedem geachtet worden.
Past Perf.	Jeder hatte ihn geachtet.	Er war von jedem geachtet worden.
Fut.	Jeder wird ihn achten.	Er wird von jedem geachtet werden.
Fut. Perf.	Jeder wird ihn geachtet haben.	Er wird von jedem geachtet worden sein.

When no agent appears in the passive voice, the subject of the corresponding active construction is expressed by the indefinite personal pronoun man:

> Er wurde nicht gefragt.   Man fragte ihn nicht.

NOTE: In English the passive is more common than in German. German often prefers the verb in the active voice with a definite subject, or with man:

> Die Tür ging auf.   *The door was opened.*
> Man sagt . . .   *It is said . . .*

110. German makes a clear distinction between the true and the apparent passive.

TRUE PASSIVE	APPARENT PASSIVE
Die Frage wird entschieden.	Die Frage ist entschieden.
The question is (being) decided.	*The question is (now) decided.*

The true passive denotes a process, the agent usually being expressed. The apparent passive denotes a completed action or a state resulting from the action, and here the agent is never expressed. Note the difference in meaning:

Wir werden besiegt.   Wir sind besiegt.
We are being defeated.   *We are defeated.*

Der Sieg wurde in zwei Stunden errungen.   Der Sieg war errungen.
The victory was won in two hours.   *The victory was won.*

Die deutschen Universitäten

Da Prag heute (1939) wieder deutsches Interessengebiet ist, kann die Prager Universität als die älteste deutsche Universität

angesehen werden. Sie wurde 1348 gegründet. Die Heidel=
berger Universität, die lange Zeit die erste deutsche Universität
innerhalb der deutschen Grenzen war, ist 38 Jahre später
gegründet worden. Zuerst wohnten die Studenten in besonderen
5 Häusern, die der Universität gehörten und „Bursen" genannt
wurden. Von diesen „Bursen" kommt der Name Bursche, der
heute noch für Studenten gebraucht wird, die das erste oder die
zwei ersten Semester hinter sich haben. Die Aufsicht über das
Studium an den alten Universitäten lag zuerst in Händen der
10 Kirche; erst seit der Reformation wurde diese Aufsicht in Deutschland
von den Fürsten übernommen und dann später der Universität selbst
überlassen. Nach der Reformation war es der Ehrgeiz vieler pro=
testantischen Fürsten in Deutschland für ihr Land eine eigene Uni=
versität zu gründen. So wurde die Zahl der deutschen Universitäten
15 im sechzehnten und siebzehnten Jahrhundert verdoppelt. Das Bak=
kalaureat konnte schon im sechzehnten Jahrhundert beseitigt werden,
da die Studenten immer besser vorbereitet auf die Universität kamen.
Im siebzehnten Jahrhundert ist dann auch die deutsche Sprache an
der Universität eingeführt worden, vorher lehrten die Professoren nur
20 in lateinischer Sprache. Da der Student nicht mehr so jung auf
die Universität kam, konnten auch die strengen Regeln für seine
Lebensweise gemildert werden.

Aber nicht nur der Student, sondern auch die Universität selber
errang in den letzten zweihundert Jahren immer größere Freiheit,
25 sodaß sie im neunzehnten Jahrhundert vom Staat nur noch äußer=
lich abhängig wurde. Wenn ein Lehrstuhl frei wurde, so suchte die
Fakultät einen neuen Professor und schlug ihn dem Staat vor.
Dieser Vorschlag wurde in den meisten Fällen angenommen. Rektor
(*president*) und Dekane (*deans*) der Fakultäten wurden aus dem
30 Kreis der Professoren von ihnen auf ein Jahr gewählt. Der
deutsche Professor hatte vollkommene Lehrfreiheit. Auch dem Stu=
denten wurde in der Wahl der Kurse vollkommene Freiheit gelassen.
Wer heute in Deutschland höherer Staatsbeamter werden will, muß
eine Staatsprüfung machen, nachdem er wenigstens acht Semester
35 studiert hat. Man wird aber nicht gefragt, ob man seine Kenntnisse

durch Besuch der Kurse oder durch eigenes Studium erworben hat. Nur das Ziel ist vorgeschrieben, der Weg dahin wird jedem Studenten selbst überlassen.

VOCABULARY

der **Fall** (Fälle) case
die **Grenze** (Grenzen) border, boundary
lehren to teach
das **Reich** (Reiche) realm, commonwealth

vollkommen complete, perfect
vorschlagen, schlug vor, vorgeschlagen to propose
wählen to choose, elect
die **Zahl** (Zahlen) number

---

abhängig dependent
ansehen (sieht an), sah an, angesehen to look at, consider
die **Aufsicht** supervision
außerhalb outside
äußerlich external
das **Bakkalaureat** A.B. degree
beseitigen to remove, abolish
besonder special
der **Besuch** (Besuche) visit, attendance
der **Ehrgeiz** ambition
einführen to introduce
erringen, errang, errungen to win, obtain (by struggle)
erwerben (erwirbt), erwarb, erworben to acquire
die **Fakultät** (Fakultäten) division of the university
gebrauchen to use
das **Jahrhundert** (Jahrhunderte) century
die **Kenntnis** (Kenntnisse) knowledge
der **Kursus** (Kurse) course

lateinisch Latin
die **Lebensweise** mode of living
die **Lehrfreiheit** academic freedom
der **Lehrstuhl** (Lehrstühle) professorial chair
mildern to soften, mitigate
(das) **Prag** Prague
Prager of Prague
der **Professor** (des Professors, die Professoren) professor
protestantisch Protestant
die **Staatsprüfung** (Staatsprüfungen) state examination
das **Studium** (Studien) study
überlassen, überließ, überlassen to leave (to a person)
übernehmen (übernimmt), übernahm, übernommen to take over
verdoppeln to double
vorbereiten to prepare
vorher previously
vorschreiben, schrieb vor, vorgeschrieben to prescribe
zwar to be sure

EXERCISES

(a) Change in the first paragraph of the text all passive constructions in the past tense to the present perfect tense, and those in the second paragraph to the present tense.

(*b*) Change into the passive voice:

1. Kaiſer Karl IV. hat die Prager Univerſität gegründet.
2. Profeſſor Thomaſius führte die deutſche Sprache an der Uni=
verſität Leipzig ein.   3. Wer übernahm die Aufſicht über die
Univerſitäten?   4. Die Fakultät ſchlägt den neuen Profeſſor vor.
5. Wir werden dieſen Vorſchlag nicht annehmen.   6. Er mußte
die Staatsprüfung noch einmal machen.   7. Man hat jetzt die
ſtrengen Geſetze gemildert.   8. Sie haben mich immer als ihren
Führer angeſehen.   9. Man hat ihm vollkommene Freiheit ge=
laſſen.   10. Ich habe ihm nichts vorgeſchrieben.

(*c*) Change into the active voice:

1. Der treue Knecht wurde von dem Junker mißhandelt.   2. Die
Burg des Junkers iſt von dem Roßhändler angezündet worden.
3. Der ganze Haufe wurde von den Leuten des Roßhändlers beſiegt.
4. Eine Entſcheidung des Gerichts iſt von den Freunden des
Junkers verhindert worden.   5. Seine Schuld wird leicht be=
wieſen werden können.   6. Wenn das Gericht gegen ihn entſcheidet,
wird er verurteilt werden.   7. Der Schaden iſt nicht erſetzt worden.
8. Das Angebot des Fürſten wird von dem Roßhändler ange=
nommen werden.   9. Endlich wurde der Sieg errungen.   10. Das
Wort war von mir nie gebraucht worden.

(*d*) Use the proper auxiliary, ſein or werden:

1. Der Brief —— noch nicht geſchrieben.   2. Ich —— von
meinen Freunden befreit.   3. Das —— nicht von ihm verlangt.
4. Das Angebot —— ſchon angenommen.   5. Der Plan ——
verhindert.   6. Das Feſt —— von uns vorbereitet.   7. —— ſeine
Schuld bewieſen?   8. —— du jetzt überzeugt?   9. Kleiſt —— im
Jahre 1777 geboren.

WRITTEN TRANSLATION

1. There were sixteen universities in Germany when Harvard
was established in 1636.   2. But the University [of] Paris had
been established several centuries before the German universities.
3. At first only those subjects were taught that were considered by

the Church to-be (al$) important. 4. Since the students of the old
universities were still quite young they had to follow strict rules.
5. Later, when the students were prepared in (auf) a Gymnasium
before they began their studies at the German university, the
bachelor's-degree was abolished. 6. The Universities [of] Halle
and Göttingen, which were especially famous in the seventeenth
and eighteenth centuries (century), are considered the first modern
(modern) German universities where one could find a free spirit-
of-inquiry (der Forschungsgeist). 7. At-the beginning (am Anfang)
of the nineteenth century nine universities were suppressed in
Germany. 8. At the same time, however, the University [of]
Berlin was established where many of the old rules were abolished
and a greater freedom-of-thought (die Gedankenfreiheit) was introduced. 9. Many famous professors were called to (an, *acc.*) this
University which soon became a model (das Muster) for the other
universities in Germany. 10. The University [of] Frankfort is the
first German university which has been established by a city.
11. Today the universities in Germany are much more under the
supervision of the state than at the beginning of the twentieth
century.

LESSON XXIII

The Subjunctive, Type II. The Optative Subjunctive. The
Potential Subjunctive. Unreal Conditions

111. *The Subjunctive,* in contrast to the Indicative, expresses uncertainty, indefiniteness, contingency, possibility,
etc. Although in German many of the subjunctive forms,
especially those that were like the corresponding indicative
forms, have disappeared, the subjunctive in German is still far
more varied than in English. German still has a complete
system of forms to express the differences of time. This
complete system is called the *Second Subjunctive,* or *Subjunctive, Type II.*

112. *The Second Subjunctive of* fein, haben, werden

The tense auxiliaries fein, haben, werden and the strong verbs add the subjunctive endings:

–e	–en
–eſt	–et
–e	–en

to the past tense stem.   The stem vowel is modified whenever possible.

PRESENT TIME

ich wäre	ich hätte	ich würde
du wäreſt	du hätteſt	du würdeſt
er wäre	er hätte	er würde
wir wären	wir hätten	wir würden
ihr wäret	ihr hättet	ihr würdet
ſie wären	ſie hätten	ſie würden

Compound tenses are formed as follows:

PAST TIME

ich wäre geweſen	ich hätte gehabt	ich wäre geworden
du wäreſt geweſen	du hätteſt gehabt	du wäreſt geworden
er wäre geweſen	er hätte gehabt	er wäre geworden
wir wären geweſen	wir hätten gehabt	wir wären geworden
ihr wäret geweſen	ihr hättet gehabt	ihr wäret geworden
ſie wären geweſen	ſie hätten gehabt	ſie wären geworden

FUTURE TIME

ich würde fein	ich würde haben	ich würde werden
du würdeſt fein	du würdeſt haben	du würdeſt werden
er würde fein	er würde haben	er würde werden
wir würden fein	wir würden haben	wir würden werden
ihr würdet fein	ihr würdet haben	ihr würdet werden
ſie würden fein	ſie würden haben	ſie würden werden

FUTURE PERFECT TIME

ich würde geweſen fein	ich würde gehabt haben	ich würde geworden fein
etc.	*etc.*	*etc.*

NOTE: The Second Subjunctive of the future is also called the Present Conditional, while the Second Subjunctive of the future perfect is called the Past Conditional.

113. *The Second Subjunctive of strong verbs*

PRESENT TIME

ich schriebe	ich flöge	ich nähme	ich trüge
du schriebest	du flögest	du nähmest	du trügest
er schriebe	er flöge	er nähme	er trüge
wir schrieben	wir flögen	wir nähmen	wir trügen
ihr schriebet	ihr flöget	ihr nähmet	ihr trüget
sie schrieben	sie flögen	sie nähmen	sie trügen

PAST TIME

ich hätte geschrieben	ich wäre geflogen	ich hätte genommen
du hättest geschrieben	du wärest geflogen	du hättest genommen
er hätte geschrieben	er wäre geflogen	er hätte genommen
etc.	*etc.*	*etc.*

FUTURE TIME

ich würde schreiben	ich würde fliegen	ich würde nehmen
du würdest schreiben	du würdest fliegen	du würdest nehmen
er würde schreiben	er würde fliegen	er würde nehmen
etc.	*etc.*	*etc.*

FUTURE PERFECT TIME

ich würde geschrieben haben, du würdest geschrieben haben, *etc.*
ich würde geflogen sein, du würdest geflogen sein, *etc.*
ich würde genommen haben, du würdest genommen haben, *etc.*
ich würde getragen haben, du würdest getragen haben, *etc.*

114. *The Second Subjunctive of weak verbs*

PRESENT TIME

ich fragte	ich wüßte	ich möchte	ich wollte	ich sendete
du fragtest	du wüßtest	du möchtest	du wolltest	du sendetest
er fragte	er wüßte	er möchte	er wollte	er sendete
wir fragten	wir wüßten	wir möchten	wir wollten	wir sendeten
ihr fragtet	ihr wüßtet	ihr möchtet	ihr wolltet	ihr sendetet
sie fragten	sie wüßten	sie möchten	sie wollten	sie sendeten

Note that the Second Subjunctive of the present is identical in form with the indicative of the past in the case of all regular weak verbs and of sollen and wollen. Observe the umlaut in the Second

Subjunctive of all other modal auxiliaries, and of denfen, bringen, wiſſen, *i.e.*:

id) dürfte	*I should be allowed*	id) däd)te	*I should think*
id) fönnte	*I might*	id) bräd)te	*I should bring*
id) möd)te	*I should like*	id) müßte	*I should know*
id) müßte	*I should have to*		

The remaining irregular weak verbs have **e** instead of **ä** in the Second Subjunctive, *i.e.*:

id) brennte	id) rennte
id) fennte	id) wendete
id) nennte	id) ſendete

115. *The Optative Subjunctive.* — The subjunctive forms, Type II, are used to express a wish not likely to be realized.

Referring to the present:

1. Wenn er nur hier wäre! *If he were only here!*
2. Wenn id) nur mehr Geld hätte! *I wish I had more money.*
3. Wenn du nur nid)t ſo oft franf würdeſt! *If only you would not become ill so often!*
4. Führen wir nur früher! *If we were only starting earlier!*
5. Dürftet ihr nur mit! *If you could only come along!*
6. Wüßten ſie es nur! *I wish they knew it.*
7. Wenn er mid) nur fragte! *If he would only ask me!*

Referring to the past:

1. Wäre er nur hier geweſen! *Had he only been here!*
2. Hätte id) nur mehr Geld gehabt. *I wish I had had more money.*
3. Wäreſt du nur nid)t ſo oft franf geworden! *If only you had not become ill so often!*
4. Wenn wir nur früher gefahren wären! *If we had only started earlier!*
5. Wenn ihr nur mitgedurft hättet! *If only you could have come along!*
6. Wenn ſie es nur gewußt hätten! *I wish they had known it.*
7. Wenn er mid) nur gefragt hätte! *If he had only asked me!*

Note that wenn may be omitted, in which case the finite verb takes its place.

116. *The Potential Subjunctive* expresses possibility, uncertainty, contingency, etc. Forms of the subjunctive, Type II, are used.

Present Time

1. Ich bliebe nicht so lange. *I would not stay so long.*
2. Ich würde nicht so viel arbeiten. *I would not work so much.*
3. Du könntest mitkommen. *You might come along.*
4. Wir würden die Stadt heute noch erreichen. *We would reach the city today.*
5. Sie kämen auch. *They would come too.*
6. Sie täten es nicht. *They would not do it.*
7. Ich gäbe ihm keine Antwort. *I would not give him any answer.*

Past Time

1. Ich wäre nicht so lange geblieben. *I would not have stayed so long.*
2. Ich hätte nicht so viel gearbeitet. *I would not have worked so much.*
3. Du hättest mitkommen können. *You might have come along.*
4. Wir hätten die Stadt heute noch erreicht. *We would have reached the city today.*
5. Sie wären auch gekommen. *They would have come too.*
6. Sie hätten es nicht getan. *They would not have done it.*
7. Ich hätte ihm keine Antwort gegeben. *I would not have given him any answer.*

Note that when referring to present time, regular weak verbs use the conditional. When referring to past time, the double infinitive must be used for modal auxiliaries and sehen, hören, and lassen (cf. example 3).

117. *Conditional sentences.* — A conditional sentence is a complex sentence composed of a dependent clause introduced by wenn and a conclusion which, when preceded by the *if*-clause, is often introduced by so.

(*a*) In conditional sentences which are not contrary to fact German and English use the indicative:

> Wenn er hier ist, (so) bleibe ich nicht so lange.
> *If he is here, I shall not stay so long.*

Note the use of the present tense in the conclusion, where English preferably uses the future.

(*b*) The conditional sentences appear in the indicative only when the condition is viewed as a fact. If the condition is viewed merely as a possibility, we have a so-called unreal condition, or condition contrary to fact.   In German the *conditions contrary to fact* are expressed by a *combination of the optative and the potential.*   Compare the following examples with the examples given in §§115 and 116 for the optative and the potential:

PRESENT TIME

1. Wenn er hier wäre, (so) bliebe ich nicht so lange.
2. Wenn ich mehr Geld hätte, würde ich nicht so viel arbeiten.
3. Wenn du nicht so oft krank würdest, könntest du mitkommen.
4. Führen wir früher, so würden wir die Stadt heute noch erreichen.
5. Dürftet ihr mitkommen, so kämen sie auch.
6. Wüßten sie es, so täten sie es nicht.
7. Wenn er mich fragte, (so) gäbe ich ihm keine Antwort.

PAST TIME

1. Wenn er hier gewesen wäre, (so) wäre ich nicht so lange geblieben.
2. Hätte ich mehr Geld gehabt, so hätte ich nicht so viel gearbeitet.
3. Wärest du nicht so oft krank geworden, so hättest du mitkommen können.
4. Wenn wir früher gefahren wären, (so) hätten wir die Stadt heute noch erreicht.
5. Wenn ihr hättet mitkommen dürfen, (so) wären sie auch mitgekommen.
6. Wenn sie es gewußt hätten, (so) hätten sie es nicht getan.
7. Hätte er mich gefragt, so hätte ich ihm keine Antwort gegeben.

NOTE: (*a*) Conditional sentences contrary to fact referring to present time use the Second Subjunctive of the present in both clauses (examples 1, 3, 5, 6).   Regular weak verbs preferably use the conditional (*i.e.* Second Subjunctive of the future) in the conclusion (examples 2, 4), but not in the wenn=clause (example 7).

(*b*) Conditional sentences contrary to fact referring to past time use the Second Subjunctive of the past in both clauses, *i.e.* hätt(+ ending), or wär(+ ending) combined with the past participle of the verb in question.   Modal auxiliaries, whenever necessary, use the double infinitive instead of the past participle (examples 3, 5).

(*c*) The conclusion may stand first, followed by the wenn=clause:

Ich bliebe nicht lange, wenn er hier wäre.

(*d*) The conclusion *must* be introduced by so whenever wenn is omitted in the preceding clause.   Otherwise the use of so is optional:

Wäre er hier, so bliebe ich nicht lange.

Eine moralische Geschichte

Drei Burschen, zwei ältere und ein junger, die miteinander reisten, fanden zusammen einen Schatz und teilten ihn. Kurz darauf waren ihre Lebensmittel zu Ende und nun sollte der jüngste von ihnen in die nächste Stadt, um die nötigen Lebensmittel zu kaufen. Auf dem Weg zur Stadt dachte er bei sich: „Nun bin ich reich, ich könnte aber 5 viel reicher sein. Wenn ich allein gewesen wäre und den Schatz allein gefunden hätte, hätte ich jetzt dreimal so viel Geld. Wie wäre es, wenn ich die beiden anderen heimlich ermordete, ohne daß jemand etwas davon wüßte. Am leichtesten wäre es wohl, wenn ich die Lebensmittel vergiftete. Ich würde ihnen einfach sagen, daß ich in 10 der Stadt schon gegessen hätte, dann würden sie ohne Mißtrauen davon essen."

Indes der junge Bursche seinen bösen Plan vorbereitete, hatten seine „treuen Kameraden" ähnliche Gedanken. „Wir brauchen diesen jungen Menschen nicht. Warum sollten wir diesen Schatz nicht 15 allein genießen?" sagten sie zueinander. „Er hat niemand auf der Welt. Sicher würde ihn niemand vermissen, wenn er nicht zurück käme. Niemand würde den Mord entdecken." Und so überfielen sie den jungen Burschen, als er mit den vergifteten Lebensmitteln aus der Stadt zurückkam. Er suchte sich zu wehren, da stießen sie ihm 20 das Messer in die Brust. Dann aßen sie von den mitgebrachten Lebensmitteln und fanden den gerechten Lohn für ihre Sünden.

VOCABULARY

ähnlich similar
böse evil, wicked
indes meanwhile, while
der Lohn (Löhne) reward
das Messer (Messer) knife
der Mord (Morde) murder

nötig necessary
der Schatz (Schätze) treasure
sicher certain
die Sünde (Sünden) sin
zusammen together

entdecken to discover
gerecht just
die Lebensmittel (pl.) provisions
das Mißtrauen distrust

vergiften to poison
wehren to defend
wie wäre es? how about it?

EXERCISES

(a) Express a wish using the optative subjunctive referring to the present, based on the following sentences:

1. Er fängt sie. 2. Das ist verboten. 3. Sie versprechen uns nicht so viel. 4. Sie denkt immer daran. 5. Du liest mehr Bücher. 6. Wir vergessen es nicht so leicht. 7. Sie besuchen uns nicht. 8. Ich darf es selbst tun. 9. Ich kann den ganzen Tag schlafen. 10. Sie lassen mich kommen.

(b) In the sentences of (a) use the optative referring to the past.

(c) Use the potential subjunctive in the following sentences:

1. Wir verlieren durch ihn viel Geld. 2. Sie haben viel mehr Zeit. 3. Ich sehe ihn morgen doch nicht. 4. Sie warten nicht so lange auf mich. 5. Du bekommst gewiß keinen Brief. 6. Er weiß auch keine Antwort. 7. Ich verlasse das Land heute noch. 8. Ihr könnt an sie schreiben. 9. Sie wird zu schnell müde. 10. Wir dürfen ihn besuchen.

(d) Form conditional sentences contrary to fact according to the following model:

Der junge Bursche muß nicht sterben. Er kommt nicht aus der Stadt zurück.
Der junge Bursche müßte nicht sterben, wenn er nicht aus der Stadt zurückkäme.
Der junge Bursche hätte nicht sterben müssen, wenn er nicht aus der Stadt zurückgekommen wäre.

1. Wir haben genug Platz. Tante Marie ist nicht so dick. 2. Sie sehen das Passionsspiel nicht. Sie sind nicht mitgekommen. 3. Der Ritter Eppelin springt nicht über den Graben. Er weiß nicht, daß er sterben muß. 4. Wir besteigen den Feldberg. Tante Martha kommt einige Tage früher. 5. Ich denke daran. Du sagst es mir. 6. Schiller bleibt in Stuttgart. Er darf dort dichten. 7. Schiller flieht aus Stuttgart. Der Herzog verbietet ihm zu dichten. 8. Der vornehme Herr schießt. Die Pistole ist geladen. 9. Thomas Mann kann aus dem Wagen springen. Der Zug fährt nicht so schnell. 10. Kohlhaas läßt die Pferde nicht in der Burg

zurück. Er weiß, wie sie dort mißhandelt werden. 11. Kohlhaas überfällt die Burg nicht. Der Junker verspricht, die Pferde dick zu füttern. 12. Der Junker muß den Schaden ersetzen. Er wird verurteilt.

WRITTEN TRANSLATION

1. Shortly after the three fellows had found a treasure and divided it, their provisions were exhausted (at an-end). 2. "If we only had somebody who could bring us the food from the city, then we should not have to go there (dorthin) with this treasure. 3. People would not believe us if we told them that we have found it," they said to each other. 4. "It would be difficult to find a place for the treasure that is secure enough." 5. Finally they resolved to send the youngest. 6. When he was on his (the) way to the city he thought to (bei) himself, how rich I would become if I had the whole treasure for myself. 7. If I could murder the two others secretly, this treasure would belong to me. 8. What would-be easier than to poison the food that I am-to bring to them? 9. The young fellow carried out his plan, but when he came back with the poisoned food he was attacked and murdered by his older comrades who did not want to divide the treasure with him. 10. The latter, however, died soon after the murdered-man because they ate of (von) the poisoned food.

LESSON XXIV

The Subjunctive, Type I. Indirect Discourse. Clauses Introduced by damit and als ob

118. *The Subjunctive, Type I,* is not found so commonly as the subjunctive, Type II, because many of its forms, being identical with the corresponding forms of the indicative, are no longer used.

The following personal endings are added to the stem to form present, past, and future tenses:

–e	–en
–est	–et
–e	–en

Forms practically non-existent are given below in brackets.

PRESENT TIME

[ich habe]	ich sei	[ich werde]	[ich frage]	[ich nehme]	ich könne
du habest	du seiest	du werdest	du fragest	du nehmest	du könnest
er habe	er sei	er werde	er frage	er nehme	er könne
[wir haben]	wir seien	[wir werden]	[wir fragen]	[wir nehmen]	[wir können]
ihr habet	ihr seiet	[ihr werdet]	ihr fraget	ihr nehmet	ihr könnet
[sie haben]	sie seien	[sie werden]	[sie fragen]	[sie nehmen]	[sie können]

PAST TIME

[ich habe gehabt], du habest gehabt, *etc.*
ich sei gewesen, du seiest gewesen, *etc.*
ich sei geworden, du seiest geworden, *etc.*
[ich habe gefragt], du habest gefragt, *etc.*
[ich habe genommen], du habest genommen, *etc.*
[ich habe gekonnt], du habest gekonnt, *etc.*

FUTURE TIME

[ich werde haben], du werdest haben, *etc.*
[ich werde sein], du werdest sein, *etc.*
[ich werde werden], du werdest werden, *etc.*
[ich werde fragen], du werdest fragen, *etc.*
[ich werde nehmen], du werdest nehmen, *etc.*
[ich werde können], du werdest können, *etc.*

FUTURE PERFECT TIME

[ich werde gehabt haben], du werdest gehabt haben, *etc.*
[ich werde gewesen sein], du werdest gewesen sein, *etc.*

Note that all weak, strong, and irregular verbs form the First Subjunctive by adding the personal subjunctive endings to the stem, the only exceptions being: ich sei and er sei. The stem vowel is never modified unless already so (cf. er nehme, er fahre, er könne).

119. (*a*) *Indirect Discourse.* — When the words or thoughts of a person are not given in their original form, but are quoted, we call the quoted statement Indirect Discourse. In English, the indirect discourse is usually distinguished by a tense that is different from the direct discourse. In German, if possible, the indirect discourse retains the tense of the direct discourse.

> Karl sagte: „Mein Vater ist bei mir."

> Karl sagte, daß sein Vater bei ihm **sei** (or wäre).
> *Charles said that his father* **was** *with him.*

Note that in transforming direct discourse into indirect discourse, pronouns and pronominal adjectives often must be changed in English as well as in German.

(*b*) Colloquial German has the tendency to avoid the subjunctive in indirect discourse, but cultured speech and literature still use the subjunctive widely, *the indicative* occurring only:

(1) When generally accepted facts are stated.

(2) When the introductory verb expresses certainty.

(3) When the speaker wants to emphasize his belief in the truth of what he reports.

(4) When the introductory verb is (*a*) in the first person or (*b*) in the present tense.

Examples:

1. Ich erklärte dem Kind, warum man die Sterne am Tag nicht sehen **kann**.
2. Er wußte, daß wir nicht reich **sind**.
3. Er war überzeugt, daß sie ihm helfen **wird**.
4. (*a*) Wir sagten dir, daß er nicht lange bleiben **wird**.
   (*b*) Sie sagt, daß sie nicht mitgehen will.

(*c*) Otherwise the *subjunctive* must be used to denote indirect discourse. Since the First Subjunctive has forms identical with the indicative in the first person singular and plural, and in the third person plural, only the second person singular and plural, and the third person singular of the First Subjunctive may be used in the indirect discourse to take the place of the Second Subjunctive. When there is a choice between the First and Second Subjunctive many Germans prefer the First Subjunctive. However, the beginning student will never be wrong in using the Second Subjunctive for all persons in indirect discourse. The following outline gives the tenses of the direct discourse with the corresponding tenses for the indirect discourse:

DIRECT DISCOURSE		INDIRECT DISCOURSE
1. Present Indicative	use	Present Subjunctive I or II
2. Past		
3. Present Perfect	use	Past Subjunctive I or II
4. Past Perfect		
5. Future	use	Future Subjunctive I or II
6. Future Perfect	use	Future Perfect Subj. I or II

Examples:

1. „Ich vergeſſe es nicht." — Er ſagte, daß er es nicht vergeſſe (or vergäße).

2. „Ich vergaß es nicht."
3. „Ich habe es nicht vergeſſen."
4. „Ich hatte es nicht vergeſſen." — Er ſagte, daß er es nicht vergeſſen habe (or hätte).

5. „Ich werde es nicht vergeſſen." — Er ſagte, daß er es nicht vergeſſen werde (or würde).

6. „Ich werde es nicht vergeſſen haben." — Er ſagte, daß er es nicht vergeſſen haben werde (or würde).

1. „Wir vergeſſen es nicht." — Sie ſagten, daß ſie es nicht vergäßen.
2. „Wir vergaßen es nicht." — Sie ſagten, daß ſie es nicht vergeſſen hätten.
5. „Wir werden es nicht vergeſſen." — Sie ſagten, daß ſie es nicht vergeſſen würden.

Note that only Subjunctive II may be used in the last three examples, since Subjunctive I would show forms identical with the indicative, *i.e.* vergeſſen, vergeſſen haben, vergeſſen werden.

(*d*) *Omission of* daß. In German as well as in English, the subordinating conjunction daß (*that*) may be omitted. In German the indirect statement will then *retain the word order of the direct statement.*

> Er ſagte, er werde es nicht vergeſſen.
> Sie ſagten, ſie hätten es nicht vergeſſen.

120. *Indirect questions.* — The same relation exists between a direct question and an indirect question as between a direct statement and an indirect statement. Consequently the rules given for indirect discourse also apply for indirect questions.

An indirect question may be introduced by an interrogative, or by the subordinating conjunction ob (*whether, if*). The verb must appear at the end of the clause.

Direct	Indirect
„Vergißt du es nicht?"	Er fragte mich, ob ich es nicht vergäße.
„Wer hat es vergessen?"	Er fragte, wer es vergessen habe (hätte).
„Wann werdet ihr mich besuchen?"	Er fragte uns, wann wir ihn besuchen würden.

121. *Indirect imperative.* — To reproduce an imperative in indirect discourse, German as well as English must resort to circumlocution:

"*Don't work!*"	*He said we should not work.*
„Arbeitet nicht!"	Er sagte, wir sollten nicht arbeiten.
„Arbeite nicht!"	Er sagte, daß ich nicht arbeiten solle.

Note that the First Subjunctive of sollen is combined with the infinitive, the Second Subjunctive being used preferably for the first and third person plural.

122. *Clauses of purpose* are introduced by the subordinating conjunctions damit, daß, and are treated like an indirect statement. The subjunctive is often found even after an introductory verb in the present:

Wir sagten es ihm, damit er sich vorbereite.
We told him in order that he be prepared.

Sie gingen langsam, daß sie nicht zu früh dort ankämen.
They walked slowly so that they would not get there too early.

123. *Clauses introduced by* als ob commonly express doubt or unreality, and therefore employ the First, or preferably the Second, Subjunctive. The present subjunctive I, or II, is used when the clause refers to the present. Subjunctive II of haben or sein is combined with the past participle, or double infinitive, when the clause refers to the past.

Er tut, als ob er arm wäre.   *He acts as if he were poor.*

Er ißt, als ob er zwei Tage lang nichts gegessen hätte.
    He eats as if he had not eaten for two days.

Sie macht den Eindruck, als ob sie nicht hätte schreiben wollen.
    She appears (makes the impression) as if she did not want to write.

In the place of als ob, als wenn may be used.   In such clauses ob and wenn are often omitted and then the verb, or the inflected part of the verb, follows als:

Er tut, als wäre er arm.
Er ißt, als hätte er zwei Tage lang nichts gegessen.
Sie macht den Eindruck, als hätte sie nicht schreiben wollen.

Examples of Indirect Discourse:

I. Herr Zimmermann erzählte:

„Rothenburg **liegt** auf einem Hügel und **ist** sehr alt. Man **kommt** durch ein Tor in die Stadt. Auf der Stadtmauer **werdet ihr** einen Gang sehen mit einem Dach darüber. Auf diesen Gang **kletterte** der Bürger, um seine Stadt zu verteidigen. Am Marktplatz **steht** das Rathaus mit einem Brunnen daneben. Beide **sind** alt und berühmt."

Herr Zimmermann erzählte,

Rothenburg **liege** auf einem Hügel und **sei** sehr alt. Man **komme** durch ein Tor in die Stadt. Auf der Stadtmauer **würden** sie einen Gang sehen mit einem Dach darüber. Auf diesen Gang **sei** der Bürger **geklettert**, um seine Stadt zu verteidigen. Am Marktplatz **stehe** das Rathaus mit einem Brunnen daneben. Beide **seien** alt und berühmt.

II. Man sagte uns:

„Als der Junker nichts von sich hören **ließ**, überfiel Kohlhaas die Burg, **zündete** sie **an** und **ermordete** jeden, der sich ihm in den Weg **stellte**. Den Junker selbst **konnte** er aber nicht finden; der **war** nach Wittenberg **geflohen**. Sobald Kohlhaas das **hörte**, **zog** er mit seinen Knechten nach Wittenberg und **nahm** die unzufriedenen Knechte des Junkers **mit**."

Man sagte uns,

Als der Junker nichts von sich **habe** hören **lassen**, **habe** Kohlhaas die Burg **überfallen**, sie angezündet und jeden **ermordet**, der sich ihm in den Weg **gestellt habe**. Den Junker selbst **habe** er aber nicht finden **können**; der **sei** nach Wittenberg **geflohen**. Sobald Kohlhaas das **gehört habe**, **sei** er mit seinen Knechten nach Wittenberg **gezogen** und **habe** die unzufriedenen Knechte des Junkers **mitgenommen**.

III. Man fragte ihn:

„Warum **haben Sie** gegen die **Ihnen** bekannte Vorschrift der Universität Bier in **Ihrem** Zimmer?" „Ich **trinke** es auf Vorschrift **meines** Arztes," antwortete der Student schnell. „Und **hat Sie** das Bier stärker gemacht?" „Gewiß. Am ersten Tag, als das Faß **kam, konnte** ich es nicht von der Stelle **bewegen.** Nach einer Woche schon **gelang** es mir, das Faß ohne Mühe von einem Ende des Zimmers zum andern zu rollen."

Man fragte ihn,

Warum **er** gegen die **ihm** bekannte Vorschrift der Universität Bier in seinem Zimmer **habe.** Er **trinke** es auf Vorschrift **seines** Arztes, antwortete der Student schnell. Und **ob** ihn das Bier stärker **gemacht habe?** Gewiß. Am ersten Tag, als das Faß **gekommen sei, habe** er es nicht von der Stelle **bewegen können.** Nach einer Woche schon **sei** es ihm **gelungen,** das Faß ohne Mühe von einem Ende des Zimmers zum andern zu rollen.

EXERCISES

(*a*) Change the direct discourse to indirect discourse, using a subordinating conjunction or interrogative:

1. Er fragte mich: „Wann beginnst du mit deinem Kursus?" Ich sagte ihm: „Ich weiß es noch nicht." 2. Wir waren überzeugt: „Dieser Weg führt nicht zum Ziel." 3. Er befahl mir: „Bleiben Sie hier, bis ich wieder komme!" 4. Das Kind fragte: „Warum fliegen die Vögel nach wärmeren Ländern?" 5. Sie dachten: „Wenn wir ihn töten, werden wir allein Herr des Schatzes." 6. Man fragte sie: „Wer kann den Dieb fangen?" Sie antworteten: „Nur einer, der selber ein so schlauer Dieb gewesen ist." 7. Er sagte zu mir: „Ich freue mich, daß es Ihrem Vater wieder gut geht." 8. Ich weiß: „Er ist am Abend nie zu Hause."

(*b*) Render the entire second paragraph in the text of lessons X (page 68), XVI (page 119), and XVII (page 130) in indirect discourse, prefixing Man erzählte uns. Omit the subordinating conjunction.

(*c*) Change the direct discourse to indirect discourse in the text of lesson XIV (page 102) and in the Supplementary Reading of lessons VIII (page 56) and X (pages 71–72).

(*d*) Insert the correct verb form in place of the infinitive in the following sentences:

1. Er machte dem Leben des armen Tieres ein Ende, damit es nicht länger leiden (müssen). 2. Er schlief, als ob es tiefe Nacht (sein). 3. Er ging, damit er nicht wieder gefragt (werden). 4. Ich war so müde, als ob ich eine ganze Woche gelaufen (sein). 5. Er befreite den Gefangenen, damit er ihm gegen seine Feinde (helfen). 6. Er war so erstaunt, als (haben) er nie ein Auto (sehen). 7. Er stieg auf das Dach, damit man ihn besser (sehen). 8. Er tat, als (gefallen) ihm das Mädchen nicht.

REVIEW LESSON V

(Lessons XX–XXIV)

READING EXERCISE

1. Wenn Heinrich von Kleist nur drei Jahre länger gelebt hätte, so hätte er sehen können, wie Napoleon besiegt und Preußen befreit wurde. 2. Es schmerzte ihn, daß er von seinen Mitbürgern nicht als das angesehen wurde, was er in Wahrheit war, der größte Dichter Preußens. 3. Nachdem er, wie es in seiner Familie Sitte war, mehrere Jahre als Offizier im Dienste des Königs gestanden hatte, gefiel ihm diese Lebensweise nicht mehr. So ging er auf die Universität, um sich auf eine Staatsprüfung vorzubereiten. 4. Wir wissen heute noch nicht, was ihn davon überzeugte, daß er Dichter werden müsse. 5. Sein Ehrgeiz, Deutschlands größter Dichter zu werden, trieb ihn von Ort zu Ort. Er hatte das Gefühl, daß Gott ihm zwar den Willen, aber nicht die Kraft geschenkt habe, diesen höchsten Preis zu erringen. 6. Als dann 1806 Preußen von Napoleon vollkommen besiegt wurde, dachte Kleist nicht mehr so viel an sich selbst. Er dachte mehr an sein unterdrücktes Vaterland. Am liebsten hätte er Napoleon selbst ermordet. 7. Zwar kämpfte er als Dichter gegen den Feind, aber das war ihm nicht genug. Wenn er nur wenigstens wieder den Soldatenrock tragen dürfte, so könnte er, wenn der Krieg kam, gegen den Feind ins Feld ziehen. 8. Aber

der König zeigte sein Mißtrauen gegen einen, der Offizier gewesen war und dann das Heer verlassen hatte, um Dichter zu werden. Er wollte Kleist die Erlaubnis nicht geben. 9. Als selbst seine Familie sich weigerte, den Dichter zu unterstützen und ihn so behandelte, als wäre er ein wertloser Mensch (*person*), machte er selbst seinem Leben ein Ende. 10. Was für Werke hätte Kleist noch dichten können, wenn er von seiner Familie und seinem König besser verstanden worden wäre!

DRILL EXERCISE

(*a*) Render the following sentences in the present perfect tense:

1. Er konnte sich nicht so leicht entschließen. 2. Wir durften unsern Lohn wählen. 3. Sie mußten nach Hause zurückkehren. 4. Wir hörten ihn den Fall erklären. 5. Du sahst ihn auf den Acker gehen. 6. Ich ließ sie an die Grenze bringen.

(*b*) Use in the above sentences the potential subjunctive referring to (1) the present, (2) the past.

(*c*) Change into the passive:

1. Einer unsrer Leute befreite den Boten. 2. Der Junker unterstützt die Familie des Knechts. 3. Der Beamte ließ den dicken Herrn nach einer halben Stunde durch. 4. Das Gericht hat meinen kranken Vater nicht daran gehindert. 5. Man hatte den Advokaten an dieser Stelle vergiftet.

(*d*) Change the following simple conditions to conditions contrary to fact referring to (1) the present, (2) the past:

1. Wir nehmen das Angebot an, wenn er uns die Aufsicht überläßt. 2. Gesteht er nicht selbst, so kann er nicht verurteilt werden. 3. Wenn du dich nicht besser vorbereitest, bekommst du nie den ersten Preis. 4. Erkenne ich die Gefahr nicht, so kann ich mich nicht dagegen schützen. 5. Wenn wir mehr verlangen, so werden sie unzufrieden.

(*e*) Reproduce the first twelve lines of the first paragraph in the text of lesson XVII (page 128) in indirect discourse by prefixing Man erzählte uns.

TRANSLATION INTO GERMAN

1. Which university would you choose if you had enough money to study in Germany? 2. Would you like (gern) to study at (auf) the largest university, in Berlin, or would you rather go to a small university where there are older traditions (Traditionen) and where these are better preserved? 3. If I were you, I would visit both kinds of universities. 4. I would stay at a small university [for] at least half a year, then I would choose a university in a large city, in Munich, or in Berlin, where I would have the opportunity to hear famous operas and see important plays. 5. Do you believe that you could speak German well enough in-order (um) to live in Germany? 6. You speak as if I had never been taught [any] German. 7. Don't you know how hard I have been working? 8. If this should be my reward, that I could understand nobody if I did have the opportunity to live in Germany, I would be sorry that I had (have) ever seen this book.

PART II

LESSON I

The Article. Dieſer= and kein=words

124. *Definite article*　　　　　Dieſer=*words* (§ 71)

dieſer, jener, jeder, welcher,
ſolcher, mancher

Masc.	Fem.	Neut.		Masc.	Fem.	Neut.
			Singular			
N. der	die	das		—er	—e	—es
G. des	der	des		—es	—er	—es
D. dem	der	dem		—em	—er	—em
A. den	die	das		—en	—e	—es
			Plural			
N.	die				—e	
G.	der				—er	
D.	den				—en	
A.	die				—e	

125. German uses the definite article more frequently than English (cf. § 2). Contrary to English usage the definite article appears especially:

(a) In a general sense

1. With abstract nouns:

Gebt mir die Freiheit oder den Tod.　*Give me liberty or give me death.*

2. With verbal nouns:

Das Wandern iſt in Deutſchland allgemein beliebt.
"Hiking" is universally popular in Germany.

3. With nouns denoting a whole class or species:

Die Natur dient dem Menſchen.　*Nature serves man.*

199

Note that with groups of words related collectively the article may be omitted.

> Es ruhten Mensch und Tier.   *Men and animals were resting.*

(b) In a specific sense

1. With names of seasons, months, days, streets, and localities:

> Im Winter, besonders im Dezember, sind die Tage in Deutschland kürzer als bei uns. *In winter, especially in December, the days in Germany are shorter than in our country.*

> Am Sonntag kommt er oft auf den Königsplatz.
> *On Sunday he often comes to King Square.*

2. With proper names preceded by a modifier:

> Der junge Goethe hatte viele Freunde.   *Young Goethe had many friends.*

3. With names of countries only when preceded by a modifier or when they are feminine or plural:

> Deutschland grenzt im Osten an Polen und die Slowakei, im Westen an Frankreich, Belgien und die Niederlande und im Norden an das kleine Dänemark.

(c) With nouns expressing measure and weight:

> Eier kosten jetzt fünf Pfennig **das** Stück.
> *Eggs now cost five pfennigs* **apiece.**

> Wieviel kostet **das** Pfund?
> *How much does* **a** *pound cost?*

(d) Instead of the possessive adjective when referring to parts of the body, or to something close to the possessor. A dative of the personal pronoun or noun may be added to indicate the owner:

> Er steckt immer die Hand in die Rocktasche.
> *He always puts his hand in his coat pocket.*

> Er wäscht sich (mir) die Haare.   *He is washing his (my) hair.*

(e) To denote personal relationship in familiar speech:

> Der Vater kommt heute nicht.   *Father is not coming today.*

Contractions of the definite article with prepositions are optional except in a few standard phrases, for instance: im Sommer (cf. § 5, 3a; § 20; § 30, 2).

126. Dieſer and jener, used as pronouns, may take the place of the English *the latter* and *the former*, respectively:

> Die Weſer und die Elbe flieſsen in die Nordſee. An dieſer liegt Hamburg, an jener Bremen. (*Hamburg is situated on the latter, Bremen on the former.*)

Solch, when it precedes an indefinite article, is used as an adverb and has no ending. It is treated like an attributive adjective when it follows the indefinite article. Instead of ſolch, ſo may be used adverbially with the article following:

$$\textit{such a neighbor} \left\{ \begin{array}{l} \text{ſolch ein Nachbar} \\ \text{ein ſolcher Nachbar} \\ \text{ſo ein Nachbar} \end{array} \right.$$

127. Mancher in the singular means *many a*, in the plural, *some:* mancher Soldat, *many a soldier;* manche Soldaten, *some soldiers.* When followed by an adjective manch may be used with or without the ending:

$$\left. \begin{array}{l} \text{mancher junge Soldat} \\ \text{manch junger Soldat} \end{array} \right\} \textit{many a young soldier}$$

128. *Indefinite article*   Kein=words (§ 72)

kein, mein, dein, ſein, unſer, euer, ihr, Ihr

	Masc.	Fem.	Neut.		Masc.	Fem.	Neut.
				Singular			
N.	ein	eine	ein		—	-e	—
G.	eines	einer	eines		-es	-er	-es
D.	einem	einer	einem		-em	-er	-em
A.	einen	eine	ein		-en	-e	—
				Plural			
		None				-e	
						-er	
						-en	
						-e	

129. The indefinite article is omitted in German when an unmodified noun denoting profession or station in life appears in the predicate with forms of ſein and werden:

Mein Bruder iſt Arzt in Berlin.   *My brother is a physician in Berlin.*
Sie war früher Erzieherin.   *She used to be a governess.*

The indefinite article is also omitted after als:

Als Arzt konnte er nicht mehr ſagen.   *As a physician he could not say more.*

130. Ein and the ſein=words, when used as *pronouns*, take the endings of the dieſer=words:

Ein Student lieſt und einer ſchläft.
Haben Sie kein Buch? Nein, ich habe kein(e)s.

131. Nouns of different gender must have their modifiers repeated:

Mein Bruder und meine Schweſter gingen mit.
My brother and sister went along.

Deutſchland

Ein Blick auf die Karte zeigt uns Deutſchland im Herzen Europas. Im Oſten grenzt es an Litauen, Polen und die Slowakei, im Süden an Ungarn, Jugoſlawien, Italien und die Schweiz, im Weſten an Frankreich, Belgien und die Niederlande. Im Norden
5 iſt das kleine Dänemark Deutſchlands einziger Nachbar. Deutſch= land liegt nicht direkt am Atlantiſchen Ozean. Schiffe, die nach Hamburg und Bremen fahren, müſſen entweder an den Küſten von England, Frankreich, Belgien und den Niederlanden vorbei, oder an denen von Schottland, Norwegen und Dänemark.
10 Auf den erſten Blick kann man deutſches Hochland und Tiefland unterſcheiden. Die Norddeutſche Tiefebene nimmt etwa ein Drittel von ganz Deutſchland ein. Nach dem Süden wandernd kommt man zu den vielen Bergrücken des deutſchen Mittelgebirges und endlich an der ſüdlichen Grenze ins Hochgebirge. Tiefebene, Mit=
15 telgebirge und Hochgebirge — jedes hat ſeine eigene Landſchaft, und doch iſt in dieſen verſchiedenen Landſchaften etwas, was man als charakteriſtiſch deutſch empfindet: überall fühlt man die Nähe des

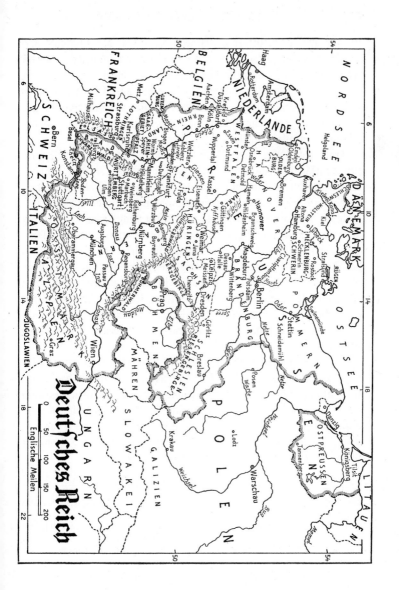

Deutsches Reich

Menschen. Selbst in der Einsamkeit der Heide, des Waldtals oder des Hochgebirges erkennt man immer wieder die sorgende Hand des Menschen. Die Natur ist hier gezähmt, sie dient dem Menschen. Sie ist nicht so heroisch und wild, wie in den nordischen Ländern, sie
5 ist lieblicher und milder. Das Verhältnis zwischen Mensch und Natur ist in Deutschland besonders eng. In keinem Land ist das Wandern so allgemein beliebt.

Frankreich sendet seine Flüsse von der Mitte nach allen Seiten; für Deutschland, das zwischen den Alpen und der Nordsee liegt, ist
10 es charakteristisch, daß seine Ströme fast alle vom Süden nach dem Norden fließen und so Süddeutschland mit Norddeutschland ver=binden. Nur die Donau fließt von Westen nach Osten. Der Main bildet die natürliche Grenze zwischen Nord= und Süddeutschland. Die Donau und der Rhein sind Alpenflüsse, dieser hat seine Quelle in
15 der Schweiz, jene erhält ihre wichtigsten Nebenflüsse aus den Alpen. Die Donau und der Rhein waren in alten Zeiten unter allen Flüssen die wichtigsten Träger der deutschen Kultur. An ihren Ufern entstanden die ältesten deutschen Städte. Die Weser und die Elbe sind die größten Flüsse, die auf deutschem Boden in die Nordsee
20 fließen.

Deutschland liegt nördlicher als die Vereinigten Staaten, seine Lage entspricht der des südlichen Kanada. Deshalb ist das Leben in Deutschland im Sommer angenehmer als in den meisten Gegenden der Vereinigten Staaten. Darum sind in Deutschland die Tage im
25 Sommer länger als bei uns, während der Winter kürzere Tage hat. Im Juni und im Dezember ist der Unterschied in der Tageslänge zwischen New York und Berlin etwa eine Stunde.

ADDITIONAL ACTIVE VOCABULARY

angenehm pleasant
bilden to form, constitute
dienen (*with dat.*) to serve
einzig only
empfinden, empfand, empfunden to feel
die Heide (Heiden) heath
die Karte (Karten) card; (= Land=karte) map
der Mensch (Menschen) human being
die Mitte center
die Natúr (Naturen) nature
der Strom (Ströme) river
umgében (umgibt), umgab, umgeben to surround

QUESTIONS

1. Welches sind Deutschlands Nachbarstaaten im Süden? 2. An welchen Ländern muß ein Schiff vorbei, bevor es Hamburg erreicht? 3. Wo liegt Dänemark? 4. In welchem Teil Deutschlands findet man die höchsten Berge? 5. Wo findet man Heideland? 6. Was ist charakteristisch für die deutsche Landschaft? 7. Wie zeigt sich das enge Verhältnis zwischen Mensch und Natur in Deutschland? 8. Warum fließen die meisten Flüsse in Deutschland von Süden nach Norden? 9. Wo findet man die ältesten deutschen Städte? 10. Warum sind im Juni die Tage in Berlin länger als in New York?

DRILL SENTENCES

1. We see each other once a week. 2. Does he always carry his hat in his hand? 3. We met him Thursday on Frederick Street. 4. Man has not many friends among (unter) the animals. 5. Was he an officer or a common soldier during the war? 6. Winter is about as (so) cold in Germany as (wie) [it is] in southern Canada. 7. He treated me as a friend. 8. Reading (in) a foreign language is easier than speaking. 9. How beautiful life is in these mountains, especially in summer! 10. Many a young student left his university in August 1914 to serve his country. 11. Frankfort is the name of two important cities in Germany, one is on the Main, the other on the Oder. The former is much larger than the latter. 12. Joy is a source of strength. 13. Such a splendid view you can find only in Switzerland. 14. His father and mother were always closest to his heart. 15. Is honor more important than life? 16. Thinking was something terrible for him. 17. These cost one pfennig apiece. 18. Surrounded by nature he felt its magic-power (die Zauberkraft). 19. His mother had never stood in his way when he sought new friends. She had always made life pleasant for-him.

WRITTEN TRANSLATION

1. Germany, as a country in the center of Europe, has many neighbors. 2. One of them, Slovakia, is a new state; Poland became independent after the World War. 3. Little Austria is now a part of the German Reich. 4. In Switzerland seventy of every (je) hun-

dred inhabitants (Einwohner) speak German.   5. In the Netherlands and in Denmark they speak a language which is related (ver=
wandt) to the German language.   6. The most important lake in
Germany is the Lake of Constance (Bodensee), because it borders
on Switzerland and southern Germany.   7. Sailing (*use* fahren) on
this lake is even (noch) more pleasant than hiking on its shores, because from one of these lake-steamers (Bodenseedampfer) you can see
as much in one hour as you can on (zu) foot in a whole day.   8. The
Rhine, coming from Switzerland, flows into the Lake of Constance
and leaves it near the city where Johannes Huss was condemned
to death in June, 1415.   9. The river then forms the border between
Germany and Switzerland until it reaches Basel.   Is there anywhere
else (sonstwo) such a famous river as the Rhine?   10. Think of all
these famous old cities: Strassburg, Speier, Worms, Mainz, Köln.
11. Many a splendid castle looks down (herab) on the Rhine from
its steep rock, many a romantic village is found (*use* man) on its
banks.   12. Nature has shown itself kind (gütig) here, and man has
made it still more beautiful.

LESSON II

Declension of Nouns

132. *Declension of nouns.*   Review §§ 66–68, 73–74.

		STRONG			WEAK	MIXED
		Class I	Class II	Class III	Class IV	Class V
Sing.	N.	—	—	—	–(e)	—
	G.	–s	–(e)s	–(e)s	–en	–(e)s
	D.	—	–(e)	–(e)	–en	–(e)
	A.	—	—	—	–en	—
Pl.	N.	(⸚)	(⸚)e	⸚er	–en	–en
	G.	(⸚)	(⸚)e	⸚er	–en	–en
	D.	(⸚)n	(⸚)en	⸚ern	–en	–en
	A.	(⸚)	(⸚)e	⸚er	–en	–en

Remember that feminine nouns have no change in the singular.

133. *Rules for the use of Umlaut in the plural of nouns:*

CLASS I: Most *masculines* with stem vowel **a, o, u,** and **au** have Umlaut. The most common masculines *without* Umlaut are:

Amerikaner	Daumen	Kuchen	Sommer
Brunnen	Knochen	Morgen	Wagen
Dampfer	Koffer	Onkel	

The two *feminines*, **Mutter** and **Tochter**, and only one *neuter*, **Kloster**, have Umlaut.

CLASS II: Most *masculines* show Umlaut. The following nouns of common usage with stem vowel **a, o, u** have *no* Umlaut:

Abend	Hund	Ort	Schuh
Arm	Mond	Park	Stoff
Erfolg	Mord	Punkt	Tag
Grad	Mund	Ruf	Verlust

Feminines: Umlaut whenever possible, *i.e.* with stem vowel **a, o, u, au**.

Neuters: no Umlaut is used to form the plural.

CLASS III: Umlaut whenever possible.

CLASS IV AND V: No Umlaut is used.

134. A small group of masculines belonging to the *first class* of the strong declension usually omit the final –**n** (or –**en**) in the nominative singular:

SINGULAR			PLURAL
Nominative		Genitive	
der Fels(en)	*rock*	des Felsens	die Felsen
der Friede(n)	*peace*	des Friedens	——
der Funke	*spark*	des Funkens	die Funken
der Gedanke	*thought*	des Gedankens	die Gedanken
der Glaube(n)	*belief*	des Glaubens	——
der Haufe(n)	*heap*	des Haufens	die Haufen
der Schade(n)	*damage*	des Schadens	die Schäden
der Wille	*will*	des Willens	——

135. Words ending in –nis belong to the *second class;* they double the s in the plural:

das Geheimnis, *secret*	die Geheimnisse
das Hindernis, *obstacle*	die Hindernisse
die Kenntnis, *knowledge*	die Kenntnisse
das Verhältnis, *relation*	die Verhältnisse, *circumstances*

136. Most nouns of the third class are neuter. Common masculines are:

der Geist, *spirit*	der Leib, *body*	der Wald, *forest*
der Gott, *God*	der Mann, *man*	

137. Most nouns of the weak declension are feminine. Common masculines are:

der Bote, *messenger*	der Held, *hero*	der Ochs, *ox*
der Buchstabe, *letter*	der Herr, *gentleman*	der Präsidént, *president*
der Erbe, *heir*	der Knabe, *boy*	der Preuße, *Prussian*
der Franzóse, *Frenchman*	der Löwe, *lion*	der Prinz, *prince*
der Fürst, *sovereign*	der Mensch, *human being*	der Soldát, *soldier*
der Graf, *count*	der Narr, *fool*	der Studént, *student*
der Hase, *rabbit*	der Neffe, *nephew*	der Zeuge, *witness*

138. The common masculine and neuter nouns belonging to the *fifth class* are:

MASCULINES

der Bauer, *peasant*	der See, *lake*
der Doktor, *doctor*	der Staat, *state*
der Nachbar, *neighbor*	der Strahl, *ray*
der Proféssor, *professor*	der Untertan, *subject*
der Schmerz, *pain*	der Vetter, *cousin*

NEUTERS

das Auge, *eye*	das Hemd, *shirt*
das Bett, *bed*	das Herz, *heart* (*cf.* § 74)
das Datum (*pl.* Daten), *date*	das Interésse, *interest*
das Drama (*pl.* Dramen), *drama*	das Ohr, *ear*
das Ende, *end*	das Studium (*pl.* Studien), *study*
das Gymnásium (*pl.* Gymnásien), *classical high school*	

139. A few nouns have two plurals with different meanings:

das **Band**	die **Bänder** (*ribbons*),	die **Bande** (*bonds*)	
die **Bank**	die **Bänke** (*benches*),	die **Banken** (*banks*)	
das **Land**	die **Länder** (*countries*),	die **Lande** (*lands*, poetical)	
das **Wort**	die **Wörter** (*disconnected words*),	die **Worte** (*statements*)	

140. Proper names, including feminine names, add −8 in the genitive singular. When the genitive is expressed by the modifier, the proper name does not add the −8: Maries Bücher, Friedrichs Vater, König Friedrichs Vater, Friedrichs des Großen Vater; but, der Vater des Königs Friedrich.

Die Länder des Deutschen Reichs

Vor 150 Jahren gab es in Deutschland noch etwa 400 größere und kleinere Länder und Ländchen, die von Königen, Herzogen und Grafen regiert wurden. Jedes dieser Länder hatte seine eigenen Soldaten, sein eigenes Geld, sein eigenes Recht. Als dann Deutsch= land ein Industriestaat wurde und der Handel wuchs, empfand man 5 die vielen Grenzen innerhalb des Reichs als ein Hindernis. All= mählich wurden die kleinsten Staaten mit größeren vereinigt, bis ihre Zahl nach dem Weltkrieg auf siebzehn herabsank. Und heute? Politisch sind diese Länder nur noch Teile des einheitlichen Deutschen Reichs, kulturell aber sollen sie ihren besonderen Charakter bewahren. 10 Denn diese Länder, wie sie heute bestehen, entsprechen zum großen Teil den alten deutschen Stämmen, von denen jeder durch viele hundert Jahre mit seinen besonderen Charaktereigenschaften auf seine eigene Weise zur Entwicklung der deutschen Kultur beigetragen hat. Auch haben die früheren Fürsten dieser Länder ihren Ehrgeiz oft auf 15 das kulturelle Gebiet gelenkt, da sie politisch nur eine geringe Rolle spielen konnten. So entstanden jene herrlichen Kirchen, Theater, Opernhäuser und Universitäten. Denken Sie auch daran, wieviel Goethe seinem Herzog von Weimar verdankte, oder Richard Wagner dem König von Bayern. 20

Das größte deutsche Land ist Preußen, das seine führende Stellung den Hohenzollern verdankt. Im Jahre 1415 gab der Deutsche

Kaiser einem süddeutschen Grafen aus dem Hause der Hohenzollern das Gebiet um Berlin, Brandenburg genannt. Die neuen Kurfürsten von Brandenburg hatten zuerst einen schweren Kampf gegen die Junker und Städte ihres Gebiets. Im 17. Jahrhundert aber wuchs
5 ihre Macht. Friedrich Wilhelm, der Große Kurfürst, einer der größten Staatsmänner jenes Jahrhunderts, erhob das Haus Hohenzollern zum ersten Mal zu einer Machtstellung in Europa. Sein Sohn erhielt 1701 vom Kaiser das Recht, sich die Krone von Preußen aufs Haupt zu setzen. Der Enkel dieses ersten Königs
10 von Preußen war Friedrich der Große, unter dessen Regierung (1740–1786) Preußen eine moderne Großmacht wurde, die dann im neunzehnten Jahrhundert die Führung in Deutschland übernahm.

Vorher war Österreich der führende Staat, aus dem seit dem
15 15. Jahrhundert die Kaiser des alten Deutschen Reiches kamen. Diese Kaiser aus dem Hause Habsburg sorgten aber mehr für ihre Hausmacht als für das Wohl des Reichs. Sie vereinigten fremde Völker unter ihrer Herrschaft, was zu Uneinigkeit und Krieg führte. Nach dem Weltkrieg trennten sich diese fremden Völker vom alten
20 Kaiserreich Österreich=Ungarn, sodaß Österreich nur noch das Gebiet der Deutsch=Österreicher umfaßte. Es ist natürlich, daß diese Deutsch=Österreicher, die zum alten Stamm der Bayern gehören, 1938 wieder zum Deutschen Reich zurückkehrten. Kulturell hat Österreich sich besonders auf dem Gebiet der Musik ausgezeichnet.
25 Hier erinnern wir uns an die Namen Haydn, Mozart, Beethoven und Franz Schubert. Österreich wird seit 1938 die Ostmark genannt.

Die Kurfürsten von Bayern, Sachsen und Württemberg wurden von Napoleon I. zu Königen erhoben, da sie sich im Kampf gegen
30 Preußen auf Frankreichs Seite stellten. Die kulturelle Bedeutung dieser Länder wird uns klar, wenn wir an Kulturzentren wie Dresden und Leipzig in Sachsen, Nürnberg und München in Bayern denken, oder an die Dichter und Denker, die Württemberg hervorgebracht hat: Schiller, Hölderlin und Mörike, Schelling und Hegel. Was
35 ist nun Thüringens kulturelle Bedeutung? Liegt nicht Weimar dort

und erweckt Weimar in uns nicht Gedanken an eine Welt höchster Kultur, in der Goethe viele andere Sterne erster Größe überstrahlt?

Endlich sei noch Baden genannt, mit seinen herrlichen Universitätsstädten Freiburg und Heidelberg, dann die kleinen norddeutschen Staaten, und die freien Reichsstädte, Hamburg, Bremen und Lübeck, 5 die auf eine so glänzende Vergangenheit zurückblicken können.

ADDITIONAL ACTIVE VOCABULARY

der **Enkel** (Enkel) grandson
gering slight
das **Haupt** (Häupter) head
herrlich splendid
der **Kaiser** (Kaiser) emperor

die **Krone** (Kronen) crown
der **Stamm** (Stämme) trunk, tribe
die **Vergangenheit** past
die **Weise** way, manner
die **Zahl** (Zahlen) number

QUESTIONS

1. Wer regierte früher in den Ländern des Deutschen Reichs? 2. Warum sank die Zahl der Länder im 19. Jahrhundert? 3. Wie zeigten die Fürsten ihren Ehrgeiz auf kulturellem Gebiet? 4. Wie kamen die Hohenzollern nach Norddeutschland? 5. Welches waren die beiden größten Fürsten aus dem Hause der Hohenzollern? Wann lebten sie? 6. Warum wurden nichtdeutsche Völker mit Österreich vereinigt? 7. In welchem Jahrhundert lebten Haydn und Mozart? 8. Nennen Sie zwei berühmte Städte in Bayern. Was wissen Sie von diesen Städten? 9. In welchem Land liegt Leipzig? Weimar? Heidelberg?

EXERCISE

Read, changing all nouns into the plural, and, if possible, give reasons for class membership:

1. Wie oft fährt der Dampfer? 2. Sein Sohn und sein Enkel wurden auch Soldaten. 3. Nicht jeder Mensch ist ein Held. 4. Von diesem deutschen Stamm haben wir noch nie gehört. 5. Eine solche Freundschaft findet man nicht oft. 6. Mein Bruder hat sein Kind in der gleichen Schule. 7. Auf welcher Universität hat sein Neffe studiert? 8. Er fand kein besonderes Hindernis. 9. Der Feind hatte an diesem Ort fast keinen Verlust gehabt. 10. Im

Tale jahen sie ein Licht. 11. In schwerem Kampf hatte er den Grafen besiegt. 12. An dieser Küste kann kein Mensch leben. 13. Was ist ihnen wichtiger, ein guter Staatsmann oder ein großer Heerführer? 14. Er erkannte die Schwäche seines Kollegen zuerst nicht. 15. Jenes romantische Schloß steht am Ufer des Rheins. 16. Die Regierung dieses Landes konnte ihm nicht helfen. 17. Ist dieses Land ein Königreich oder ein Herzogtum? 18. Welche Charaktereigenschaft hat ihm eine solche hohe Stellung verschafft? 19. Das ist eine Wahrheit, die man nicht beweisen kann. 20. Der Wagen des Herrn wartet schon seit einer Stunde auf ihn.

WRITTEN TRANSLATION

1. The number of the German states sank to (auf) 36 when many free cities and little countries were united with larger states before and after the Napoleonic (–isch) Wars. 2. Thuringia, Württemberg, Baden, and Bavaria correspond to-the territories where various old German tribes had settled (*use* sich niederlassen). 3. Many of the capitals of the smaller German states were cultural-centers with beautiful castles, theaters, and opera-houses.

4. The strength of old Prussia rested on its well-trained soldiers and officials. 5. The Great Elector wanted to unite his various territories, but the princes of Germany and of the neighboring-countries placed (legen) too many obstacles in his (the, cf. § 125, 3d) way. 6. The Elector's son did not have the great political qualities of his father, and the Emperor gave him (the) permission to place the crown of Prussia on his (the) head only because he needed the Elector's soldiers to defend himself against the King of France.

7. Saxony is an industrial-state. 8. Do you know which of (von) its industries has become especially famous? 9. Bavaria and Württemberg were governed at first by counts. 10. After several centuries the latter became dukes, then electors and finally kings. 11. Both countries are famous for (wegen) their lovely valleys and hills and their beautiful forests. 12. Bavaria has higher mountains and more lakes than Württemberg.

LESSON III

Formation and Gender of Nouns

Formation of the noun

141. Nouns derived from the verb:

(*a*) Infinitives may be used as neuter nouns: das Wandern, das Ausführen, etc. Cf. § 125*a*.

(*b*) Many nouns are formed from infinitive stems, and most of them are masculines: der Fall, der Schlaf, der Befehl, der Halt, der Ruf.

(*c*) Many masculines and some neuters are identical with the past stem of strong verbs: der Stand (*status*), der Griff (*handle*), das Band (*ribbon*); feminines usually add –e: die Sprache (*language*), die Gabe (*gift*).

(*d*) Nouns derived from strong verbs of the second class (*i.e.* with stem vowels ie — o — o) are masculine and show stem vowel u: der Fluß, der Schuß.

(*e*) The suffix –er affixed to the verbal stem denotes the agent: der Führer, der Sprecher, der Diener.

(*f*) Some feminines are formed from the verbal stem by adding –e; they usually denote the effect of the action indicated in the stem: die Rede (*speech*), die Bitte (*petition*), die Liebe.

(*g*) The suffix –nis forms mostly neuter nouns from verbs and adjectives: hindern: das Hindernis; geheim: das Geheimnis; cf. § 135.

(*h*) There are a few neuters with the suffix –sal (–sel) added to the verbal stem: das Schicksal (*fate*), das Rätsel (*puzzle*).

(*i*) The suffix –ung is used very frequently with the verbal stem: die Bewegung (*movement*), die Hoffnung (*hope*), die Entscheidung (*decision*).

142. Nouns derived from adjectives:

(*a*) Abstract nouns of the feminine gender are derived from many adjectives by adding final –e. Umlaut occurs where possible: die Größe, die Tiefe.

(*b*) The suffix –heit is added to some adjectives to form abstract nouns: die Freiheit, die Klarheit. Adjectives ending in –ig, –lich, and –sam have the suffix –keit: die Heiligkeit (*holiness*), die Möglichkeit (*possibility*), die Einsamkeit (*loneliness*).

(*c*) The suffix –ling added to a few adjectives forms masculine nouns of the second class possessing the quality indicated by the adjective: der Liebling (*darling*), der Schwächling (*weakling*).

143. Nouns derived from nouns:

(*a*) The suffix –ei, which is always stressed, is added to a noun ending in –er and expressing an agent (cf. § 141e) to show the occupation or place of occupation: die Bäckerei (*bakery*), die Buchbinderei (*book binding* or *book bindery*). Sometimes a disparaging meaning is conveyed: die Spielerei (*useless playing*).

(*b*) The suffix –in added to masculine nouns denoting occupation and rank forms the corresponding feminine nouns: die Lehrerin, die Göttin; cf. § 73.

(*c*) The suffixes –chen and –lein, added to almost any noun, imply that the speaker thinks of something which is small or dear to him: das Städtchen, das Schwesterlein; cf. § 66.

(*d*) The suffix –schaft corresponds to the English –*ship* in *friendship*, and usually forms abstract and collective nouns from nouns and adjectives: die Feindschaft (*enmity*), die Bürgerschaft (*citizenry*), die Eigenschaft (*quality*).

(*e*) The suffix –tum is added to some nouns and adjectives to form collective nouns or nouns expressing a status or rank:

baß Bürgertum (*bourgeoisie*), baß Deutſchtum (*the German element*).

(*f*) The prefix Miß– corresponds to the English prefix in *misconduct* and is used with nouns and verbs. The prefix is stressed with nouns but unstressed with verbs: ber Mißbrauch (*misuse*), mißbrauchen (*to abuse*).

(*g*) Un– is prefixed to nouns and adjectives. It is stressed and corresponds to *un*– in English *unlikely*. It expresses the lack or opposite of what is indicated in the stem: baß Unglück (*misfortune*), bie Unſchuld (*innocence*), unangenehm (*disagreeable*).

144. Compound nouns (review § 75) may be composed of two nouns, of adjective and noun, of verb and noun, of adverb, preposition, or particle and noun.

(*a*) When two nouns are combined, the first noun may be in the nominative singular, the genitive singular, or the nominative plural: ber Marktplatz, ber Staatsbeamte, bie Knabenſchule. Often a connective –e is used when the first element is a monosyllable: baß Herzeleid (*heartache*), baß Hundeleben (*dog's life*). Singular feminine nouns as first components sometimes add –n or –en (a remnant of an old ending) or –ß (in analogy to masculines and neuters): bie Frauenkirche (*Church of Our Lady*); baß Univerſitätsgebäude.

(*b*) The adjective in combination with the noun is not inflected: ber Schnellzug (*express train*), bie Kleinſtadt.

(*c*) The verbal stem as the first element of a compound sometimes has a connective –e: ber Leſeſaal (*reading room*), baß Wartezimmer.

(*d*) Some adverbs, prepositions, and particles may be combined with nouns: ber Vielwiſſer (*know-it-all*), bie Nachwelt (*posterity*), baß Jawort (*assent, i.e.* to marry).

NOTE: Compound nouns easily resolved into their components are not listed separately. See vocabulary under components.

145. *Gender of nouns*

1. Masculines:

(*a*) The names of males, days of the week, months, seasons, points of the compass: ber Fuchs, ber Sonntag, ber März, ber Sommer, ber Süben.

(*b*) Monosyllables derived from a verbal stem: ber Fall, ber Ritt (cf. § 141*b*).

(*c*) Nouns ending in −er derived from verbs (cf. § 141*e*): ber Arbeiter.

(*d*) Nouns ending in −en (except infinitives used as nouns) and −ling: ber Garten, ber Frembling.

2. Feminines:

(*a*) Names of female beings, trees, flowers, and most German rivers: bie Henne, bie Tanne (*fir tree*), bie Rose, bie Elbe (but ber Rhein, ber Main).

(*b*) Most nouns of two syllables ending in −e, except those denoting males: bie Woche, bie Größe.

(*c*) Most abstract nouns: bie Pflicht (*duty*), bie Tugenb (*virtue*).

(*d*) Nouns ending in −ei, −heit, −keit, −schaft, −ung, −in, and foreign nouns ending in −tion, −ie, −ur, −if, −tät: bie Bäckerei, bie Freiheit, bie Einsamkeit, bie Landschaft, bie Hoffnung, bie Freunbin, bie Nation (pronounce t like *ts* in *cats*), bie Philoso= phie, bie Natur, bie Botanik, bie Universität.

3. Neuters:

(*a*) Names of most of the elements, most countries and cities: bas Golb, bas neue Deutschlanb, bas alte Wien (*Vienna*).

(*b*) All infinitives used as nouns (cf. § 125*a*): bas Wanbern.

(*c*) Collective nouns beginning with Ge− and ending in −e: bas Gebirge (*range of mountains*).

(*d*) Nouns ending in −chen, −lein, −tum (except ber Irrtum, ber Reichtum), and most nouns ending in −nis, −sal, −sel: bas Mäbchen, bas Fräulein, bas Rittertum (*knighthood*), bas Ge= heimnis, bas Schicksal, bas Rätsel.

146. Some common nouns that have two genders with different meanings are:

der **Band** (die **Bände**), *volume*	das **Band** (die **Bänder**), *ribbon*
der **Erbe** (die **Erben**), *heir*	das **Erbe**, *inheritance*
der **Heide** (die **Heiden**), *heathen*	die **Heide** (die **Heiden**), *heath*
der **Leiter** (die **Leiter**), *leader*	die **Leiter** (die **Leitern**), *ladder*
der **See** (die **Seen**), *lake*	die **See**, *ocean*
die **Steuer** (die **Steuern**), *tax*	das **Steuer** (die **Steuer**), *rudder*
der **Tor** (die **Toren**), *fool*	das **Tor** (die **Tore**), *gate*
der **Verdienst**, *earnings*	das **Verdienst** (die **Verdienste**), *merit*

Deutsche Verkehrswege

Für das Deutsche Reich, das im Herzen Europas liegt, ist ein gut entwickeltes Verkehrssystem von größter Wichtigkeit. Was Deutschland auf diesem Gebiet von den Vereinigten Staaten unterscheidet, ist die genaue Koordination der verschiedenen Verkehrsmittel durch staatliche Aufsicht. Die Eisenbahnen gehörten zuerst 5 Privatgesellschaften, wurden aber bald Eigentum der einzelnen deutschen Staaten. Nach dem Weltkrieg vereinigte man die verschiedenen Eisenbahnsysteme zu einer „Reichsbahn", die dann die Haupteinnahmequelle für die Reichsregierung wurde. Von 1924 an wurde die Reichsbahn einige Jahre lang von den Siegerstaaten als Garantie 10 für die Reparationszahlungen des Reichs angesehen. Größte Pünktlichkeit, Sicherheit und Reinlichkeit zeichnen die deutsche Reichsbahn mit ihren Zügen und Bahnhöfen aus. Den drei verschiedenen Wagenklassen entsprechen die Wartesäle erster, zweiter und dritter Klasse.

Für den Warenverkehr sind die Wasserstraßen vielleicht noch 15 wichtiger als die Eisenbahnen. An dem deutschen Wasserstraßensystem wird immer noch gebaut. Die großen Ströme Rhein, Weser, Elbe und Oder sollen durch Kanäle mit der deutschen Ostgrenze verbunden werden. Der große Rhein=Main=Donau=Kanal ist zum Teil vollendet. Er soll die Nordsee mit dem Schwarzen Meer ver= 20 binden und so Waren von Westeuropa nach dem Morgenland bringen. Der Rhein selber ist bis nach Basel schiffbar und bildet so eine Wasserstraße von der Schweiz an die Nordsee.

Obgleich der Autoverkehr in Deutschland heute noch leichter ist als

der in England oder Frankreich, sollen die deutschen Autostraßen
besser sein, als die der anderen Länder Europas. Für jedes deutsche
Auto haben die Vereinigten Staaten etwa 250 Autos. Trotzdem
ist eine „Reichsautobahn" modernster Art geplant und begonnen.
5 Hier wird der Fahrtgeschwindigkeit keine Grenze gesetzt, denn es gibt
auf dieser Autostraße keine Hindernisse, keine Kreuzwege, weder Fuß=
gänger noch Radfahrer. Kreuzende Straßen werden höher oder
tiefer gelegt. Die Reichsautobahn führt durch keine Städte und
keine Dörfer, sie führt aber durch die herrlichsten Gegenden Deutsch=
10 lands: die Bayrischen Alpen, den Schwarzwald, das Rheintal. Die
Straße ist überall gleich breit und besteht aus zwei, je 10 Meter
breiten Bahnen, die durch einen 5 Meter breiten Streifen getrennt
sind, der mit Bäumen und Büschen bepflanzt ist. So wird der
Autofahrer nicht durch die Lichter eines ihm entgegenkommenden
15 Autos geblendet. Schönheit und Sicherheit gehen also hier Hand in
Hand. Scharfe Kurven gibt es nicht, so kann man sie in schneller
Fahrt nehmen und immer wenigstens zwei Kilometer weit sehen.
Da kann einem das Autofahren wirklich Vergnügen machen. Die
Hauptlinie von Norden nach Süden soll von Lübeck nach Hamburg,
20 Bremen, Hannover, Kassel, Frankfurt am Main, Mannheim,
Speyer, Stuttgart nach München führen. Die andere Hauptlinie
soll vom äußersten Nordosten Tilsit nach dem Westen gehen, über
Königsberg, Danzig, Stettin, Berlin, Magdeburg, Hannover nach
Essen. Etwa 150 000 junge Leute sollen beim Bau dieser Auto=
25 straße Arbeit finden. In den ersten Jahren mußte der Benutzer der
Reichsautobahn manchmal eine Gebühr bezahlen, die das Fahren
auf dieser Straße teurer machte als das Eisenbahnfahren.

ADDITIONAL ACTIVE VOCABULARY

die **Bahn** (Bahnen) track
der **Busch** (Büsche) bush
einzeln individual
die **Eisenbahn** (Eisenbahnen) railroad
genau exact
die **Linie** (Linien) line
das **Meter** (Meter) meter

scharf sharp
trennen to separate
das **Vergnügen** (Vergnügen) enjoyment, pleasure
die **Ware** (Waren) merchandise
das **Wasser** water
weder . . . noch neither . . . nor

Reichsautobahn, Darmstadt-Frankfurt.

Courtesy German Railroads Information Office, New York

QUESTIONS

1. Warum sind gute Verkehrswege für Deutschland besonders wichtig? 2. Wem gehörten die deutschen Eisenbahnen früher? Wem gehören sie heute? 3. Warum stellten sie eine gute Garantie für die Reparationszahlungen dar? 4. Was wissen Sie über die deutschen Bahnhöfe? 5. Warum gibt es auf der Reichsautobahn keine Grenze für die Fahrtgeschwindigkeit? 6. Was unterscheidet die Reichsautobahn von andern Autostraßen? 7. Warum wird die Reichsautobahn gebaut, obgleich Deutschland viel weniger Autos hat als die Vereinigten Staaten? 8. Bei welcher Stadt sollen sich die zwei Hauptlinien der Reichsautobahn kreuzen?

EXERCISES

(a) Arrive at the meaning of the new nouns without consulting the vocabulary:

1. Man mußte die Treue und Stärke dieses Bauerntums bewundern. 2. Ich habe kein Verständnis für diese Lehre. 3. Hast du den Genuß einer solchen Wanderung erkannt? 4. Unten war eine Schuhmacherei, oben hatte er eine Dreizimmerwohnung. 5. Schlag, Stoß und Schuß kamen rasch hintereinander. 6. Sie hatten uns ihre Erlebnisse während der Gefangenschaft erzählt. 7. In der Eile hatte ich seinen Befehl vergessen. 8. Er hatte den Streitereien unter der Arbeiterschaft ein Ende gemacht. 9. Wir mußten alle unter der Unhöflichkeit dieses Fremdlings leiden. 10. Ich habe nichts von dem Bruch zwischen den Leitern des Deutschtums hier gehört. 11. Haben Sie die Tiefe dieses Gedankens erlebt? 12. Er sprach im Interesse des Beamtentums, besonders der Lehrerschaft. 13. Die Einfachheit und Klarheit seiner Sprache gefiel mir.

(b) Find in the German text examples for the various types of compound nouns discussed in § 144a–c.

(c) Insert the correct form of the modifiers following the rules given for the gender of nouns:

1. Wenn (the) Winter kommt, reisen wir nach (the) Süden. 2. Er konnte mir (no) Beweis (of his) Größe geben. 3. Das steht

(*in the*) 6. Band (*of his*) Lehre (*of the*) Physik. 4. (*The*) Gelände zwischen (*the*) Weser und (*the*) Oder ist flach. 5. Er folgte (*the*) Ruf (*of his*) Kirche. 6. Wen stellt (*this*) Bildnis dar? 7. Das war (*the*) Schicksal (*of a*) Neulings. 8. Ohne (*such a*) Extraverdienst könnte er (*the*) Steuer nicht bezahlen. 9. (*The*) größte Gewinn (*of his*) Reise war (*his*) Bekanntschaft mit (*the*) Leiter (*of the*) Studentenschaft. 10. Das ist (*the*) Gerede (*of a*) Toren. 11. Er kam nach (*his famous*) Rom und fand (*a new*) Italien. 12. (*The*) Schießerei begann in (*the*) Nähe (*of the*) Universität. 13. Er machte (*no*) Geheimnis aus (*our*) Entschluß. 14. (*This*) Aufstieg (*of the*) Bauerntums machte (*to the*) Herrschaft der Ritter ein Ende.

WRITTEN TRANSLATION

1. Railways are no longer the only chief-means-of-communication. 2. In the United States autos have taken-over an important part of the transport-of-goods, while in Germany the water-ways perform (*leisten*) a similar service. 3. (The) air-travel attains a greater speed than the travel-by-rail, but most people will prefer (*use* lieber) for-a-long-time yet to travel by rail on account of its (the) greater safety. 4. The railroads in the United States are owned by (are the property of) large private-companies, but a co-ordination of the various railway-systems is attempted and in part carried-out by the government. 5. (The) traveling-by-rail in the United States used to be (was formerly) much more expensive than a railroad-trip third (*genitive*) class in Germany. 6. In Germany only the wealthy travel second class, while the Americans ride first class. 7. But only fast-trains carry (have) first class. 8. The seats in the railroad-cars in this country are about as comfortable as those of the second class in Germany. 9. Although the prices are not especially high, the German railroads have been an important source-of-revenue for the government. 10. Bismarck would have liked (*use* gern) to take-over the railway-systems of the individual German states, but he did not succeed. 11. The new [feature] that distinguishes the Reichsautobahn from the auto roads in this country is the strip which separates the two lanes so that the motorist is not blinded by the lights of the cars coming-toward him.

LESSON IV

Declension and Formation of Adjectives

147. (a) The predicate adjective: Dieser Soldat ist schlau. The attributive adjective: Dies ist ein schlauer Soldat (§ 54).

(b) The endings of the adjective (§§ 70–72):

		STRONG			WEAK (after dieser)			MIXED (after kein)		
		Masc.	Fem.	Neut.	Masc.	Fem.	Neut.	Masc.	Fem.	Neut.
Sing.	N.	–er	–e	–es	–e	–e	–e	–er	–e	–es
	G.	–en	–er	–en	–en	–en	–en	–en	–en	–en
	D.	–em	–er	–em	–en	–en	–en	–en	–en	–en
	A.	–en	–e	–es	–en	–e	–e	–en	–e	–es
Pl.	N.	–e			–en			–en		
	G.	–er			–en			–en		
	D.	–en			–en			–en		
	A.	–e			–en			–en		

(c) The adjective following **andere, einige, mehrere, solche, viele, wenige**: einige alte Leute

The adjective following **alle** and **manche** (§ 76): alle freien Plätze

(d) The adjective used as noun (§ 59, § 61):

du Deutscher	dieser Deutsche	ein Deutscher
etwas Kleines	dieses Kleine	ein Kleines
	dieser Gefangene	ein Gefangener

(e) The present and past participles as adjectives (§ 62, § 63):

| ein denkender Mensch | eine geladene Pistole | mein verlorenes Geld |
| der denkende Mensch | die geladene Pistole | das verlorene Geld |

148. *Formation of the adjective*

1. Adjectives derived from nouns:

(*a*) The suffix –haft indicates that something partakes of the nature of or acts in the manner of that which the noun implies. The English suffix –*like* corresponds to it: der Traum: traumhaft (*dreamlike*), tugendhaft (*virtuous*).

(*b*) The suffix –ig corresponds to –*y* in *airy* and is usually added to nouns: mächtig (*mighty*), waldig (*woody*), freudig (*joyous*).

(*c*) The suffix –ijch corresponds to the English –*ish* in *boyish:* dichterijch (*poetic*), amerifanijch (*American*); sometimes it conveys a disparaging meaning: findijch (*childish*), herrijch (*domineering*).

(*d*) The suffix –lich corresponds to the English –*ly* in *motherly:* freundlich (*friendly*), findlich (*childlike*), häuslich (*domestic*). This suffix is also added to verbal stems: lieblich (*lovely*), and to adjectives: fränflich (*sickly*).

(*e*) The suffix –los corresponds to the English –*less:* treulos (*faithless*), freudlos (*cheerless*).

2. Adjectives derived from verbs:

(*a*) The suffix –bar corresponds to the English –*able* and –*ible* in *thinkable, legible,* and expresses possibility and capability: eßbar (*eatable*), jichtbar (*visible*), faßbar (*seizable, comprehensible*).

(*b*) The suffix –jam expresses close connection: furchtjam (*timid*), jchweigjam (*taciturn*), folgjam (*obedient*).

3. Adjectives derived from proper nouns:

Adjectives may be formed from proper names by adding –ijch or sometimes –jch: goethijcher Geijt, die Lejjingjchen Dramen. Adjectives denoting nationality also end in –ijch: italienijch. Adjectives derived from names of cities end in –er and are not declined except when used as nouns: die Familie eines Berliner Freundes (eines Berliners).

Adjectives with the suffix –er are capitalized whereas those with suffix –iſch, when expressing a type, are not capitalized.

4. Compound adjectives:

Adjectives may be compounded:

(a) with nouns either in the nominative or genitive: goldgelb, lebenslang.

(b) with adjectives and adverbs: ſchwarzhaarig, vielgeliebt.

Die Hanſa

Der Urſprung der Hanſa liegt im 14. Jahrhundert. Damals ſchloſſen mehrere bekannte norddeutſche Städte einen Bund zum Schutz ihres Handels. Oft waren ihre reichen Kaufleute auf offener Landſtraße von einem der vielen Raubritter überfallen worden. 5 Nun ſollte dieſem Zuſtand ein Ende gemacht werden. Der neu ge= gründete Städtebund, die Hanſa genannt, ſollte die Kaufleute mit ſeinen eigenen Soldaten ſchützen. Er brauchte nicht mehr bei dem machtloſen Kaiſer, der mit den rebelliſchen Fürſten und Herzogen genug zu tun hatte, vergeblich zu klagen. Bald wurde Lübeck die 10 führende Stadt im Bund und blieb es bis zum 17. Jahrhundert. Lübeck liegt an der Oſtſee, die damals eine wichtige Verkehrsſtraße zwiſchen dem Weſten und dem Oſten war. Die Herrſchaft über die Oſtſee wurde daher das nächſte Ziel des Bundes. Er führte einen erfolgreichen Kampf nicht nur gegen die rohen Raubritter, ſondern 15 auch gegen die gefährlichen Seeräuber. Nicht weniger wichtig war die friedliche Ausbreitung des Bundes. Er gründete immer mehr ſogenannte „Faktoreien" in den verſchiedenen Städten an den Küſten der Oſtſee. Die bedeutendſten unter ihnen waren in Bergen und Danzig. Die Kaufleute des Bundes mußten in den Handels= 20 häuſern der Hanſa, den „Faktoreien", wohnen, und ihr Leben war nach ſtrengen Regeln geordnet. Der freie Verkehr mit den Perſonen des fremden Landes war ihnen nicht geſtattet, und ſie mußten ihre Waren zu einem vom Bund beſtimmten Preis verkaufen. Ein beſtimmter Teil des Gewinns floß in die allgemeine Kaſſe der Hanſa. 25 So erklärt ſich der raſch wachſende, außerordentliche Reichtum des Bundes.

Als nach der Entdeckung Amerikas die verschiedenen Staaten am Atlantischen Ozean für den Handel wichtiger wurden, gründete die Hansa ihre „Faktoreien" auch in Belgien, den Niederlanden und Italien. Die mächtige Stellung der Hansa zeigte sich besonders in ihrem beherrschenden Einfluß in Schweden und Dänemark. Lübeck, 5 die Führerin des Bundes, war gefürchteter als mancher der großen Staaten Europas. Im 16. Jahrhundert begann die Hansa von ihrer Höhe herabzusinken. Mit der Reformation nahmen einige Hansastädte die neue Religion an, während andere der alten treu blieben. So kam es zu innerem Streit. Immer öfter kam es vor, 10 daß die einzelnen Kaufleute den alten, strengen Gesetzen des Bundes nicht mehr gehorchten. Sie mischten sich unter die Bevölkerung des Landes und suchten ihren eigenen Vorteil. Auch die fremden Regie= rungen wollten die Vorrechte der Hansa nicht mehr anerkennen. Im 17. Jahrhundert wurden die Russen die Herren der Ostsee, und in 15 England hatte die Königin Elisabeth die deutschen Kaufleute schon früher aus London vertrieben. Im Jahre 1669 versammelte sich der Städtebund zum letzten Mal. Hamburg, Bremen und Lübeck werden noch heute die freien Hansastädte genannt. Hamburg und Bremen erleben durch den Handel mit Amerika eine neue Blüte, 20 während Lübeck und Danzig viel von ihrer früheren Bedeutung ver= loren haben. Aber herrliche, alte Gebäude erzählen uns auch hier von der vergangenen Macht.

ADDITIONAL ACTIVE VOCABULARY

das **Beispiel** (Beispiele) example
bestimmen to determine
damals at that time
fürchten to fear
der **Gewinn** (Gewinne) profit
gestatten to permit
klagen to complain, lament

mischen to mingle
die **Person** (Personen) person
der **Ursprung** (Ursprünge) origin
vorkommen, kam vor, ist vorgekom=
men to occur
der **Zustand** (Zustände) condition

QUESTIONS

1. Warum mußten die Hansastädte ihren Handel schützen? 2. Warum konnte der Kaiser ihnen nicht helfen? 3. Warum war die Herrschaft über die Ostsee für den Bund wichtig? 4. Was waren

die „Faktoreien" der Hansa? 5. Welchen Regeln mußten die Kauf=
leute der Hansa folgen? 6. Warum wurde der Bund schnell reich?
7. Warum gründete die Hansa „Faktoreien" in den Niederlanden?
8. Warum sank die Hansa im 16. Jahrhundert von ihrer Höhe
herab? 9. Welche Hansastädte haben eine neue Blüte erlebt?
Warum? 10. Was wissen Sie über Lübeck als Hansastadt?

EXERCISE

Insert the ending of the adjective; arrive at its meaning
without consulting the vocabulary:

1. Sie hatten ihr Ziel durch friedsam– Arbeit erreicht. 2. Ich
habe noch nie ein so feurig– Pferd gesehen. 3. Es sind herrenlos–
Tiere. 4. Wir bekamen eine brieflich– Antwort. 5. Goethe war
auf seiner Italienisch– Reise, als Schiller nach Weimar kam.
6. Wir wollten nichts Wertlos– kaufen. 7. Ein ehrenhaft– Cha=
rakter und staatsmännisch– Klugheit waren bei ihm vereinigt.
8. Alles Ländlich– machte einen angenehm– Eindruck auf ihn.
9. In dieser Stunde wurde seine menschlich–Größe fühlbar. 10. Es
gab kein Wasser in dieser baumlos– Gegend. 11. Wir kennen das
Fraglich– einer solchen Lage. 12. Er fiel in diesem heldenhaft–,
blutig– Kampf. 13. Er hatte weltlich– und kirchlich– Recht
studiert. 14. Wir wanderten in einer hügelig– Landschaft. 15. Er
hofft auf einen dauerhaft– Frieden. 16. Sie hatte damals viel
Schmerzlich– erlebt. 17. Irdisch– und Himmlisch– wohnen hier
nahe beieinander. 18. Ich habe das Furchtbar– eines solchen
brüderlich– Kampfes wohl gefühlt. 19. Dieses Kind hat etwas
Lieblich–. 20. Sie waren bei neblig– Wetter durch das waldig–
Tal gewandert.

WRITTEN TRANSLATION

1. The first leading city of the Hanseatic-League, before Lübeck
became its leader, was Cologne (Köln). 2. There you can still see
the hall where [in] 1367 the new league assembled (*refl.*) for the
first time. 3. Cologne is one of the oldest cities in Germany.
4. It was built (erbauen) for the Roman (römisch) soldiers in the first
century. 5. The city played an important part even before the
time of Charlemagne (Charles the Great) and has become especially

famous for (wegen) its many splendid churches.   6. The world-
famous Cologne Cathedral (der Dom) was begun in the middle of the
thirteenth century, but it was not finished until the (am) end of the
nineteenth century.   7. Its two mighty towers dominate the city.
8. In the interior we find the bones (die Gebeine, *pl.*) of the three
Magi (wise-men from the Orient) which were brought to Cologne
in the twelfth century.   9. Cologne was an independent city until
the (aus) end of the eighteenth century, when it became French
(französisch) territory.   10. After the Napoleonic Wars the Congress
(der Kongreß) of-Vienna (*adj.*) determined that it should become
part-of-Prussia (Prussian).

11. Bremen, too, is a very old city with an interesting cathedral
that was built in the eleventh century, and with its many fine old
houses of the wealthy merchants.   12. Bremen's most important
trade in former centuries was with England and during the last fifty
years with America.   13. In Bremen the first regular mail (Post)-
line between Europe and the United States was established in June
1847.   14. While the old city lies on (an) the eastern (östlich) bank
of the Weser, we find a very modern Bremen on (auf) the other side
of the river.

LESSON V

Comparison of Adjectives and Adverbs.   Numbers.   Expres-
sions of Time, Measure, and Weight

149. Review the comparison of the adjective (§ 90).

(*a*) The predicate adjective:

In Berlin war es schön, in Leipzig war es schöner, aber in Dresden war es
am schönsten.

(*b*) The attributive adjective:

Ihr hattet einen heißen Tag, wir hatten einen noch heißeren, aber unser
armer Vater hatte den heißesten gewählt.

Nur die älteren und ältesten Schüler hatten an dem Tag Schule.

Ein glänzenderes Fest hatte man dort nie gesehen und es blieb ihr glänzendstes.

Es waren seine dunkelsten Stunden, er hatte nie dunklere erlebt.

(c) Compare the two superlatives:

> Der Königsfee ift am Abend am fchönften.
> Von diefen Seen ift der Königsfee der fchönfte.

(d) Review the irregular comparison (§ 92).

Am nächften Tag machte er feine größte Wanderung auf den höchften Berg der Umgebung.
Die meiften hatten Höheres und Befferes erwartet.

(e) Review the comparison of adverbs (§ 93).

Er hat es gut ausgedrückt, dein Freund hat es noch beffer ausgedrückt, aber du haft es am beften ausgedrückt.
Wir lefen Gedichte gern, aber Dramen lieber und Gefchichten am liebften.

(f) Review the apparent comparative and absolute superlative (§ 94).

The attributive adjective:

> eine ältere Dame, die neueren Sprachen.

The adverb:

Es ift höchft zweifelhaft.	*It is very doubtful.*
Er hat uns aufs herzlichfte empfangen.	*He received us most cordially.*

150. Correlatives: **fo ... wie, ebenfo ... wie, je ... defto, je ... umfo.**

> Er ift fo (ebenfo) langfam, wie fein Bruder.
> *He is as (just as) slow as his brother.*

> Er ift nicht fo langfam, wie fein Bruder.
> *He is not so slow as his brother.*

> Je weniger du fprichft, defto (umfo) beffer ift es (note the word order).
> *The less you talk the better it is.*

151. Review the cardinal and ordinal numbers (§§ 100–101).

(a) Long numbers are usually grouped in threes, set off by spaces; when written out they are compounded in groups:

In London wohnen 8 201 818 (acht Millionen zweihundertundeintaufend achthundert achtzehn) Menfchen.
Tofio hat 5 663 350 Einwohner.

The decimal point is rendered by a comma in German:
10.6 = 10,6 (zehn Komma sechs).

(*b*) Eine Milliarde hat tausend Millionen (1 000 000 000).
Note that *a hundred, a thousand* are rendered simply by
hundert, tausend, ein being used where English would have
one hundred, one thousand. Hundert and tausend may be used
as neuter nouns: das Hundert, Hunderte, das Tausend, Tausende.
The noun form is not used when a cardinal number precedes.
Compare:

> Es waren Tausende von Menschen dort.
> Siebentausend Menschen waren dort.

Die Million (Millionen) and **die Milliarde** (Milliarden) are
always used as nouns.

(*c*) **Zwei** and **drei** may take the genitive and dative endings
–er, –en where indication of case is necessary:

> Liederbuch zweier Freunde. *Songbook of two friends.*
> Wir gehen lieber zu zweien (or zu zweit) als zu dreien (or zu dritt).
> *We would rather walk by twos than by threes.*

152. *Derivatives.* — The suffixes **–mal, –fach**, and **–erlei** are
added to the cardinals; **–ns** and **–el** to the ordinals:

> zweimal, fünfmal, tausendmal, *twice, five times, a thousand times.*
> zweifach, fünffach, tausendfach, *twofold, fivefold, a thousandfold.*
> zweierlei, fünferlei, tausenderlei, *two kinds of, five kinds of, etc.*
> erstens, zweitens, drittens, *in the first place, in the second place, etc.*
> ein Drittel, ein Fünftel, ein Tausendstel, fünf Zwanzigstel, *a third, a fifth,*
> *a thousandth, five twentieths*

Note that *half* as adjective is rendered by **halb**:

> *half an hour*   eine halbe Stunde (note the word order!)

When used as a noun it is rendered by **die Hälfte**:

> Er hat die Hälfte seiner Arbeit getan.
> *He has done half of his work.*

Before proper names **halb** and **ganz** are not declined:
halb Berlin, ganz Europa.

153. Review expressions of time (§ 102, § 106).

Goethe ist (im Jahre) 1832 gestorben.
Berlin, den 1. Mai (1. V.) 1939.

Es beginnt um halb acht.
Es beginnt um ein Viertel vor acht.
Es beginnt um zehn Minuten nach acht.

Die Aufführung beginnt um zwanzig Uhr und dauert zwei Stunden.

154. *Expressions of measure, weight, and money values.* — Nouns denoting measure, weight, money values, if masculine or neuter and when preceded by a number, can be used in the singular only; this is also true of one feminine: die Mark.

der **Fuß:**	Das Zimmer war neun Fuß hoch.
der **Zoll:**	Er sprang drei Zoll (*inches*) höher als ich.
der **Pfennig:**	Eier kosten zehn Pfennig das Stück.
die **Mark:**	Das Bild kostet zweihundert Mark.
die **Flasche:**	Wie viele Flaschen Wein hast du gekauft?
das **Pfund:**	Wir haben zwei Pfund Butter bestellt.
das **Stück:**	Ich brauche sieben Stück.
das **Paar:**	Er hat drei Paar Schuhe.

Die Olympischen Spiele

Das berühmteste und glänzendste Nationalfest im alten Griechen-land waren die Olympischen Spiele. Sie wurden zuerst im Jahre 1453 v. Chr. abgehalten und später alle vier Jahre gefeiert. Von 776 v. Chr. bis 394 n. Chr. rechneten die Griechen ihre Zeit nach
5 diesen Spielen, die fünf Tage dauerten. Die Sieger im Wettkampf wurden mit einem Olivenzweig von einem heiligen Olivenbaum gekrönt und in ganz Griechenland, besonders aber in ihrer Vater-stadt, hoch geehrt. Im Jahre 1896 hat ein französischer Baron, Coubertin, die alten Olympischen Spiele wieder ins Leben gerufen.
10 So wurden sie 1896 zuerst wieder in Athen abgehalten. Vier Jahre später fanden sie in Paris statt; 1904 kamen sie nach St. Louis; 1908 nach London, 1912 nach Stockholm. Wegen des Weltkriegs konnten die nächsten Olympischen Spiele erst wieder

1920 abgehalten werden. Dieses Mal waren sie in Antwerpen, dann
kamen sie zum zweiten Mal nach Paris. Im Jahre 1928 fanden
sie in Amsterdam statt, dann in Los Angeles und 1936 in Berlin.
In Amsterdam durften zum ersten Mal Frauen an den Spielen
teilnehmen.   5

   Von allen Olympischen Spielen des 20. Jahrhunderts waren die
in Berlin die großartigsten. Am eindrucksvollsten waren die Er-
öffnungsfeierlichkeiten am 31. Juli mit ihrer begeisternden Musik,
ihren Massenchören und dem donnernden Beifall der über 100 000
Zuschauer beim Einzug des Reichsführers und dem Vorbeimarsch der 10
Nationen. Von allen fremden Völkern waren die Vereinigten
Staaten am stärksten vertreten. Im alten Griechenland verkündeten
Herolde den Beginn der Spiele, in Berlin waren es Tausende von
Brieftauben, die im Augenblick der Eröffnung freigelassen, die Arena
langsam umkreisten, höher und höher stiegen und dann in der Ferne 15
verschwanden, um ihre Botschaft vom Beginn der Olympischen
Spiele in die Welt zu tragen. Am schönsten war für viele das Entzünden der Olympischen Flamme, die 16 Tage und Nächte auf einem
mächtigen Altar brannte. Etwa 3 000 Läufer hatten das Feuer von
dem 3 000 Kilometer entfernten Olympia in Griechenland nach 20
Berlin gebracht. Der letzte Läufer, eine schlanke, blonde Gestalt,
übernahm die Olympische Flamme am Osttor des Stadions, trug
sie an den Kämpfern vorbei zum Marathon Tor am Westende und,
während der Marathon Sieger der ersten Olympischen Spiele von
1896 dem Reichsführer einen Olivenzweig vom heiligen Hain in 25
Olympia überreichte, schritt der blonde Jüngling zum Altar und
entzündete das heilige Feuer mit der Flamme von Olympia.

   Wie bei allen früheren Olympischen Spielen sind auch in Berlin
eine Reihe neuer Rekorde aufgestellt worden. Nicht immer kann der
frühere Olympische Rekord erreicht oder übertroffen werden. Im 30
200 Meter Lauf stellte Owens einen neuen Olympischen Rekord auf.
Im Jahre 1900 brauchte der Sieger noch 22,2 Sekunden dazu, aber
schon bei den nächsten Spielen stellte der Amerikaner Hahn den damals
unerhörten Rekord von 21,6 Sekunden auf, der erst zwanzig Jahre
später wieder erreicht worden ist. Zwei Amerikaner, Paddock und 35

Scholz, liefen damals die letzten 50 Meter Seite an Seite. Im letzten Augenblick versuchte Paddock das Ziel durch einen mächtigen Sprung zu erreichen, er vergaß aber, daß ein Sprung länger braucht, als ein Endlauf und so verlor er um ein paar Zoll. In Los Angeles erreichte der Amerikaner Tolan in 21,2 Sekunden das Ziel, aber Owens lief am allerschnellsten, er brauchte in Berlin nur 20,7 Sekunden und sogar der 2. Sieger, Robinson, lief um 1/10 Sekunde schneller als Tolan in Los Angeles. Der 3. Rekord, den Owens aufstellte, war im Weitsprung. Er sprang 8,06 Meter, oder 26 Fuß 5⅓ Zoll; der frühere Rekord von 1928 war 25 Fuß 4¾ Zoll. Ein anderer Amerikaner, Cornelius Johnson, sprang in Berlin am höchsten: 2,06 Meter oder 6 Fuß 7¹⁵⁄₁₆ Zoll. Der frühere Rekord von 6 Fuß 6 Zoll war 1924 in Paris aufgestellt worden.

ADDITIONAL ACTIVE VOCABULARY

der **Augenblick** (Augenblicke) moment
entzünden to kindle
die **Flamme** (Flammen) flame
die **Gestalt** (Gestalten) form, figure
glänzen to glitter

die **Reihe** (Reihen) series, number
schlank slender
schreiten, schritt, ist geschritten to step, stride
das **Volk** (Völker) nation, people

QUESTIONS

1. In welchem Jahrhundert wurden die alten Olympischen Spiele zuerst abgehalten? 2. Wie oft und wann haben die Olympischen Spiele in Amerika stattgefunden? 3. Was geschah bei den Spielen in Amsterdam? 4. Was verkündete den Beginn der Olympischen Spiele in Berlin? 5. Warum überreichte der Marathonsieger von Athen dem Reichsführer einen Olivenzweig? 6. Was ist der Zeitunterschied zwischen dem Berliner Rekord im 200 Meter Lauf und dem von Los Angeles? 7. Um wie viel ist Owens weiter gesprungen als der Sieger von 1928?

EXERCISES

(a) Supply the words in parentheses:

1. Für die Griechen gab es kein (*finer*) Fest als die Olympischen Spiele. 2. Ein Olympischer Sieger wurde von seiner Vaterstadt

mit den (*highest*) Ehren empfangen. 3. Die Zuschauer können
heute (*faster*) Läufer und (*higher*) Sprünge sehen, als es früher
möglich war. 4. Der (*oldest*) Sieger von Athen überreichte den
Olivenzweig. 5. In Stockholm hatte man ein (*smaller*) Stadion
als in Berlin. 6. Am (*first*) Tag war die Menge im Stadion
(*largest*). 7. Die (*first*) Tage waren (*the most interesting*).
8. (*The most impressive*) war der Augenblick, als die Olympische
Flamme entzündet wurde. 9. Von allen Siegern in Los Angeles
war der vierzehnjährige Kitamura (*the youngest*). 10. In Berlin
lief im 800 Meter Lauf Woodruff (*fastest*). 11. Habt ihr einen
(*better*) Läufer erwartet? 12. Während der ersten Tage regnete es
in Berlin (*most*). 13. Bei einem deutschen Sieg war der Beifall
immer (*strongest*). 14. Zu Pferd zeigte sich Heinz Pollay (*most
brilliantly*).

(*b*) Lesen Sie auf deutsch:

Von den größten deutschen Städten haben Berlin: 4 242 501;
Hamburg: 1 129 307; Köln: 756 605; München: 735 388;
Leipzig: 713 470; Dresden: 642 143; Dortmund: 540 875;
Stuttgart: 415 028 Einwohner.

WRITTEN TRANSLATION

1. The Olympic Games in Berlin lasted from August 1 to 16. 2. It
was the eleventh time that the modern games were held. 3. Before
1928 the United States won most [of the] victories; in that year,
however, the Germans were the principal victors. 4. In 1936
Germany took (stand an *with dat.*) first place; the United States
followed in second place. 5. The Olympic flame was kindled on
July 20 in Olympia. 6. It arrived at (in) Sofia on July 25 at half
past 6 P.M.

7. It is interesting to compare the Olympic records for the 100-
meter run from 1896 to 1936. 8. The victor in Athens took (needed)
exactly 12 seconds. 9. Four years later a record of 10.6 was set up,
which was not attained again until (erst) twelve years later in Stockholm. 10. The man who placed third (The third victor) in Berlin
ran one tenth-second faster than the winner (first victor) of Stockholm; the man who placed second in 1936 (the second victor of

1936) needed one tenth-second less than the third, and Owens finished (reached his goal) in 10.3 seconds. 11. The records for women are, of course, much higher than those for men. 12. Helen Stephens took (needed) for the 100-meter run $\frac{4}{10}$ seconds less than the best woman-runner of 1932, but 1.6 seconds more than Owens. 13. Gerhard Stoeck threw the javelin (der Speer) farthest: 71.84 meters or 235 feet, $8\frac{1}{4}$ inches; Hilde Fleischer threw it (hers) only 45.18 meters, or 148 feet, $2\frac{25}{32}$ inches.

LESSON VI

Simple Tenses of the Verb. Imperative

155. The so-called simple tenses are those tenses whose verbs consist of only one word, *i.e.* the present tense and the past tense.

(*a*) *The present tense.* — Review § 6 for the regular forms. Verbs with stems ending in –d, –t, or in single –m or –n preceded by any consonant except h, l, or r, retain the –e– before the endings –ft and –t, except when the stem vowel is modified. Compare:

du atmeſt	*but*	du kommſt	du warteſt	*but*	du hältſt
er atmet		er kommt	er wartet		er hält
ihr atmet		ihr kommt	ihr wartet		ihr haltet

du öffneſt	du lernſt	du ſchadeſt	du lädſt
er öffnet	er lernt	er ſchadet	er lädt
ihr öffnet	ihr lernt	ihr ſchadet	ihr ladet

du zeichneſt	du kennſt	du retteſt	du ſchiltſt
er zeichnet	er kennt	er rettet	er ſchilt
ihr zeichnet	ihr kennt	ihr rettet	ihr ſcheltet

1. Strong verbs with **a** in the infinitive stem have Umlaut in the second and third person singular of the present indicative (cf. § 21). Note that there is no Umlaut in the imperative, *e.g.* halt!

2. Strong verbs with short **e** in the infinitive stem change to **i** in the second and third person singular of the present indicative. Those with long **e** change here to **ie** (cf. § 21). Three verbs are exceptions: **geben** (bu gibſt, er gibt); **nehmen** (bu nimmſt, er nimmt); **treten** (bu trittſt, er tritt). The imperative singular forms have corresponding changes: geben (gib); nehmen (nimm); treten (tritt); ſehen (ſieh); brechen (brich).

The following strong verbs are exceptions and have a regular present tense: **gehen, ſtehen, heben.**

3. The present singular of the six modal auxiliaries is irregular (cf. § 46).

4. The present tense of **wiſſen** is: ich weiß, bu weißt, er weiß, wir wiſſen, ihr wißt, ſie wiſſen.

5. Verbs with stems ending in –**el** or –**er** drop the –**e**– of the stem in the first person singular and the –**e**– of the ending –**en** in the first and third persons plural: ich lächle, wir lächeln; ich wandre, wir wandern.

6. Verbs with stems ending in a sibilant (**ſ, ſſ, ß, 3, ß**) usually have contracted forms in the second person singular: bu lieſt, bu ſchließt, bu läßt, bu tanzt, bu ſitzt.

7. The verb **werden** has quite irregular contractions: bu wirſt, er wird.

(b) *The past tense.* — There are no irregular forms (cf. § 17, § 31), except in the tense auxiliaries: ich hatte, ich wurde (cf. § 17, § 33).

156. *The imperative.* — Cf. § 22. Strong verbs with stem vowel –**e**– change this to –**i**– (or –**ie**–) in the imperative singular form (cf. § 155, 2), with the exception of **werden:**

Werde nicht zu ſtolz! *Don't become too proud.*

The formal imperative, originally the third person plural subjunctive present, is always like the corresponding present tense form.

Note the exceptional imperative forms of ſein: ſei! ſeib! ſeien Sie!

157. *The use of the simple tenses*

1. The present tense is commonly used instead of the future (cf. § 7).

2. The historical present may replace the past tense in vivid narration.

3. Used with ſchon or ſeit the present tense may express an action in the past that is still continued in the present:

> Ich ſchreibe ſchon eine Stunde an dieſem Brief. ⎱ *I* **have been writing** *for*
> Ich ſchreibe ſeit einer Stunde an dieſem Brief. ⎰ *an hour on this letter.*

4. In connected narrative or description, belonging entirely to the past, the past tense is used.

5. Remember that the German has no progressive or emphatic forms as in English:

> *Does he wait for me?* ⎱ Wartet er auf mich?
> *Is he waiting for me?* ⎰

Der deutſche Arbeitsdienſt

Berlin, den 21. September 1937

Lieber Paul!

Weißt Du ſchon, daß ich jetzt im Arbeitsdienſt ſtehe? In den erſten Wochen hat es für uns junge Leute ſo viel Neues gegeben, daß wir keine Zeit fanden, Briefe zu ſchreiben. Heute aber ſollſt Du umſo mehr von unſerem Arbeitsdienſt und unſerem Leben hier 5 im Arbeitslager erfahren. Der Gedanke des Arbeitsdienſtes geht eigentlich auf die Kriegszeit zurück. Vor dem Weltkrieg war das deutſche Volk, wie die meiſten europäiſchen Völker, ſtreng in Klaſſen geſchieden. Als dann der Krieg kam, als der Sohn des Univerſitäts= profeſſors und der Bauernſohn, der Richter und der Fabrikarbeiter, 10 der Handwerker und der Student, Schulter an Schulter miteinander und füreinander kämpften, gab es für ſie keine Klaſſen mehr, da gab es nur noch Deutſche. Junge Leute, die zur Jugendbewegung ge= hörten und dieſes Erlebnis der Volksgemeinſchaft nach dem Krieg in die Heimat mitbrachten, führten als Studenten zuerſt den Ge= 15 danken aus, den geiſtigen Arbeiter und den Handarbeiter durch

gemeinſame, harte Arbeit einander näher zu bringen. In den
Ferien gingen ſie aufs Land und halfen den Bauern, oder ſie fuhren
mit den Bergleuten (*miners*) in die Gruben, oder ſchloſſen ſich mit
den Fabrikarbeitern in die Fabrikſäle ein. In den Jahren 1920–30
gab es immer mehr ſolche „Werkſtudenten.“ Bei ihnen trat neben 5
das ideale Ziel einer neuen Volksgemeinſchaft bald als zweiter
Grund die wirtſchaftliche Not. Für die meiſten deutſchen Studenten
war es etwas Neues, daß ſie durch ihrer Hände Arbeit ſich ihr
Studium verdienen mußten.

Arbeitslager, wo junge Deutſche aller Klaſſen ſich zu gemeinſamer 10
nützlicher Arbeit vereinigten, gab es ſchon vor 1933, aber erſt in
jenem Jahr wurde der freiwillige Arbeitsdienſt mit ſeinen Arbeits=
lagern von der deutſchen Regierung als eine ſtaatliche Einrichtung
anerkannt. So erfolgreich erwies ſich dieſer Arbeitsdienſt, daß ſeit
1935 jeder junge Deutſche von 18–25 Jahren ein halbes Jahr 15
Arbeitsdienſt tun muß. So gibt es nun heute ſchon über tauſend
Arbeitslager mit je hundertfünfzig jungen Leuten, die Straßen
und Kanäle bauen, Sümpfe (*bogs*) trockenlegen und unfruchtbares
Land in Ackerland verwandeln. Nimmt man jedes Jahr 200 000
junge Männer von dem deutſchen Arbeitsmarkt und läßt ſie ſolche 20
Unternehmungen ausführen, die für die Privatinduſtrie zu teuer
wären, ſo hilft man dadurch auch der Arbeitsloſigkeit. Du ſiehſt, der
Arbeitsdienſt erfüllt einen dreifachen Zweck, er hilft wirtſchaftlich,
er bedeutet für die jungen Leute eine Erziehung zur Volksgemein=
ſchaft und iſt zugleich ein Mittel zur Kräftigung des Körpers. 25

Seit einem Monat bin ich nun im Arbeitslager. Unſer Tag
fängt um fünf Uhr morgens an. Noch vor dem Frühſtück werden
Turnübungen gemacht. Nach dem Frühſtück marſchiert man zum
Arbeitsplatz, wo die Arbeit etwa um ſieben Uhr beginnt. Um halb
zehn unterbricht ein zweites Frühſtück die anſtrengende Arbeit, die 30
bis ein Uhr dauert. Dann marſchieren wir zum Lager zurück, wo
das kräftige Mittageſſen herrlich ſchmeckt. Es folgt eine Ruhezeit
von anderthalb Stunden. Jeder zieht ſeine Schuhe aus und ſtreckt
ſich in Hemd und Hoſe gekleidet aufs Bett. Der eine ſchläft, der
andere lieſt, der dritte unterhält ſich mit dem Nachbar. Von fünf 35

bis sechs treibt man Sport oder macht Exerzierübungen, dann erhält jeder sein Abendessen. Von acht bis neun hält einer der Führer einen Vortrag zur politischen Erziehung. Oft singt man auch gemeinsam oder führt kleine Dramen auf. Das alles soll der neuen Volksge=
5 meinschaft dienen. Um 10 Uhr werden die Lichter gelöscht.

Lieber Paul, nun kannst Du Dir ein Bild von unserem Leben hier machen. Schreib mir bald, was Du vom Arbeitsdienst hältst, erzähl mir auch, was der Deutsche Verein macht und nimm meine herzlichsten Grüße.

In alter Treue

Dein Fritz

ADDITIONAL ACTIVE VOCABULARY

anfangen (fängt an), fing an, ange= fangen to begin
bedeuten to mean
erfahren (erfährt), erfuhr, erfahren to experience, learn
hart hard
das Hemd (Hemden) shirt
die Hose (Hosen) trousers

der Körper (Körper) body
scheiden, schied, geschieden to separate
schmecken to taste
der Schuh (Schuhe) shoe
strecken to stretch
trocken dry
der Verein (Vereine) club
zurück back

QUESTIONS

1. Wann verschwand der deutsche Klassenunterschied zum ersten Mal in unsrer Zeit? 2. Wie versuchten deutsche Studenten die neue Volksgemeinschaft zu bewahren? 3. Warum wuchs die Zahl dieser Studenten in den Jahren 1920–30? 4. Wann wurde der frei-willige Arbeitsdienst eine staatliche Einrichtung? 5. Wie hilft der Arbeitsdienst der deutschen Arbeitslosigkeit? 6. Warum ist der Arbeitsdienst ein Mittel zur körperlichen Kräftigung? 7. Was würden Sie in der Ruhezeit nach dem Mittagessen tun? 8. Wie dienen die Abendstunden im Arbeitslager der neuen Volksgemein-schaft?

EXERCISES

(a) 1. Select from the text two verbs which employ a con-nective –e; mention the other forms of these verbs that use a connective –e. 2. Find examples in the text where no connective –e is used, although the stem of the verb ends in –t. 3. Collect all verbs of the text whose stems end in an ŝ sound (ſ, ſſ, ſch, z, ß). Give in each instance the verb form which may use a connective –e. 4. Find in the text a verb whose infinitive stem ends in –er or –el. In which forms are these verbs slightly irregular?

(b) Give the principal parts of all verbs found in the text that suffer a vowel change in the present tense. Give their imperative forms.

(c) Change subjects and verbs to the singular:

1. Wir vertreiben die Zeit mit Leſen und Briefſchreiben. 2. Beſitzt ihr die Macht, eure Gedanken auszuführen? 3. Sie verbieten jede Auskunft. 4. Wie oft unterbrecht ihr ſeinen Vortrag? 5. Die Mittel entſprechen dem Zweck nicht. 6. Wir bitten um Ihre Gründe. 7. Wann fangt ihr mit euren Turnübungen an? 8. Solche Geſetze tragen nur zur Arbeitsloſigkeit bei. 9. Die Handwerker empfinden die Not nicht ſo ſtark, wie die geiſtigen Arbeiter. 10. Warum ſchützt ihr euer Volk nicht? 11. Dieſe Lichter blenden mich. 12. Dieſe jungen Männer erhalten keine Arbeit von der Regierung.

(d) Put the sentences of (c) into the past, singular and plural.

WRITTEN TRANSLATION

1. For several years we have had an institution in the United States which corresponds to the German Labor Service. 2. Think of the (das) "Civilian Conservation Corps." 3. There is, however, an important difference between the German and the American camps. 4. The American institution grew (herauswachſen) out-of the economic situation of the country. 5. It created work for the young unemployed (Arbeitsloſen). 6. This aspect (side) is also important for the German Labor Service. 7. But the German government sees in it more than a means to help the unemployed. 8. The Labor Service contributes a-great-deal to the development of the new [spirit of] national-community. 9. This is its foremost

(most distinguished) purpose. 10. It teaches the young men of all classes the value of physical labor, so that they will no longer despise (look down upon) the laboring (Arbeiter)-classes. 11. The young German regards (*use* empfinden) this service as an honor. 12. No one eats with greater pleasure (das Vergnügen) or sleeps better than a young "Reichsarbeiter" after his hard work in the fresh air. 13. And don't forget, he has (receives) his two free afternoons during the week and his free Sunday.

LESSON VII

Compound Tenses of the Verb. The Infinitive.
The Participles

158. The present perfect, past perfect, future, and future perfect tenses are called compound tenses because the meaning is expressed by at least two verb components, *i.e.* an auxiliary and the past participle or infinitive of the verb in question.

1. *The present perfect tense*

(*a*) Review the formation of the past participle (§ 14, § 37, § 97):

gesucht, gefunden, studiert, besucht, ausgesucht.

(*b*) Review the use of haben and sein as tense auxiliaries (§ 39):

Ich habe ihn gesucht, aber nicht gefunden (trans. verb).

Er hat immer fleißig studiert, und wir haben uns über ihn gefreut (refl. verb).

Wie lange habt ihr geschlafen? (intrans. verb, no change of place or condition)

Ist er selbst zu dir gekommen? (intrans. verb, change of place)

Bist du schnell krank geworden? ⎫
Wann ist er gestorben? ⎭ (intrans. verbs, change of condition)

Sie sind schon damals Freunde gewesen und sind es immer geblieben (exception to the rule, copulative verbs).

Es ist mir nicht gelungen (exception).

Es ist vor drei Tagen geschehen (exception).

In a few instances even such verbs as **reifen, reiten, fchwimmen, wandern** may take the auxiliary **haben,** *i.e.* when the general activity rather than the change of place is emphasized. Compare the two sentences:

> Er hat in früheren Jahren viel gewandert.
> *He "hiked" a great deal in former years.*

> Er ist an den Bodenfee gewandert.
> *He "hiked" to the Lake of Constance.*

(*c*) The use of the present perfect tense (§ 14, 2):

(1) for action in the past, the result of which is still felt in the present (cf. (*b*), first example).

(2) for disconnected statements relating to the past (cf. (*b*), second example).

(3) for questions after the act is finished (cf. (*b*), third example).

(4) in conversation referring to past events.

2. *The past perfect tense* (§ 18)

> Ich hatte ihn gefucht, aber nicht gefunden.
> Wie lange hattet ihr gefchlafen?
> Warft du fchnell frank geworden?
> Sie waren fchon damals Freunde gewefen.

Note that in literary speech the auxiliaries **haben** and **fein** are sometimes omitted in subordinate clauses:

> Obgleich wir ihn oft gefehen, erfannten wir ihn nicht.

3. *The future tense* (§ 27)

> Er wird fleißig ftudieren, und wir werden uns über ihn freuen.
> Wie lange werdet ihr fchlafen?
> Wirft du fchnell befannt werden?

The future tense with or without **wohl** may denote probability referring to the present:

> Es wird wohl nicht wahr fein (§ 29). *It is probably not true.*

4. *The future perfect tense* (§ 28), when referring to the future, is usually used with a phrase of time:

> In drei Tagen wird er das Buch gelefen haben.

Otherwise the future perfect tense commonly denotes probability relating to the past:

> Du wirst schnell bekannt geworden sein.
> *I suppose you became quickly acquainted.*

> Sie werden schon damals Freunde gewesen sein.
> *No doubt they were already friends in those days.*

159. *The infinitive*

(*a*) After nouns, adjectives, and most of the verbs the infinitive is preceded by zu:

> Ich habe keine Zeit, Briefe zu schreiben.
> Es ist nicht leicht, eine fremde Sprache zu lernen.
> Wir hoffen, ihn bald hier zu sehen.

Note that the infinitive phrase in German is set off by a comma.

(*b*) After verbs requiring a complementary infinitive zu is not used. To these verbs belong the modal auxiliaries and hören, sehen, lassen, also fühlen, heißen (*bid*), helfen, lehren, lernen, machen.

> Sie lassen ihn immer schlafen.
> Mein Vater lehrt mich schwimmen, und mein Bruder lernt auch schwimmen.

(*c*) In a few idiomatic expressions the infinitive without zu is used after bleiben, gehen, haben, where English uses the present participle:

> Sie blieben alle sitzen.
> Wir gehen schwimmen.
> Er hat seinen Regenschirm in der Ecke stehen.

(*d*) Military and official language sometimes use the infinitive without zu to express commands and requests:

> Nicht berühren! *Don't touch!*
> Weiter gehen! *Move on!*

(*e*) The complementary infinitive following **anstatt, ohne,** and **um** (*in order to*) must be preceded by zu:

> Er setzte sich an den Tisch, ohne ein Wort zu sagen.
> Er tat es, um seine Erregung zu verbergen (*conceal*).
> Anstatt mir zu antworten, fing er an zu weinen.

(*f*) The verb **fein** followed by a complementary infinitive with **zu** has a passive meaning and expresses obligation and, when accompanied by **nicht,** usually impossibility:

> Drei Namen ſind zu nennen.   *Three names must be mentioned.*
> Es iſt nicht zu beſchreiben.   *It cannot be described.*

160. *Participles*

1. *The present participle* (§ 62) is commonly used as an adjective. It may also be an adverb or a noun (§ 63):

> Ein ergreifendes Drama zweier Liebenden.
> Sie ſah mich ſchweigend an.

2. *The past participle* may also have the functions and inflectional endings of the adjective and likewise occurs as an adverb or a noun:

> Nach gewonnener Schlacht gab man den Gefangenen zu eſſen, und ſie fragten erſtaunt, warum man ſie ſo gut behandle.

(*a*) After **kommen** the past participle is used where English uses the present participle:

> Sie kamen gelaufen.   *They came running.*

(*b*) Occasionally the past participle has the meaning of a command:

> Still geſtanden!   *Attention!*

Die Auslandsdeutſchen

In Europa iſt die größte Zahl der deutſchen Auswanderer nach dem Oſten und Südoſten gewandert, das heißt, nach Polen, Ruß‑ land und Rumänien. Krakau und Warſchau ſind im 13. Jahr‑ hundert von Deutſchen als Städte gegründet worden; deutſche Kaufleute und Handwerker haben ſie zur Blüte gebracht. Beide 5 Städte gehörten zum Hanſabund, und erſt von 1500 an iſt der vorherrſchende deutſche Einfluß zurückgegangen. Im 19. Jahr‑ hundert hat dann die deutſche Induſtrie in Lodz und den umliegenden Städten geblüht. Die über hunderttauſend deutſchen Koloniſten dort haben ihre deutſche Sprache und ihre deutſchen Sitten lange 10

Schwäbische Bauernstube im Banat.

bewahrt. Vor dem Krieg hatten sich über dreiviertel Millionen
Deutsche an der unteren Wolga ein Heim gegründet. Die
Kaiserin Katharina von Rußland hatte nämlich im Jahre 1763
Boten nach Deutschland geschickt, um Deutsche aller Klassen mit
5 lockenden Versprechungen nach Rußland zu ziehen. Viele waren
dieser Einladung gefolgt, nur um dann grausam enttäuscht zu
werden. Denn das Wolgagebiet war damals eine Wildnis, die von
Räubern, wilden Tieren und Nomadenstämmen unsicher gemacht
wurde. Dennoch ist es dem deutschen Fleiß nach zwanzig Jahren
10 harter Arbeit gelungen, alle Hindernisse zu überwinden, und frucht=
bares Land zu schaffen.

In Rumänien finden wir die sogenannten Siebenbürger Sachsen,
deutsche Kolonisten, die, nachdem sie fast achthundert Jahre lang zu
Ungarn gehört, nach dem Weltkrieg mit Rumänien vereinigt wurden.
15 Hier dürfen sie ihre deutschen Schulen und Kultureinrichtungen
behalten. Von den über 500 000 Schwaben im Banat sind etwa
350 000 an Rumänien gekommen. Sie sprechen den schwäbischen
Dialekt, haben deutsche Zeitungen, Schulen und Theater. Für die
nach dem Osten und Südosten von Deutschland auswandernden

Deutschen ist es leichter gewesen, ihre deutsche Art und Sitten zu be=
wahren, als für die nach Nordamerika Auswandernden, denn diese
trafen hier eine Bevölkerung, die ihnen an Kultur gleich gestellt oder
überlegen war.

Im Jahre 1683 ist Germantown bei Philadelphia, die erste 5
deutsche Siedlung in Nordamerika, gegründet worden. Die
Deutschen waren meistens Handwerker aus Krefeld, ihr Führer
ein Advokat aus Frankfurt, Daniel Pastorius, der später Bürger=
meister von Germantown wurde. Zur Erhaltung der deutschen
Sprache und Sitten hat die deutschlutherische Kirche viel beigetragen. 10
Als ihr Vater wird Melchior Mühlenberg angesehen, der 1742 nach
Pennsylvanien kam. Im amerikanischen Unabhängigkeitskrieg von
1775–1783 organisierte der General von Steuben, der unter Friedrich
dem Großen gedient hatte, die amerikanischen Truppen nach
preußischem Muster und schuf so erst ein wirkliches Heer. In der 15
ersten Hälfte des 19. Jahrhunderts kamen die deutschen Ein=
wanderer meistens aus den unteren Volksklassen. Es waren Bauern
und Handwerker. Erst von 1848 an sind geistig hochstehende Männer,
Feinde der politischen Unterdrückung in Deutschland, nach Amerika
ausgewandert. Unter ihnen haben sich Franz Sigel und Carl 20
Schurz als Generale im Bürgerkrieg ausgezeichnet. Schurz, ein
Freund Lincolns, wurde später einer der bedeutendsten Redner im
Parlament. Im Jahre 1877 ist er zum Minister des Innern
ernannt worden. So erreichte er das höchste Amt für einen im Aus=
land Geborenen. Die Zahl der von Deutschland Einwandernden 25
stieg dauernd bis zum Jahr 1883, dann ist sie stark zurückgegangen.
Nach der Volkszählung von 1930 hat Deutschland von allen fremden
Völkern die meisten Einwanderer geliefert, wenn man neben den im
Ausland Geborenen noch solche rechnet, deren Vater oder Mutter
eingewandert sind. Wenn man nur die im Ausland Geborenen rech= 30
net, so steht Deutschland an zweiter, Italien an erster Stelle.
Schließlich sind noch die großen deutschen Siedlungen in Süd=
amerika zu nennen. Hier hat sich Deutsch, zum Beispiel in den
brasilianischen Wäldern, als einzige Sprache noch in der vierten
Generation erhalten.   35

QUESTIONS

1. In welchen Jahrhunderten ist der deutsche Einfluß in Warschau vorherrschend gewesen? 2. In welchem Teil Polens hat sich die deutsche Industrie besonders stark entwickelt? 3. Warum waren die deutschen Kolonisten enttäuscht, als sie an die untere Wolga kamen? 4. Welche Volksstämme haben große Siedlungen im heutigen Rumänien gegründet? 5. Warum war es für die deutschen Kolonisten in Rußland leichter, ihre Sitten zu bewahren, als in Nordamerika? 6. In welchem Jahrhundert und in welchem Staat ist die erste deutsche Siedlung in Nordamerika gegründet worden? 7. Warum konnte General von Steuben Washington so wertvolle Dienste leisten? 8. Warum ist Carl Schurz nach Amerika gekommen?

ADDITIONAL ACTIVE VOCABULARY

das **Amt** (Ämter) office
blühen to bloom, flourish
dennoch nevertheless
das **Heim** (Heime) home

heißen, hieß, geheißen to be called; das heißt that is
meist(ens) mostly

EXERCISES

(a) Find in the German text three examples each of the present participle and the past participle used as adjectives, one example each of the present participle and the past participle used as nouns. Which tense auxiliary is omitted in the second paragraph? Why is this omission permissible?

(b) Reproduce all past tense forms in the second paragraph of Die Hansa (page 225) in the present perfect tense.

(c) Reproduce the following sentences in the past perfect and, with the exception of 2 and 5, in the future:

1. Wann kamen die ersten Deutschen in Germantown an? 2. In welchen Jahren entstand die deutsche Siedlung an der unteren Wolga? 3. Wem begegneten die Deutschen dort? 4. Ich wandre nach Amerika aus. 5. Carl Schurz floh aus seinem Gefängnis in Deutschland. 6. Wir treten in ein neues Zeitalter ein. 7. Die Zahl der Kolonisten wuchs rasch. 8. In der ganzen Zeit geschah nichts Neues. 9. Lockst du mich ins Ausland? 10. Gehen sie nach Deutschland zurück?

(d) Translate:

1. Wir blieben zu lange im Zug sitzen. 2. Bitte, leiser sprechen! 3. Er wird wegen der politischen Unterdrückung nach Amerika gekommen sein. 4. Hier geblieben und mitgemacht! 5. Es ist nicht zu glauben. 6. Ihr werdet wohl eure Versprechungen schriftlich geben. 7. Er kam ans Ufer gelaufen. 8. Sie werden es schon gehört haben. 9. Still gestanden und mich angesehen! 10. Dieser Brief ist gleich an ihn zu senden.

WRITTEN TRANSLATION

1. *Professor:* Which cities in Poland did * the Germans found in the 13th century? 2. *Student:* Warsaw and Cracow. 3. *Prof.:* Why did so many Germans settle in Lodz? 4. *Stud.:* The German industry there needed German workers. 5. *Prof.:* Who invited the German colonists to settle in Russia? 6. *Stud.:* The Empress Catherine. 7. *Prof.:* Why did so many Germans decide to accept her offer? 8. *Stud.:* The messengers of the Empress had made them many promises in-writing. 9. *Prof.:* Why did they not go back to Germany? 10. *Stud.:* They could not find their way through the wilderness without [a] guide. 11. *Prof.:* Why was it easy for the German immigrants to preserve their customs in Russia? 12. *Stud.:* Their culture often was superior to that of the Russians. 13. *Prof.:* What kind of Germans emigrated to the United States before 1848? 14. *Stud:* They (es) were artisans and farmers. 15. *Prof.:* Why did Carl Schurz come to America? 16. *Stud.:* He had fought against the government, had been taken prisoner, and had fled from his prison in Germany. 17. *Prof.:* Did the number of German immigrants to the United States steadily increase in the nineteenth century? 18. *Stud.:* From the year 1883 on the number decreased.

* What tense is used for questions referring to the past?

LESSON VIII

The Modal Auxiliaries. Irregular Weak Verbs

161. Review.

(a) The formation of the modal auxiliaries and of wissen (§§ 45–47):

Infinitive	Present Tense		Past	Past Part.	Meaning
dürfen	er darf	wir dürfen	er durfte	gedurft	permission
können	er kann	wir können	er konnte	gekonnt	ability, possibility
mögen	er mag	wir mögen	er mochte	gemocht	desire, probability
müssen	er muß	wir müssen	er mußte	gemußt	compulsion, necessity
sollen	er soll	wir sollen	er sollte	gesollt	moral obligation
wollen	er will	wir wollen	er wollte	gewollt	will, intention
wissen	er weiß	wir wissen	er wußte	gewußt	knowledge

(b) The "double infinitive" in the present perfect and past perfect tenses (§ 104):

(c) The regular past participle (§ 103) and the omission of the verb of motion, dependent on the modal auxiliary (§ 46, 3, § 98):

(b)

Hast du nach Berlin gehen dürfen?
Were you allowed to go to Berlin?

Hat er noch sprechen können?
Was he still able to speak?

Warum haben sie nicht länger bleiben mögen?
Why did they not care to stay longer?

Hattet ihr auch mitkommen wollen?
Had you wanted to come along too?

(c)

Ja, ich habe hingedurft.
Yes, I was allowed to go there.

Nein, er hat es nicht mehr gekonnt.
No, he was no longer able to.

Sie haben nach Hause gemußt.
They had to go home.

Gewiß, wir hatten auch mitgewollt.
Certainly, we too had wanted to come along.

Note that the "double infinitive" is used with the following verbs also (§ 104): laſſen, hören, ſehen, and less commonly with heißen (*to bid*) and helfen:

> Wir haben ihn noch nie ſpielen ſehen.
> *We have never yet seen him play.*

162. Review the use of the modal auxiliaries (§ 46, 2, § 45):

dürfen

Permission: *May I go now?* Darf ich jetzt gehen?
　　　　　You must not say this. Sie dürfen das nicht ſagen.

können

Ability: *I am unable to come.* Ich kann nicht kommen.

Possibility: *This cannot be true.* Das kann nicht wahr ſein.

Acquired ability: *Does he know how to swim?* Kann er ſchwimmen?

mögen

Conceded possibility: *That may well be true.* Das mag wohl wahr ſein.

Desire: *I should like to see him myself.* Ich möchte ihn ſelbſt ſehen.
　　　　(especially in negative statements):
　　　　We do not care to finish this book.
　　　　Wir mögen dieſes Buch nicht zu Ende leſen.

Note that in positive statements *to like* is commonly expressed by **gern** (§ 93):

> *He likes to get up early.* Er ſteht gern früh auf.

müſſen

Necessity: *You can't help liking him.* Man muß ihn gern haben.
　　　　He must have heard this from you.
　　　　Das muß er von dir gehört haben.

Compulsion: *We had to (were compelled to) tell him all.*
　　　　Wir mußten ihm alles ſagen.

Note that *to be compelled*, when the agent is expressed, must be rendered by the passive of **zwingen**:

> *We were compelled by him to tell the truth.*
> Wir wurden von ihm gezwungen, die Wahrheit zu ſagen.

ſollen

Moral obligation: *You ought to be friendlier toward him.*
Sie ſollten gegen ihn freundlicher ſein.

In accordance with another's will:
We are (expected) to be there at eight.
Wir ſollen um acht Uhr dort ſein.
Thou shalt not steal. Du ſollſt nicht ſtehlen.

Report: *He is said to have left the city yesterday.*
Er ſoll ſchon geſtern die Stadt verlaſſen haben.

wollen

Will: *Don't you want to visit him?* Wollen Sie ihn nicht beſuchen?

Intention: *We intend to go to Germany this summer.*
Wir wollen dieſen Sommer nach Deutſchland.

Claim: *He claims to have found the money.*
Er will das Geld gefunden haben.

163. Review the irregular weak verbs (§ 48):

INFINITIVE	PAST TENSE	PAST PART.	
brennen	brannte	gebrannt	*to burn*
fennen	fannte	gefannt	*to be acquainted with*
nennen	nannte	genannt	*to name*
rennen	rannte	iſt gerannt	*to run*
ſenden	ſandte or ſendete	geſandt or geſendet	*to send*
wenden	wandte or wendete	gewandt or gewendet	*to turn*
bringen	brachte	gebracht	*to bring*
denken	dachte	gedacht	*to think*

Remember the difference between: fennen, *to be acquainted with;* wiſſen, *to know facts;* and fönnen, *to know how to do something, know thoroughly:*

Weißt du, ob er das Gedicht fann, oder nur fennt?
Do you know whether he knows the poem or whether he is merely acquainted with it?

164. Review the second subjunctive forms (§ 114).

1. Those with Umlaut:

er dürfte	er möchte	er brächte
er fönnte	er müßte	er dächte
		er wüßte

2. Those without Umlaut:

er ſollte er wollte

3. Those with Umlaut, represented as **c** rather than **ä.**

| es brennte | er nennte | er ſendete |
| er kennte | er rennte | er wendete |

Die deutſche Volksſchule

Man hat Deutſchland oft das Land der Bücher und Schulen ge=
nannt; man darf dabei aber nicht vergeſſen, daß die deutſche Volks=
ſchule, die die große Maſſe des deutſchen Volkes erzieht, erſt in den
letzten hundert Jahren den Namen einer guten öffentlichen Schule
verdient. Friedrich Wilhelm I., der Vater Friedrichs des Großen, 5
darf wohl als der Gründer der preußiſchen Volksſchule angeſehen
werden. Er führte 1717 die allgemeine Schulpflicht in Preußen ein,
wonach jedes Kind vom 5. bis 12. Jahr die Schule beſuchen ſollte.
Jedes Kind ſollte fünf Pfennig die Woche als Schulgeld bezahlen.
Davon konnte natürlich der Lehrer nicht leben. Auf Befehl des 10
Königs ſollten nun die Gemeinden dem Schullehrer Holz und Lebens=
mittel bringen. Das war ein Fortſchritt, denn früher hatte der
Lehrer, um leben zu können, neben dem Lehren ein Handwerk treiben
müſſen, meiſtens war er Schneider, manchmal auch Hirt oder Nacht=
wächter.   15

Als dann der alte preußiſche Staat im erſten Jahrzehnt des 19.
Jahrhunderts von Napoleon beſiegt wurde, brachten die Jahre der
äußeren Unterdrückung es dahin (*about*), daß das Volk ſelber von
innen heraus neue Kraft gewann. Die Führer des Volkes, vor allem
der Philoſoph Fichte, erkannten, daß die Kraft des Volkes in einer 20
nationalen Erziehung liegt. Im ſelben Jahr, als mit der Gründung
der Univerſität Berlin ein neues Zeitalter für die deutſche Univerſität
begann, ſandte die preußiſche Regierung einige junge Lehrer zu
Peſtalozzi in die Schweiz. Dieſe führten dann die neuen Gedanken
Peſtalozzis in die neu gegründeten Lehrerſeminare ein. In den 25
Jahren 1812 bis 1840 ſtieg die Zahl dieſer Seminare von ſieben auf
ſechsundvierzig. Da die Lehrer nun vom Staat geprüft wurden, ſtieg
auch ihr Anſehen unter dem Volk.

Bis vor kurzer Zeit hatte jeder deutsche Staat sein eigenes Schulsystem, aber jetzt sind alle Lehrer an den öffentlichen deutschen Schulen Reichsbeamte. Knaben und Mädchen sind getrennt, die Knaben werden von Lehrern, nicht von Lehrerinnen unterrichtet.
5 Auch in kleinen Dörfern, wo Knaben und Mädchen zusammen unter= richtet werden müssen, findet man Lehrer. Bis vor wenigen Jahren wurden die Volksschullehrer in Lehrerseminaren ausgebildet. Die Ausbildung der Volksschullehrer war also ganz getrennt von der Ausbildung der Lehrer für die höheren Schulen. Das soll nun
10 anders werden. Nach einem Gesetz vom 12. Oktober 1935 soll der Volksschullehrer zuerst eine höhere Schule besuchen und dann zu= sammen mit den künftigen Lehrern für die höheren Schulen ein Jahr in der „Hochschule für Lehrerbildung" (*Teachers' Training College*) verbringen. Wenn er die Charaktereigenschaften und Fähigkeiten
15 eines Lehrers und Führers der Jugend besitzt, darf er dann wählen, ob er noch ein Jahr in dieser Hochschule bleiben und Volksschullehrer werden, oder auf eine Universität gehen und Lehrer für eine höhere Schule werden will.

Jedes deutsche Kind muß jetzt vier Jahre lang die „Grundschule"
20 besuchen. So nennt man die ersten vier Jahre der Volksschule. Nur ein kleiner Teil der Schüler geht dann in eine höhere Schule, die meisten bleiben noch vier Jahre in der Volksschule und lernen neben Deutsch, Rechnen, Geschichte und Geographie, auch Geometrie, Biologie, Zeichnen, Singen und Religion. Da die Kinder zu ge=
25 funden Gliedern des Volkes erzogen werden sollen, spielen die Leibes= übungen eine wichtige Rolle. In diesem Punkt dachte man früher anders. Besonders begabte Schüler dürfen nach acht Jahren in die Begabtenklassen, von wo sie später in die höheren Schulen eintreten können. Wer mit 14 Jahren in einen Beruf eintritt, muß bis zum
30 18. Jahr sechs bis acht Stunden in der Woche eine Berufsschule besuchen, wo er das lernen darf, was für seinen Beruf wichtig ist. Der Arbeitgeber muß dafür sorgen, daß seine jungen Arbeiter die Schule besuchen. Sogar auf dem Lande sollen jetzt einige Be= rufsschulen eingerichtet worden sein, wo die zukünftigen Bauern
35 in der Landwirtschaft unterrichtet werden.

ADDITIONAL ACTIVE VOCABULARY

erziehen, erzog, erzogen to educate
gesund healthy
das Glied (Glieder) member
innen within, inside
die Pflicht (Pflichten) duty

prüfen to examine
der Punkt (Punkte) point
unterrichten, unterrichtete, unter=
richtet to instruct
zeichnen to draw, sketch

QUESTIONS

1. Warum hat man Friedrich Wilhelm I. den Vater der preu=
ßischen Volksschule genannt? 2. Warum trieben die Volksschullehrer
früher ein Handwerk? 3. Wann hat für die preußische Volks=
schule ein neues Zeitalter begonnen? 4. Wie wurde die Ausbildung
der Volksschullehrer im Jahre 1935 geändert? 5. Welches sind die
Unterschiede zwischen der deutschen und der amerikanischen Volks=
schule?

EXERCISES

(*a*) Translate and give a sliding synopsis of the following
sentences, omitting the future perfect tense:

1. I do not care to instruct this pupil. 2. Can you (*fam. sing.*)
not examine him? 3. Must he study this? 4. We are not allowed
to sketch this castle. 5. Do you (*fam. pl.*) want to serve in the
army? 6. They are not able to educate my boy.

(*b*) Translate the words in parentheses:

1. Sie (*are said to*) ihre Ausbildung in einem Lehrerseminar
erhalten haben. 2. Du (*must not*) unzufrieden sein. 3. Ihr
(*ought to*) in eine höhere Schule gehen. 4. Sie (*claim*) die Er=
laubnis von seinem Nachfolger erhalten haben. 5. Ich (*am expected to*) das Ansehen unsrer Familie heben.

(*c*) Change to the present perfect tense:

1. Früher mußten die Lehrer auf dem Lande ihre Schüler in
den Häusern der Bauern unterrichten. 2. Da die Gemeinden oft
den Lehrer nicht bezahlen mochten, wollte der König sie durch ein
Gesetz dazu zwingen (*force*). 3. Diese Lehrer, die neben dem Lehren
ein Handwerk treiben mußten, konnten manchmal selbst nicht richtig

rechnen und schreiben. 4. Die besseren Familien ließen ihre Söhne durch Privatlehrer unterrichten. 5. Später durfte nur noch derjenige Lehrer werden, der ein Lehrerseminar besucht hatte. 6. Obgleich wir oft von der deutschen Volksschule sprechen hörten, wußten wir nicht, daß es dort nur wenige Lehrerinnen gibt. 7. Ich sah noch nie eine Lehrerin in Deutschland ältere Knaben unterrichten. 8. Die Unterdrückung durch Napoleon half dem deutschen Volk sich selber finden. 9. Da der Plan sich nicht so leicht ausführen ließ, wollten sie die Arbeit nicht so schnell unternehmen. 10. Der König hieß die Boten gehen.

(d) Answer the following questions in the present perfect tense:

1. Konnten die Lehrer im 17. Jahrhundert vom Unterrichten leben? 2. Ließ die preußische Regierung die Gedanken Pestalozzis einführen? 3. Mußten sich alle Lehrer später prüfen lassen? 4. Durften die Volksschullehrer auf der Universität studieren?

WRITTEN TRANSLATION

1. Will you tell me how the German elementary-schools differ (distinguish themselves) from the American schools? — 2. I shall try to answer (beantworten) your question, but you must not think (believe) that I can give you an exhaustive (erschöpfend) answer in two minutes. 3. In Germany the State is said to exercise (ausüben) (a) much stricter supervision over the schools than in this country. 4. All elementary-school-teachers formerly had to attend one of the many normal-schools which were-expected-to train all future teachers in (auf *with acc.*) the same manner. 5. Only those teachers were allowed to teach in a public school who could prove that they possessed this training. 6. All private-schools had to be recognized by the State. 7. Now the German children are no longer allowed to attend private-schools, because children of all classes are supposed to be educated together. 8. The State determined the salary of the teacher and this salary depended (hing ab) only on (von) the size (Größe) of the school and of the town in which he was teaching. 9. In Germany the prestige of the teacher is said to be greater because he feels himself [to be] (als) an official-of-the-State. 10. You

ought not to be-surprised (fich darüber wundern) that most men in this country do not want to become elementary-school-teachers, because in most towns they would not be able to support (ernähren) a family on (mit) their salary. 11. This may be the main-reason why (the) American children are (being) instructed for at least eight years by women-teachers.

LESSON IX

Verbs with Prefixes. Reflexive and Impersonal Verbs

165. *Inseparable compound verbs* (§ 96)

Besides the common unstressed prefixes: **be–, ent–, er–, ge–, ver–, zer–,** the following less frequent prefixes form inseparable compound verbs: **hinter–, miß–, voll–, wider–.** Hinter– often implies that something is done behind one's back; miß– corresponds to the English prefix *mis– (wrong)*; voll– denotes completion; wider– indicates opposition.

> Examples: hintergehen, hinterging, hintergangen: *to deceive*
> mißhandeln, mißhandelte, mißhandelt: *to abuse*
> vollenden, vollendete, vollendet: *to complete*
> widerstehen, widerstand, widerstanden: *to resist*

Verbal prefixes originally were prepositions or adverbs. In many instances, however, their original meaning has not been preserved in the compound verb. The prefixes **ent–, er–, ver–, zer–** are still used to coin new compound verbs, adding a definite shade of meaning to the simple verb.

> Examples: entfliehen, *to escape;* ent– denoting separation, removal
> erdenken, *to invent;* er– denoting effort, achievement
> verführen, *to mislead;* ver– denoting error
> zerbrechen, *to smash;* zer– denoting destruction, dissolution

Note that in already existing compounds these meanings are not always present.

A number of intransitive verbs may be changed to corresponding transitive verbs by prefixing **be–**: beantworten, *to answer;* betreten, *to enter.*

Examples:　Ich habe (ihm) geantwortet.

Ich habe die Frage beantwortet.

Ich bin ins Zimmer getreten.

Ich habe das Zimmer betreten.

166. *Separable compound verbs* (§ 97)

(*a*) The following prefixes are stressed and separable: **ab–, an–, auf–, aus–, bei–, ein–, fort–, her–, hin–, mit–, nach–, nieder–, vor–, weg–, wieder–** (except wiederholen, *to repeat*), **zu–, zurück–, zusammen–.** Unlike most inseparable prefixes, these separable prefixes are also complete words which can stand alone.

SYNOPSIS

Wir brauchen mehr Raum, denn die Zahl der Schüler nimmt zu (*increases*)
(weil die Zahl der Schüler zunimmt).

Wir brauchten mehr Raum, denn die Zahl der Schüler nahm zu
(weil die Zahl der Schüler zunahm).

Wir haben mehr Raum gebraucht, denn die Zahl der Schüler hat zugenommen
(weil die Zahl der Schüler zugenommen hat).

Wir hatten mehr Raum gebraucht, denn die Zahl der Schüler hatte zugenommen
(weil Zahl der Schüler zugenommen hatte).

Wir werden mehr Raum brauchen, denn die Zahl der Schüler wird zunehmen
(weil die Zahl der Schüler zunehmen wird).

(*b*) The use of hin and her (§ 98):

Mein Freund stand am Fenster und rief zu mir herunter: „Komm herauf!" Ich antwortete: „Ich habe keine Zeit, ich kann jetzt nicht hinauf."

167. *Verbs with variable prefixes* (§ 99)

The prefixes **durch–, über–, um–, unter–** may form both separable and inseparable compounds. Used inseparably the compound verbs are usually transitive and often have a figurative meaning, while the separable prefix often denotes the literal meaning.

Examples: Er ift zu uns übergetreten. *He came over to our side.*
Er hat das Gefetz übertreten. *He transgressed the law.*
Er hat uns übergefetzt. *He ferried us across.*
Er hat das Buch überfetzt. *He translated the book.*

Er ift mit diefer Meinung durchgedrungen.
He prevailed with his opinion.
Er hat fie mit feinem Geift durchdrungen.
He infused them with his spirit.

Das Waffer ift nicht mehr durchgelaufen.
The water did not run through any more.
Er hat das Gymnafium durchlaufen.
He went through (graduated from) high school.

Er hat fich umgekleidet. *He changed his clothes.*
Er hat alles mit fchönen Worten umkleidet.
He clothed everything in fine words.

Note that **um**– denoting change is always stressed: umformen (*to reshape*), umlernen (*to learn anew*); while **um**– denoting *around, surrounded* is usually unstressed: umarmen (*to embrace*), umfaffen (*to encompass*), umgeben (*to surround*).

168. *Reflexive verbs* (§ 49)

SLIDING SYNOPSIS

Ich fürchte mich.	Ich helfe mir.
Du fürchtetest dich.	Du halfft dir.
Er hat fich gefürchtet.	Er hat fich geholfen.
Wir hatten uns gefürchtet.	Wir hatten uns geholfen.
Ihr werdet euch fürchten.	Ihr werdet euch helfen.
Sie werden fich gefürchtet haben.	Sie werden fich geholfen haben.

169. *Impersonal verbs* (§ 52)

SLIDING SYNOPSIS

Es tut mir leid.	Es friert mich.
Es tat dir leid.	Es fror dich.
Es hat ihm leid getan.	Es hat ihn gefroren.
Es hatte uns leid getan.	Es hatte uns gefroren.
Es wird euch leid tun.	Es wird euch frieren.
Es wird ihnen leid getan haben.	Es wird fie gefroren haben.

Es gibt heute mehr Mittelschulen, als vor zwanzig Jahren.
Es sind 400 Schüler in dieser Mittelschule.
(In dieser Mittelschule sind 400 Schüler.)

Note that in the expressions es ist, es sind, the es is omitted in the inverted word order.

Die höheren Schulen in Deutschland

Schon im 13. Jahrhundert gab es in Deutschland neben den Klosterschulen, wo hauptsächlich Priester ausgebildet wurden, auch sogenannte Stadtschulen für die Söhne reicher Bürger. Aus diesen Stadtschulen und den alten Klosterschulen entwickelten sich im 16.
5 Jahrhundert unter dem Einfluß von Renaissance und Reformation die ersten Gymnasien. Hier wurden die protestantischen Pfarrer und Söhne der reichen Bürger ausgebildet. Das Erlernen der lateinischen und griechischen Sprache war das Hauptziel der Gymnasien, denn es bot den Schlüssel zur eben entdeckten Kulturwelt des
10 klassischen Altertums. Das 16. Jahrhundert brachte auch die ersten staatlichen Gelehrtenschulen, das heißt, die sächsischen Fürstenschulen, wo die begabtesten Söhne des Landes zu tüchtigen Beamten für Kirche und Staat ausgebildet werden sollten. Berühmte Gelehrte und Dichter sind aus diesen Fürstenschulen hervorgegangen: Lessing,
15 Klopstock und Nietzsche, um nur drei zu nennen.

Praktische Fächer, wie Mathematik, Physik, Geographie, Geschichte und Französisch führte man übrigens erst im 18. Jahrhundert in den Gelehrtenschulen ein, und zwar zuerst nur in den obersten Klassen als Privatkurse, für welche die Lehrer besonders be-
20 zahlt wurden. Die erste deutsche Realschule wurde 1747 in Berlin gegründet. Sie verlangte kein Griechisch und wenig Lateinisch, betonte dafür aber die praktischen Gegenstände, die man im Geschäftsleben braucht. Besondere Kurse wurden für besondere Berufe eingerichtet. Man kann verstehen, daß diese private Realschule nach
25 zwanzig Jahren schon über tausend Schüler unterrichtete. Am Anfang des 19. Jahrhunderts gab es dann auch öffentliche Realschulen für solche, die eine höhere Bildung erwerben, aber nicht auf eine Universität gehen wollten. In der zweiten Hälfte des 19.

Jahrhunderts entbrannte ein Kampf um die Gleichstellung der Real=
schule mit dem Gymnasium. Die Regierung aber unterstützte das
Gymnasium und wollte die Realschule als vorbereitende Schule für
die Universität durchaus nicht anerkennen, selbst dann nicht, als die
Realschule dem Unterricht des Lateinischen mehr Stunden einräumte, 5
als irgend einem anderen Fach. Im Jahre 1882 erhielt diese Real=
schule den Namen Realgymnasium, um sie von der Realschule ohne
Latein zu unterscheiden. Diese berechtigte zuerst nur zum Besuch der
technischen Hochschulen und wurde schließlich Oberrealschule genannt.

Heute stehen Gymnasium, Realgymnasium und Oberrealschule 10
gleichberechtigt nebeneinander, alle berechtigen zum Besuch der Uni=
versität und der technischen Hochschule. Alle umfassen heute einen
achtjährigen Lehrplan und beginnen mit dem fünften Schuljahr.
Ein nicht sehr hohes Schulgeld wird verlangt, auch die Bücher
müssen von den Schülern gekauft werden. Knaben und Mädchen 15
werden getrennt unterrichtet. Es ist das Bestreben der deutschen
Regierung, das Studium des eigenen Volkes mehr zu fördern, das
heißt, das Studium der deutschen Geschichte, der deutschen Sprache,
der deutschen Kunst und der deutschen Literatur. Gleich nach dem
Weltkrieg wurde eine besondere höhere Schule mit diesem Hauptziel 20
geschaffen, die sogenannte deutsche Oberschule. Diese soll in Zukunft
die normale höhere Schule sein.

Neben den höheren Schulen, die auf die Universität vorbereiten,
gibt es noch Mittelschulen, Handelsschulen und technische Fachschulen,
die meistens einen sechsjährigen Lehrplan haben. Ihr Ziel ist, auf 25
praktische Berufe vorzubereiten. In allen diesen Schulen soll aber
jetzt nicht mehr bloß das Wissen, sondern auch die Ausbildung des
Charakters und die körperliche Ausbildung gepflegt werden.

ADDITIONAL ACTIVE VOCABULARY

durchaus absolutely
das Fach (Fächer) compartment; subject
fördern to further, promote
der Gegenstand (Gegenstände) object, subject

das Geschäft (Geschäfte) business
irgend ein any
die Kunst (Künste) art
praktisch practical
übrigens by the way, incidentally

QUESTIONS

1. Wer besuchte die ersten Gymnasien? Die Fürstenschulen?
2. Warum war Lateinisch und Griechisch das Hauptziel der Gym=
nasien? 3. Wer besuchte die Realschulen im 19. Jahrhundert?
4. Warum erhielten die Realschulen so lange keine Gleichberechti=
gung mit den Gymnasien? 5. Was wissen Sie über die deutsche
Oberschule? 6. Was für Schulen haben einen sechsjährigen
Lehrplan?

EXERCISES

(a) Reproduce the following subordinate clauses as principal clauses in the past tense, omitting all unnecessary introductory words:

1. Wir fragen Sie, wie viele Jahre der neue Lehrplan umfaßt.
2. Ich möchte wissen, ob du den Plan unterstützt. 3. Wir be=
merkten, daß wir uns stark voneinander unterscheiden. 4. Es ist
nicht bekannt, wo sie sich niederlassen. 5. Es ist höchste Zeit, daß
er mit dem Kurs anfängt. 6. Es ist nicht sicher, ob man ihn
durchläßt. 7. Man fragte mich, was du am liebsten unterrichtest.
8. Ich behaupte, daß er eine solche Arbeit nie unternimmt.
9. Weißt du, ob die Zahl der Schüler zurückgeht? 10. Wir freuen
uns, daß er unseren Sohn ausbildet. 11. Sie wissen, daß wir
Ihnen gern ein Zimmer einräumen. 12. Es tut mir leid, daß er
die Schule nicht übernimmt.

(b) Following the directions given above, reproduce the
even numbers of (a) in the present perfect tense.

(c) Change the subordinate clauses of (a) 2, 5, 12 into
imperative sentences.

(d) Change the sentences below to the present perfect
tense and insert the correct form of the personal or reflexive
pronoun:

1. Wir werden (——) schnell entschließen. 2. Es tut (*3rd
pers. pl.*) sehr leid. 3. Ich erinnere (——) nicht mehr daran.
4. Es gelingt (*2nd pers. sing.*) sicher. 5. Warum macht ihr
(——) über ihn lustig? 6. Es friert (*3rd pers. sing.*) immer.
7. Er erweist (——) als tüchtiger Beamter. 8. Wie gefällt es

(*2nd pers. pl.*) in biefer Stabt?   9. Sie wunbern (——) über
feine Ausbilbung.   10. Es freut (*1st pers. sing.*), euch wieberzu=
fehen.

WRITTEN TRANSLATION

1. How do the German "higher schools" differ from the American
secondary-schools? 2. The main-difference is probably (this): that
the German "higher schools" are trying to train leaders of the
people, whereas (while) the American schools would-like to give
everybody a higher education. 3. After a pupil has attended a
German "higher school" he may enter (beziehen) a university.
4. It is therefore one of the chief-aims of the "higher schools" to
prepare their pupils for (auf *with acc.*) the university. 5. In this
country the number of pupils in the secondary-schools increased
(*use* zunehmen) rapidly during the last twenty-five years. 6. In
1930 there were four times as (fo) many pupils in these schools as
in 1910.

7. The German pupil enters (in) a "higher school" in his fifth
school year. 8. He begins to study a foreign language as soon [as]
he enters (in) the "higher school." 9. As (wenn) the pupil becomes
older the teacher demands more [work] from him. 10. The boys who
attend a "higher school" in Germany do not enjoy so much freedom
as (wie) most of the boys in our country, especially after they have
reached their fourteenth year. 11. In (the) school they are sub-
jected to-a strict supervision, and outside their school-hours they
often spend several hours every day in preparing (to prepare)
(themselves) for (auf *with acc.*) the following day. 12. One evening a week and Saturday afternoon are set-aside (vorbehalten) for
(*use dat.*) physical training and development of the team-spirit
(Gemeinfchaftsgefühl).

LESSON X

Word Order. Conjunctions

170. 1. In *normal word order* the subject stands first and
is followed by the inflected form of the verb. Only a few
words such as aber and jeboch, in literary speech, may be
placed between the subject and the inflected verb:

He always writes her first.   Er ſchreibt ihr immer zuerſt.

His friend, however, had forgotten him.
Sein Freund aber hatte ihn vergeſſen.

2. In the *inverted word order* the verb precedes the subject. The inverted word order is used:

(*a*) When the independent sentence, for the sake of emphasis, begins with an element (word, phrase, or clause) other than the subject:

Ihren Freund ſah ich geſtern morgen in der Kirche.
Geſtern morgen ſah ich Ihren Freund in der Kirche.
In der Kirche ſah ich geſtern morgen Ihren Freund.
Als ich geſtern morgen in der Kirche war, ſah ich Ihren Freund.

NOTES: 1. Only one grammatical unit (object, adverb, adverbial or prepositional phrase, or subordinate clause) may precede the verb.

2. Co-ordinating conjunctions, also ja, nein, and interjections like ach! do not cause inversion (§ 78):

Geſtern war ich in der Kirche, aber ich ſah Ihren Freund nicht.
Nein, ich ſah Ihren Freund geſtern nicht.

(*b*) In questions unless the subject is an interrogative:

Schreibt er ihr immer zuerſt?
Wo iſt er geweſen?
Wer iſt dieſer Herr?

(*c*) When the speaker is mentioned after a direct quotation:

„Glauben Sie es nicht!" ſagte er gleich.

(*d*) When the polite form of the imperative is used, as in (*c*).

(*e*) When a conditional clause omits wenn:

Schreibt er ihr nicht, ſo muß ich es tun.

3. In *transposed word order* the inflected form of the verb stands last.   The transposed word order is used in subordinate clauses introduced by:

(*a*) A subordinating conjunction:

Wenn er ihr nicht ſchreibt, muß ich es tun.

(*b*) A relative pronoun:

> Der Brief, den er ihr geschrieben hat, hat sie nicht erreicht.

NOTES: 1. The inflected form of the verb precedes the "double infinitive" in subordinate clauses:

> Da er dich nicht hat fragen können, hat er dir geschrieben.

2. Transposed word order is used in indirect discourse introduced by a subordinating conjunction or an interrogative:

> Er fragte, ob er heute nicht kommen könne.
> Er fragte, wer heute nicht kommen könne.

The normal word order is used in an object clause, *i.e.* when the conjunction is omitted:

> Er sagte, er könne heute nicht kommen.

171. The position of the *verbal adjunct* is at the end of the clause (§ 15):

1. Participle and infinitive:

> Ich habe ihn selbst gefragt.
> Ich werde ihn selbst fragen.

2. Predicate adjective:

> Die Musik war gestern besonders schön.

3. Adverb modifying the verb:

> Wir arbeiten am Abend nicht so schnell.

4. The negative **nicht** (and **nie**) in simple tenses:

> Ich sah ihn gestern nicht.

Note that nicht precedes:

(*a*) Past participle and infinitive:

> Ich habe ihn gestern nicht gesehen.
> Ich werde ihn morgen nicht sehen.

(*b*) Predicate adjectives, nouns, and separable prefixes:

> Das kann nicht wahr sein.
> Das kann nicht mein Freund sein.
> Er steht heute nicht auf.

(*c*) A negated word or group of words:

Ich habe gestern nicht ihn, sondern seinen Bruder gesehen.

172. Review the position of objects and adverbs (§ 77).

1. Two objects:

Er zeigte mir das Bild.
Er zeigte meinem Bruder das Bild.
Er zeigte es mir.
Er zeigte es meinem Bruder.

2. Pronominal object and expression of time:

Ich fragte gestern seinen Bruder.
Ich fragte ihn gestern.

3. Expressions of time and of place (§ 12):

Ich habe ihn gestern in der Kirche gesehen.

4. Pronominal objects may precede the noun subject in inverted and transposed word order:

Da hat ihm der König das Pferd geschenkt.
Da ihm der König das Pferd geschenkt hatte, wollte er auf keinem anderen mehr reiten.

173. Review the participial construction modifying a noun (§ 80):

Der aus der Schweiz stammende aber an der Göttinger Universität wirkende Professor Haller gewann europäischen Ruhm. *Professor Haller, whose home was in Switzerland but who was teaching at the University of Göttingen, gained a European reputation.*

Helmholtz hat in einer 1847 im Alter von 26 Jahren geschriebenen Arbeit dieses Naturgesetz begründet. *Helmholtz established this natural law in a treatise written in 1847 at the age of twenty-six.*

174. Review the co-ordinating and subordinating conjunctions (§ 78). Note:

(*a*) The difference between **aber** and **sondern**:

Wir reisen nicht mit dem Zug, sondern mit dem Auto.
Wir reisen nicht mit dem Zug, aber wir nehmen den Koffer doch mit.

Aber may be placed after one or more words, just as the English *however* (cf. § 170, 1). In elevated speech allein at the beginning of the sentence sometimes is synonymous with aber.

(b) The different translations of *when, whenever* (§ 79):

> Wenn er uns dort besucht, wird man ihn freundlich empfangen.
> Als er uns dort besuchte, wurde er freundlich empfangen.
> Wenn er uns dort besuchte, wurde er immer freundlich empfangen.
> Wann besucht er uns dort?

(c) The different meanings of **da** as adverb (*there, then*) and as conjunction (*since, as*), distinguished by means of the word order:

> Da mußte er wieder nach Berlin zurück.
> Da er wieder nach Berlin zurück mußte, übernahm ich seine Arbeit.

(d) The possible separation by one or more words of **obgleich, obschon** (*although*), and **wenn auch** (*even if*):

> Ob er gleich siebzig Jahre alt ist, wandert er noch viel.
> Wenn er mich auch nicht oft besucht, bleiben wir doch gute Freunde.

Deutsche Naturforscher

Geht Deutschlands Weltruf in Philosophie und Literatur auf den Anfang des neunzehnten Jahrhunderts zurück, so ist sein naturwissenschaftlicher Weltruhm einige Jahrzehnte jünger. Allerdings gibt es, wie wir gleich sehen werden, schon in früheren Jahrhunderten deutsche Naturforscher ersten Ranges, doch entsteht erst gegen die 5 Mitte des vorigen Jahrhunderts eine große naturwissenschaftliche Tradition an den deutschen Universitäten.

Der erste deutsche Naturforscher von Weltruf ist der 1571 im Städtchen Weil in Württemberg geborene Astronom Johannes Kepler, der Gründer unsrer modernen Astronomie. Im siebzehnten 10 Jahrhundert ist der große Mathematiker und Philosoph Gottfried Wilhelm Leibniz (1646–1716) zu nennen, der zusammen mit Newton als der Erfinder der Infinitesimalrechnung (*calculus*) angesehen werden darf, die er 1684 als erster in reiner mathematischer Form ausgedrückt hat. Er veranlaßte den preußischen König, in Berlin 15 eine Akademie der Wissenschaften zu gründen und wurde ihr erster Präsident. Um die Mitte des achtzehnten Jahrhunderts gewann

der aus der Schweiz stammende aber an der Göttinger Universität
wirkende Professor Albrecht von Haller (1708–1777), der Vater der
modernen Physiologie, europäischen Ruf.

Bevor wir ins neunzehnte Jahrhundert eintreten, müssen wir noch
5 zweier umfassender Geister gedenken, die die Naturwissenschaft noch
einmal als Ganzes überblickten und zu einem geschlossenen (*unitary*)
Weltbild zusammenfaßten: Alexander von Humboldt (1769–1859)
und Johann Wolfgang von Goethe (1749–1832). Goethe, der große
Naturdichter, hat den naturwissenschaftlichen Entwicklungsgedanken
10 zum Mittelpunkt seines Weltbilds gemacht, und es hat Zeiten gegeben,
wo ihm seine Experimente wichtiger waren, als seine Dichtwerke.
Alexander von Humboldt, der Präsident der von Leibniz gegründeten
Akademie der Wissenschaften, hat noch einmal alle Gebiete der damals
bekannten Naturwissenschaft beherrscht und überall neue Erkenntnisse
15 gebracht. Vielleicht noch wichtiger als seine eigenen Forschungen
war das begeisternde Vorbild dieses berühmten Mannes und seine
tatkräftige Unterstützung junger Naturforscher wie Liebig und Helm=
holtz.

Justus von Liebig (1803–1873) hat in den dreißiger Jahren die
20 berühmteste chemische Schule seiner Zeit an der Universität Gießen
errichtet. Wieviel er als Gründer der modernen Biochemie und
Chemie der Landwirtschaft zum Heil der modernen Menschheit bei=
getragen hat, ist schwer zu sagen. Hermann von Helmholtz (1821–
1894) hat, von der Medizin ausgehend, in einer 1847 im Alter von
25 26 Jahren geschriebenen Arbeit das Naturgesetz von der Erhaltung
der Energie wissenschaftlich begründet. Zwar hatte der aus Heil=
bronn stammende jüdische Arzt Julius Robert Mayer das Gesetz
unabhängig von Helmholtz gefunden, und der englische Physiker
Joule hatte es durch viele eigene Experimente bewiesen, doch ver=
30 schaffte ihm erst Helmholtz streng wissenschaftliche Anerkennung. An
den Universitäten Bonn, Heidelberg und Berlin wirkend, widmete
sich Helmholtz neben der theoretischen Physik besonders der Optik und
Akustik.

Auf dem Gebiet der Biologie muß im neunzehnten Jahrhundert
35 der in Bonn (1826–1833) und in Berlin (1833–1858) wirkende

Professor Johannes Müller zuerst genannt werden. Er war der führende deutsche Physiologe seiner Zeit und hat mehr als irgend ein andrer zur Begründung der vergleichenden Physiologie beigetragen. Sein Schüler Theodor Schwann hat zusammen mit Matthias Schleiden, Professor der Botanik in Heidelberg, in den Jahren 1838 und 1839 die Zellentheorie begründet, während Max Schultze, der Nachfolger von Helmholtz in Bonn, in den sechziger Jahren das Protoplasma als die gemeinsame physische Grundlage aller Lebewesen erkannt und so die Biologie im modernen Sinn begründet hat. Etwa zu gleicher Zeit stellte der österreichische Mönch, Gregor Mendel, durch Experimente mit verschiedenfarbigen Pflanzen sein berühmtes nach ihm genanntes Vererbungsgesetz auf, das aber erst um 1900 allgemein bekannt wurde. Aus den letzten Jahrzehnten des neunzehnten Jahrhunderts können nur noch einige der hervorragendsten Namen genannt werden. Auf dem Gebiet der Biologie: Robert Koch, der mit dem Franzosen Pasteur zusammen die wissenschaftliche Bakteriologie begründete, 1882 den Bazillus tuberculosis entdeckte, und 1905 den Nobelpreis erhielt, und August Weismann, der bis 1912 an der Freiburger Universität wirkte, wo er die Keimzellentheorie begründete, die eine so große Rolle in der Vererbungslehre spielt. In der Chemie: Robert Bunsen, der Vater der chemischen Geologie, der 1861 mit Kirchhoff die Spektralanalyse erfand und auch durch andere von ihm erfundene chemische Methoden berühmt geworden ist. In der Physik: Heinrich Hertz, der in den achtziger Jahren durch seine glänzenden Experimente die Grundlage für die drahtlose Telegraphie legte; Wilhelm Röntgen, der 1895 die nach ihm genannten Strahlen entdeckte; und die heute noch Wirkenden, Max Planck und Albert Einstein, die eine Revolution in der theoretischen Physik hervorgerufen haben, deren Ausgang man noch nicht voraussagen kann.

ADDITIONAL ACTIVE VOCABULARY

allerdings to be sure
der Geist (Geister) spirit, mind
das Heil salvation, welfare

die Pflanze (Pflanzen) plant
der Sinn (Sinne) sense, mind

QUESTIONS

1. Was wissen Sie über die preußische Akademie der Wissenschaften? 2. Was verbindet Albrecht von Haller mit Johannes Müller? 3. Warum kann man Goethe unter den berühmten Naturforschern nennen? 4. Wodurch ist Bunsen berühmt geworden? 5. Wer hat das Gesetz von der Erhaltung der Energie gefunden und wissenschaftlich begründet? 6. Was wissen Sie über Heinrich Hertz? 7. Welche deutschen Naturforscher haben zur Begründung der modernen Biologie beigetragen? Wie?

EXERCISES

(a) Insert aber or sondern:

1. Goethe war kein Naturforscher, —— ein Dichter. 2. Goethe war kein Naturforscher, —— er hatte großes Interesse für die Naturwissenschaft. 3. In vielen deutschen Knabenschulen unterrichten keine Lehrerinnen, —— Lehrer. 4. Nicht ich, —— mein Bruder fährt dieses Jahr nach Deutschland. 5. Händel war kein Engländer, —— England sieht in ihm seinen größten Komponisten. 6. Wir haben im Frühling keine langen Ferien, —— die Sommerferien sind umso länger. 7. Ich brauche keinen Arzt, —— nur mehr frische Luft.

(b) Insert als, wenn, or wann:

1. Kepler war schon sechzehn Jahre lang tot, —— Leibniz geboren wurde. 2. Wissen Sie, —— Humboldt lebte? 3. Wir dürfen Max Schultze nicht vergessen, —— wir von moderner Biologie sprechen. 4. Helmholtz schrieb seine erste berühmte Arbeit, —— er sechsundzwanzig Jahre alt war. 5. Bunsen benutzte viele neue Methoden, —— er seine Experimente machte. 6. Haben sie ihm gesagt, —— das Mendelsche Gesetz gefunden wurde? 7. Die Ärzte freuten sich, —— Robert Koch den Nobelpreis bekam.

(c) Connect the following sentences with the conjunctions suggested, placing the subordinate clause first:

1. Kepler stammt aus Württemberg. Leibniz ist in Leipzig geboren. (und, während) 2. Humboldt wurde Präsident der

Akademie. Er beherrschte alle Gebiete der Naturwissenschaft. (denn, weil) 3. Helmholtz wurde durch das Gesetz von der Erhaltung der Energie berühmt. Robert Mayer hatte es schon früher entdeckt. (aber, obgleich)

(d) Replace the noun object by a pronoun and adjust the word order where necessary:

1. Ich erzählte meinem Bruder (die Geschichte). 2. Er hat heute morgen (ihren Brief) bekommen. 3. Wir verdanken es (unsrer Mutter). 4. Sie werden nächste Woche (ihren Vater) besuchen. 5. Wird er dir (den Brief) schicken?

(e) Replace the relative clause by a participial construction modifying the noun.

Example: Warschau, das im 13. Jahrhundert von Deutschen gegründet wurde, gehörte zum Hansabund. Das im 13. Jahrhundert von Deutschen gegründete Warschau gehörte zum Hansabund.

1. Die deutschen Kolonisten, die von Katharina nach Rußland gerufen wurden, ließen sich an der Wolga nieder. 2. Viele von den Deutschen, die um 1850 nach Amerika auswanderten, waren geistig hochstehende Männer. 3. Die allgemeine Schulpflicht, die Friedrich Wilhelm I. in Preußen einführte, umfaßte nur Kinder von 5 bis 12 Jahren. 4. Ein Gelehrter, der alle Gebiete der Naturwissenschaft seiner Zeit beherrschte, war Alexander von Humboldt. 5. Mendel entdeckte sein Gesetz, das erst mehrere Jahrzehnte später allgemein bekannt wurde, schon in den sechziger Jahren.

WRITTEN TRANSLATION

1. Johannes Kepler is so important in the history of natural science because he discovered the three mathematical laws named after him. 2. What he has achieved means more than the work of many other astronomers [does], since he could not build (aufbauen) on that which other scientists had found before him. 3. Although he was a mathematical genius, he reached his goal only through many years of hard work, and we know that he made many futile attempts, which he also recorded for us, before he found his famous laws.

4. In former centuries, when natural science did not yet comprise such a wide field, outstanding scientists often distinguished themselves in (auf) other fields also. 5. Leibnitz was a famous philosopher and statesman, and Haller made a name for-himself as [a] poet. 6. But after the various natural sciences developed (*refl.*), each of them demanded a man's entire energy. 7. Even though Helmholtz was an able philosopher and very [much] interested in Richard Wagner's music, he is known to-us not as [a] philosopher or [an] artist, but only as [a] great physicist. 8. Do you know that in 1893 Helmholtz represented the German government at (auf) a world-congress (der Kongreß) in Chicago? 9. On his return-trip he fell on the boat and was seriously (schwer) injured. 10. Although he recovered from this accident, he never became entirely well and died (in) the following year.

LESSON XI

Personal, Indefinite, Possessive Pronouns

175. Review the declension of the personal pronouns:

Nom.	ich	du	er	sie	es	wir	ihr	sie	Sie
Gen.	meiner	deiner	seiner	ihrer	seiner	unser	euer	ihrer	Ihrer
	(mein)	(dein)	(sein)						
Dat.	mir	dir	ihm	ihr	ihm	uns	euch	ihnen	Ihnen
Acc.	mich	dich	ihn	sie	es	uns	euch	sie	Sie

1. The use of **du** and **Sie** (§ 3):

> Karl, kommst du mit deinen Eltern?
> Kinder, kommt ihr mit euren Eltern?
> Herr Siegel, kommen Sie mit Ihren Eltern?

2. Remember that the third person must agree in gender as well as in number with the noun to which it refers:

> Hast du den Brief bekommen? Ja, **er** kam heute morgen.
> Wo ist deine Antwort? Ich habe **sie** noch nicht geschrieben.

Referring to Mädchen, Fräulein, and Weib, sie (ihrer, ihr) is commonly used:

> Wo ist das Mädchen?   Ich möchte mit **ihr** sprechen.

3. Remember the idiom:

Ich bin es.	*It is I.*
Bist du es?	*Is it you?*
Er ist es.	*It is he.*
Wir sind es.	*It is we.*
Seid ihr es?	*Is it you?*
Sind sie es?	*Is it they?*

4. The use of **da–**, or **dar–** (§ 25):

> Hast du es von Paul gehört?   Ja, ich habe es **von ihm** gehört.
> Hast du von seinem Glück gehört?   Ja, ich habe **davon** gehört.

> Wartest du auf Karl?   Ja, ich warte **auf ihn.**
> Wartest du auf seinen Brief?   Ja, ich warte **darauf.**

> Er hat uns noch gar nicht besucht.   Was sagst du **dazu?**

5. **Da=**forms serve to anticipate a daß=clause or an infinitive.

A daß=clause is usually used when there is a change of subject:

> Ich habe nichts dagegen, daß er mitkommt.
> *I have no objection to his coming along.*

> Er freut sich darüber, daß ich bei euch bleibe.
> *He is glad of the fact that I am staying with you.*

> Wir denken daran, Berlin zu verlassen.
> *We are thinking of leaving Berlin.*

6. The genitive of the personal pronouns is used with verbs requiring a genitive:

> Wir schämen uns seiner.   *We are ashamed of him.*

The forms **mein, dein, sein** as personal pronouns are archaic and reserved for elevated diction:

> Gedenke mein!   *Remember me!*

The prepositions **halben** (*in behalf of*), **wegen** and **um . . . willen** (*for the sake of*) appear in the following combinations:

meinetwegen, deinetwegen, seinetwegen, unseretwegen, *etc.* (*for my sake, etc.*)
um meinetwillen, um deinetwillen, *etc.*
meinethalben, deinethalben, *etc.*

176. The indefinite pronouns are declined as follows:

Nom.	man	jemand	niemand	jedermann
Gen.	eines	jemands	niemands	jedermanns
Dat.	einem	jemand(em)	niemand(em)	jedermann
Acc.	einen	jemand(en)	niemand(en)	jedermann

1. Note that **man** is never referred to by er:

If one (you, people) go(es) traveling, he (you, they) must leave his (your, their) cares at home.
Wenn man auf Reisen geht, muß **man** seine Sorgen zu Hause lassen.

If you feel sorry for someone, you should not always tell him.
Wenn jemand **einem** leid tut, soll **man** es ihm nicht immer sagen.

2. The dative and accusative endings of **jemand** and **niemand** are optional:

Du darfst niemand (or niemandem) etwas davon sagen.
You must not tell anybody anything about it.

3. **Ein paar,** meaning *some, a few*, is not inflected, while **ein Paar,** meaning *pair*, is treated like a neuter noun belonging to the second class.

Mit ein paar Freunden ging er auf Reisen.
Mit **einem** Paar Schuhe kann man nicht auf Reisen gehen.

4. **Einige, manche,** *some, a few*, and **mehrere,** *several*, take plural endings; mancher may also be used in the singular (cf. § 127), while the singular of einige may precede an abstract noun or may be used as a pronoun of the neuter gender:

Einiges hatte er schon vor einiger Zeit erfahren.
Some (of it) he had already learned some time ago.

5. **Biel** and **wenig** usually do not have any endings unless preceded by a definite article or pronoun:

> Er hatte wenig Geld, und das wenige Geld, das er hatte, ging auch verloren.
> Er wollte viel reisen, aber dieses viele Reisen machte ihn auch nicht glücklicher.

Biele (*many*) and **wenige** (*few*) used as adjectives and pronouns have the regular plural endings.

6. **All** preceding a noun takes the strong endings. It is much more common in the plural, the singular form occurring only with abstract nouns and nouns denoting material.

> Alle Freude und alles Leid drückte er in seiner Musik aus.
> Alle Menschen müssen sterben.

When the meaning is *entire*, **ganz** is used instead of **all**:

> *We did not see him all week.*
> Wir haben ihn die ganze Woche nicht gesehen.

The uninflected form of **all** is used when a possessive or demonstrative adjective follows:

> All seine Freude und all sein Leid drückte er in seiner Musik aus.
> Was bedeutet all das Singen und Tanzen?

7. **Irgend** (*any whatsoever*) before certain indefinite pronouns and interrogatives has a generalizing effect: **irgend etwas**, *something or other;* **irgend jemand**, *anyone;* **irgendwie**, *somehow;* **irgendwo**, *somewhere.*

8. Capitalization:

(*a*) In letters all pronouns of address, as well as all possessives and reflexive pronouns referring to the addressee, are capitalized, with the exception of **sich**:

> Lieber Karl, erinnerst Du Dich an Deine Berliner Tage?
> Liebe Eltern, erinnert Ihr Euch an Eure Berliner Tage?
> Herr Siegel, erinnern Sie sich an Ihre Berliner Tage?

(*b*) Remember that after **alles, etwas, nichts, viel**, and **wenig** adjectives are used as neuter nouns: alles Schöne, etwas Gutes.

(*c*) Indefinite pronouns and numerals are not capitalized, even after an article: der eine, die beiden, das andere, die anderen, das wenige, die wenigen, die vielen, das meiste, der erste, der letzte, die drei.

(*d*) Nouns denoting periods of a specified day are not capitalized: morgen nachmittag, Dienstag abend.

177. *Possessive pronouns* (§ 36)

1. Er ist mein Lehrer und auch seiner (der seine, der seinige).
   Meint ihr unser Zimmer, oder ihres (das ihre, das ihrige)?

Note that, when used pronominally, the possessive (with or without the suffix –ig) may be preceded by the definite article and must then take the weak endings.

2. Ownership may be expressed by the verb **sein** and the uninflected form of the pronouns **mein, dein, sein, unser, euer,** especially when the subject is a noun:

> Der Preis ist sein (gehört ihm).
> Der Sieg ist unser.

3. Used as a neuter noun in the singular, the possessive indicates one's belongings:

> Gib jedem das Seine (Seinige)!
> *Give everyone what belongs to him.*

The plural form refers to one's family or associates:

> Er hatte seit vielen Jahren nichts mehr von den Seinen gehört.

4. The possessive pronoun in such phrases as *an uncle of his* is best rendered by the personal pronoun: ein Onkel von ihm.

178. Review the intensive and reciprocal pronouns (§§ 50–51):

> Ihr sagt es selbst (selber), daß ihr einander (euch) nicht liebt.
> Selbst er hatte kein Glück dabei.

Das deutsche Volkslied

Wohl nirgends zeigt sich die Seele des deutschen Volkes in ihrer zarten Innigkeit, in ihrer träumerischen Schwermut, in ihrer rührenden Himmelssehnsucht, aber auch in ihrer wilden Tatenlust und in ihrer treuherzigen Freude an der Schönheit dieser Welt klarer, als im Volkslied. Das wahre Volkslied kommt aus dem Volk, wird 5 von ihm gesungen und erhält sich in ihm oft Jahrhunderte lang. Irgend einer aus dem Volk, vielleicht ein Handwerksbursche, ein Müller, ein Bauer, ein Soldat oder ein Student hat in einer bewegten Stunde all seinen Schmerz oder all seine Freude in ein Lied gepreßt. Zuerst singen es nur ein paar, am Brunnen, oder bei der 10 Linde am Markt. Einer hört es vom andern, bald sind es ihrer hundert, dann klingt das Lied auf allen Straßen und Plätzen. Soldaten, Studenten und wandernde Handwerksburschen tragen es ins Land hinaus. Es wird Eigentum des ganzen Volkes, es wächst und ändert sich, hier wird ein Vers hinzugefügt, dort wird 15 einer weggelassen. Im Süden singt man es schwäbisch und bayrisch, im Norden niederdeutsch. So war es im 14. und 15. Jahrhundert. Noch viel schneller verbreitete sich das Volkslied am Anfang des 16. Jahrhunderts, als man es auf fliegenden Blättern gedruckt und in Heften oder kleinen Liederbüchlein gesammelt billig kaufen konnte. 20 Damals waren die Volkslieder noch bei allen Volksklassen beliebt. Erst als im 17. Jahrhundert die Gebildeten sich immer mehr von den unteren Klassen trennten, sahen sie mit Verachtung auf das einfache, treuherzige Volkslied herab. Mit J. G. Herder aber, dem Lehrer des jungen Goethe, erwachte in den siebziger Jahren des 25 18. Jahrhunderts ein neues Verständnis für die ergreifende Schönheit und Wahrheit des Volkslieds. Im Jahr 1805 erschien die berühmteste Sammlung alter deutscher Volkslieder, die auf alle großen deutschen Liederdichter des 19. Jahrhunderts einen tiefen Eindruck gemacht hat. 30

Mit der Natur ist das Volkslied eng verbunden. Es spricht in einfachen, anschaulichen Bildern, ohne psychologische Verbindung und läßt alles Unwichtige weg. Wovon singen die bekanntesten deutschen

Volkslieder? Es sind Liebeslieder, und in ihnen klingt der ganze Jubel erfüllter Liebe, alle Sehnsucht eines trauernden Herzens, alle Wehmut über verlorenes Liebesglück. Gibt es etwas Einfacheres und Anschaulicheres als das Volkslied aus dem 15. Jahrhundert von
5 dem verlassenen Mädchen, das sich nach ihrem Liebsten sehnt?

> Es ist ein Schnee gefallen,
> Und es ist doch nit [1] Zeit,
> Man wirft mich mit den Ballen,
> Der Weg ist mir verschneit.

10
> Mein Haus hat keinen Giebel,
> Es ist mir worden [2] alt,
> Zerbrochen sind die Riegel,
> Mein Stüblein ist mir kalt.

> Ach Lieb, laß dich's erbarmen,
15
> Daß ich so elend bin,
> Und schließ mich in dein' Arme!
> So fährt der Winter hin. [3]

Alles Innere ist äußeres Bild geworden: die Armut und Kälte der Einsamkeit und die Sehnsucht nach schützender, wärmender Liebe.
20 Ebenso bekannt ist das Volkslied von der treulosen Müllerstochter. Das vergangene Liebesglück und das plötzliche Liebesleid des jungen Burschen ist in den zwei Bildern anschaulich dargestellt:

> Dort hoch auf jenem Berge
> Da geht ein Mühlenrad,
25
> Das mahlet nichts denn [4] Liebe
> Die Nacht bis an den Tag.

> Die Mühle ist zerbrochen,
> Die Liebe hat ein End';
> So segn' dich Gott, [5] mein feines Lieb!
30
> Jetzt fahr' ich ins Elend. [6]

---

[1] archaic: nicht.   [2] archaic: geworden.   [3] archaic: geht ... weg.
[4] *but.*   [5] *God bless you!*   [6] wandre ich in ein anderes Land.

Tief und innig sind auch die religiösen Volkslieder. Ein Weih=
nachtsfest ohne die alten deutschen Weihnachtslieder muß einen
unbefriedigt lassen.

Zu den Hauptträgern des deutschen Volkslieds im 16. Jahr=
hundert gehörten die Landsknechte, die von Land zu Land zogen, bald 5
diesem bald jenem Fürsten dienend. Sie lernten das Leben genießen,
denn sie mußten ja nicht, was der nächste Tag ihnen bringen würde.
Von ihnen haben wir Soldatenlieder, erfüllt von trotzigem Stolz
und grimmigem Humor, aber auch von weicher Wehmut und tiefer
Frömmigkeit. 10

ADDITIONAL ACTIVE VOCABULARY

drucken to print
das Heft (Hefte) notebook, pamphlet
die Linde (Linden) linden tree
die Lust (Lüste) desire, joy
der Markt (Märkte) market
rühren to stir, move

die Seele (Seelen) soul
die Tochter (Töchter) daughter
trauern to mourn, grieve
das Weihnachtsfest (Weihnachtsfeste)
 Christmas celebration
zart tender, delicate

QUESTIONS

1. Wer hat die alten Volkslieder gedichtet? 2. Was zeigt uns,
daß ein Lied ein Volkslied geworden ist? 3. Was ist im 16. Jahr=
hundert mit dem Volkslied geschehen? 4. Wann kam das alte
Volkslied wieder zu Ehren? 5. Welches sind die bekanntesten Volks=
lieder? 6. Was wissen Sie von den Landsknechten?

EXERCISES

(a) Substitute the personal pronoun or pronominal compound for the underlined noun and its modifier:

1. Vor der Kälte konnten wir uns nicht schützen. 2. Ihres
Vaters wegen mußte sie eine Stunde länger bleiben. 3. Wie lange
hatte er schon auf diese Stunde gewartet! 4. Unter den Dichtern
waren Handwerksburschen und Soldaten. 5. Ihr braucht euch
dieser Freunde nicht zu schämen. 6. Wir hatten schon viel von
seinem Stolz gehört. 7. Verständnis für ein solches Lied kann
man bei einem Kind nicht verlangen. 8. Er sehnte sich nicht nach

seiner Liebsten. 9. Statt des Müllers nahm sie einen Handwerks=
burschen. 10. Wir mußten über seine Tatenlust lachen. 11. Wir
konnten nicht ohne Verachtung an diese Burschen denken. 12. Durch
seine Schwermut verlor er manchen Freund. 13. Um seiner Mutter
willen hatte er den Freund verlassen. 14. Eine Sehnsucht nach
echter Freundschaft war bei dieser Frau immer da. 15. Warum
haben sie sich des Mädchens nicht erbarmt?

(b) Insert the proper word:

1. Ist das mein Verlust, oder (*his*)? 2. Es gibt (*few*) Lieder,
die so ergreifend klingen, wie (*yours*). 3. Wenn man jung ist, muß
(——) das Freude machen. 4. (*A few*) Freunde von mir haben
dabei (*all*) ihr Geld verloren. 5. Das ist nicht (*everybody's*)
Meinung. 6. Wir haben (*each other*) nichts (*new*) zu sagen.
7. Es tut (——) leid, wenn man ihm nicht helfen kann. 8. Er
wird es gewiß (*nobody*) erzählen. 9. Sie hat von (*her dear-ones*)
noch nicht Abschied nehmen können. 10. Ich (*myself*) wollte ihm
(*everything*) sagen, aber ich habe ihn (*all day*) nicht gesehen.

WRITTEN TRANSLATION

1. There is nothing finer than an old folk-song when it is sung by
some young people who put (hineinlegen) all their heart and all
their soul into [it]. 2. There was a time in Germany when (da) the
educated [people] looked-at the simple, naïve folk-songs as something unimportant or even contemptible (*use* verächtlich), but today
all [the] Germans love their folk-songs and are proud of (auf) them.
3. The young people sing them on their hiking-trips, especially in
the evening when they are assembled in their youth-hostels ((Ju=
gendherbergen) or when they sit around a campfire. 4. As (wenn)
they sing these songs they put their own joy and longing and melancholy into [them]. 5. Many-a simple lad and many-a young
girl find their own feelings expressed in them more delicately and
more beautifully than they themselves could (könnten) ever express
them.

LESSON XII

Interrogative, Relative, and Demonstrative Pronouns.

179. Review the interrogatives (§ 85).

(*a*) The interrogative pronouns:

	wer?	**was?**
Nom.	Wer sagt das?	Was gefällt dir am besten?
	Wer sind diese Leute?	Was sind die Bedingungen (*conditions*)?
Gen.	Wessen Zimmer ist das?	(Weswegen kommt er nicht?)
Dat.	Wem gehört das Haus?	(Wovon spricht er?)
Acc.	Wen willst du fragen?	Was sagst du? (Worüber spricht er?)

Just as in English, **wer** and **was** are followed by the singular form of the verb, unless the verb **sein** is used with a noun in the plural.

Wes appears only in combinations: **weshalb, weswegen,** *why, for what reason.* There is no dative of **was**; instead **wo–** and **wor–** are used with prepositions requiring the dative and frequently also with those requiring the accusative.

(*b*) **Was für (ein)**:

> Mit was für einer Feder schreibst du?
> Was für Leute waren dort?

(*c*) **Welcher, welche, welches** may be used as adjective or pronoun:

> Welche Schule haben Sie besucht?
> *What school did you attend?*

> Welches dieser Bücher hat dir am besten gefallen?
> *Which one of these books did you like best?*

(*d*) **Was für (ein)** and the uninflected form **welch** are often used in exclamations.

> Was für ein ⎫
> Welch ein ⎬ herrlicher Tag!
> Welch   ⎭

180. Review the relative pronouns (§§ 81–82):

(*a*) Beethoven, der am Rhein geboren war, wohnte später in Wien.
Mozart, deſſen Muſik ſo berühmt iſt, fand damals wenig Anerkennung.
Händel, dem England ſo viel verdankt, war Deutſcher.
Bach, den wir als Vater der deutſchen Kirchenmuſik verehren, ſtammte aus einer Muſikerfamilie.

(*b*) The relative pronoun cannot be omitted:

The name I mentioned is not on the list.
Der Name, den ich nannte, iſt nicht auf der Liſte.

The school I spoke of is a private school.
Die Schule, von der ich ſprach, iſt eine Privatſchule.

(*c*) Only the genitive singular and the genitive and dative plural differ in form from the corresponding cases of the definite article:

Eine Mutter, deren Kind krank iſt, vergißt alles andere.
Ein Land, deſſen Heer ſo ſtark iſt, braucht nichts zu fürchten.
Auch die Leute, in deren Haus er wohnte, ſahen ihn ſelten.
Die Freunde, mit denen er die Reiſe machte, waren älter.

(*d*) If the antecedent is a personal pronoun of the first or second person, it is commonly repeated after the relative:

Ich, der ich immer dein Freund geweſen bin, darf das wohl ſagen.
I who always have been your friend may say this to you.

Unſer Vater, der du in dem Himmel biſt
Our Father which art in heaven

(*e*) **Welcher** is used to avoid repetition of the same word:

Die, welche die Stadt verteidigen ſollten, waren geflohen.

(*f*) **Wo–, wor–** may be combined with a preposition, especially when referring to a clause:

Ich ſoll auch ſeine Arbeit übernehmen, wozu ich aber keine Zeit habe.

(*g*) **Was** appears as a relative (1) after indefinite pronouns, (2) after a neuter superlative adjective used as a noun, and (3) when referring to a clause:

Etwas, was er nicht weiß, kann er auch nicht verteidigen.
Das Intereſſanteſte, was wir geſehen haben, ſteht nicht im Buch.
Er hat die Arbeit allein gemacht, was mich beſonders freut.

181. Review the indefinite relative pronouns (§ 83):

1. Wer schnell gibt, gibt doppelt.
2. (Wes Brot ich eß', des Lied ich sing'.)
3. Wem das nicht gefällt, der braucht es nicht zu kaufen.
4. Wen du nicht siehst, dem mußt du schreiben.
5. Was dir Freude macht, freut mich auch.
6. Was man erlebt, vergißt man nicht leicht.

Note that the conclusion following a relative clause is introduced by a demonstrative pronoun. The latter may be omitted if it appears in the same case as the relative pronoun (examples 1, 5, 6). The forms wes and des are archaic (example 2).

182. *The demonstratives* **der, dieser, jener, derselbe, derjenige** may be used as adjectives and as pronouns.

1. **der, die, das**

(*a*) as adjective:

> Der Mann hat immer Glück.
> *That man is always fortunate.*

> Von der Seite hast du nichts zu fürchten.
> *You have nothing to fear from that side.*

> Den Freunden darf man nicht trauen.
> *One must not trust those friends.*

Note that der as an adjective has the same endings as the definite article. It is emphasized in speech and commonly spaced in print.

(*b*) as pronoun (§ 87):

> Der hat immer Glück. **He** *is always fortunate.*
> Denen darf man nicht trauen. *One must not trust* **them.**

> Von der hast du nichts zu fürchten.
> *You have nothing to fear from* **her.**

> Sein Bruder und dessen Freund waren auch dort.
> *His brother and his* (*i.e.* the brother's) *friend were there too.*

> Die besten Schüler und deren Eltern waren eingeladen.
> *The best students and their parents were invited.*

> Hier sind die Namen derer, die in der Schlacht gefallen sind.
> *Here are the names of those who fell in the battle.*

Note that the demonstrative may have the function of an emphatic personal pronoun. Its genitive forms sometimes take the place of the possessive adjective, especially to avoid ambiguity. Preceding a relative clause derer is used instead of deren.

2. **dieſer, dieſe, dieſes, jener, jene, jenes** have the same endings when used as adjectives as they have when used as pronouns (§ 86). As corresponding pronouns they have the meanings of *the latter* and *the former* (§ 126).

3. **derjenige, diejenige, dasjenige** and **derſelbe, dieſelbe, das= ſelbe** are declined alike (§ 88). The same forms are used for both adjective and pronoun. Derjenige occurs especially before a relative clause to avoid repetition of the same word, while derſelbe may take the place of the personal pronoun, especially in formal language.

> Diejenigen, die ſich nicht dafür intereſſieren, brauchen nicht zu bleiben.
> Er hatte eine Piſtole bei ſich, benutzte dieſelbe aber nicht.

Deutſche Komponiſten

Wer die deutſche Geſchichte kennt, weiß, wie tief die deutſche Kultur im 17. Jahrhundert geſunken war, und daß es dann am Anfang des 18. Jahrhunderts die religiöſe Muſik war, die in Johann Sebaſtian Bach und Georg Friedrich Händel der deutſchen
5 Kultur zuerſt wieder europäiſche Anerkennung verſchaffte. In dieſen beiden Künſtlern erreichte nämlich die Kirchenmuſik in der erſten Hälfte des 18. Jahrhunderts eine erſt heute wieder klar erkannte, un= übertroffene Höhe. Johann Sebaſtian Bach, deſſen Familie eine Reihe bedeutender Muſiker hervorgebracht hat, wird heute von man=
10 chen als der größte Meiſter der reinen Muſik angeſehen. Gewiß kann eine Muſik von ſolcher Klarheit, Reinheit und Melodik, wie die Bachs, nur aus einem ganz reinen Herzen und einer ganz hohen Schöp= ferkraft kommen. Nachdem Bach in Weimar und Dresden in fürſt= lichen Dienſten geſtanden hatte, kam er 1723 nach Leipzig an die
15 Thomaskirche, der er bis zu ſeinem Tode treu blieb. Hier zeigte er ſich nicht nur als großer Komponiſt, ſondern auch als der größte Orgelſpieler ſeiner Zeit, dem man nur einen an die Seite ſtellen

konnte; der letzte aber damals in England: Georg Friedrich
Händel. Wie einfach und bescheiden erscheint Bachs Leben neben
dem Händels. Dieser Künstler, dessen Vater nicht viel von Musik
verstand, und der seinen Sohn zum Doktor der Rechte ausbilden
lassen wollte, entschloß sich erst auf der Universität, sein Leben der 5
Musik zu widmen. Dann wurde er aber in wenigen Jahren be=
rühmt. In England, wo er sich zum größten „englischen" Musiker
entwickelte, mußte er aber einen bitteren Kampf gegen die italienische
Oper führen, die ihren ganzen Zauber aufbot, um die ernstere Musik
Händels zu verdrängen. Händel gab der italienischen Oper, die 10
unbedeutende Charaktere und eine unbedeutende Geschichte darstellte,
einen tiefen religiösen Gehalt und schuf so das eindrucksvolle Ora=
torium. Das Schönste, was Händel geschaffen hat, „Der Messias",
entstand in vierundzwanzig Tagen.

Ebenso wie Mozarts Heimat, Österreich, zwischen Mitteldeutsch= 15
land und Italien liegt, so verbindet auch dieser Komponist die Klarheit
und Melodik der Bachschen Musik mit der Leichtigkeit und reizenden
Anmut der italienischen Oper. Mozart war ohne Zweifel das
größte musikalische Wunderkind, das die Welt je gesehen hat. Seine
erste Konzertreise, die er als sechsjähriger Knabe machte, dauerte 20
über ein Jahr. Auf der zweiten kam er nach Paris, London und
den Niederlanden. Die dritte Reise, auf welcher der vierzehnjährige
Konzertmeister des Erzbischofs von Salzburg seine eigenen Werke
aufführte, brachte ihn nach Italien. Alle Kirchen, in denen er seine
Konzerte gab, waren überfüllt. In Rom schrieb er das berühmte 25
„Miserere" von Allegri aus dem Gedächtnis auf und besaß dadurch
etwas, was als heiliges Eigentum der Kirche galt und von niemand
abgeschrieben werden durfte. In seinem Vaterland fanden Mozarts
Werke wenig Anerkennung. Das einzige, was man in Wien aner=
kennen wollte, war sein bezauberndes Spiel. Trotzdem zog er es 30
vor, in Wien zu bleiben und die Einladung an den Berliner Hof
nicht anzunehmen. Erst gegen Ende seines Lebens wurden Mozarts
Opern zuerst in Prag und dann auch in Deutschland als das aner=
kannt, wofür sie auch heute noch gelten, als die herrlichsten Opern
ihres Jahrhunderts.   35

Beethovens Vater dachte wahrscheinlich an Mozart, als er aus seinem Sohn ein Wunderkind machen wollte. Aber er sah bald, daß dies unmöglich war, denn Beethoven besaß nicht die Leichtigkeit Mozarts, mit der dieser die Welt bezauberte, sondern mußte alles, was er schuf, durch höchste Konzentration seiner Kräfte erringen. So finden wir auch in Beethovens Musik den persönlichen Kampf des modernen Menschen, seine Leiden sowohl als seine Freuden. Beethoven ist der erste Dramatiker der reinen Musik und führt dann zu den Musikdramen Wagners über, in denen die Musik nur noch ein Teil des gesamten Kunstwerks darstellt.

ADDITIONAL ACTIVE VOCABULARY

ernst serious
gelten (gilt), galt, gegolten to be worth, be considered
die Reihe (Reihen) row, series
reizen to charm; irritate

vorziehen, zog vor, vorgezogen to prefer
wahrscheinlich probable
der Zweifel (Zweifel) doubt

QUESTIONS

1. Was für eine Bedeutung hat die Musik Bachs für die deutsche Kulturgeschichte zu Beginn des 18. Jahrhunderts? 2. Wodurch zeichnet sich die Musik Bachs aus? 3. Welches waren die größten Orgelspieler des 18. Jahrhunderts? 4. Worin unterscheidet sich Bachs Leben von dem Händels? 5. Woraus entstanden Händels Oratorien? 6. Weshalb schrieb Mozart Allegris „Miserere" aus dem Gedächtnis auf? 7. Was wissen Sie über Mozarts Opern? 8. Inwiefern kann man Beethoven einen Musiker des Willens nennen?

EXERCISES

(a) Supply the interrogative pronoun or adjective:

1. (*What kind of*) Musikwerke hat Bach geschaffen? 2. In (*whose*) Diensten stand Bach? 3. —— Musikwerk schrieb Mozart aus dem Gedächtnis auf? 4. (*For-what-reason*) war Beethoven kein Wunderkind? 5. (*What kind of a*) Eindruck machte Mozarts Spiel? 6. (*Which one*) der Wiener Komponisten ist der berühmteste? 7. Gegen (*what*) Musik mußte Händel in England kämpfen?

(*b*) Form interrogative sentences using pronominal compounds whenever possible:

1. Er litt an Kopfschmerzen. 2. Er trank aus demselben Becher. 3. Sie saßen auf dem Boden. 4. Der kleine Mozart brauchte sich selbst vor der Kaiserin nicht zu fürchten. 5. An seine Musik konnten wir uns am besten erinnern. 6. Man durfte sich nicht über ihn lustig machen. 7. Der Bauer kniete vor dem steinernen Bild.

(*c*) Insert the correct form of the relative pronoun der, wer, or was:

1. Der Komponist, (*whose*) Werk wir hören werden, war der größte Orgelspieler seiner Zeit. 2. Vieles, —— wir heute bewundern, wurde in seiner Zeit nicht anerkannt. 3. Die Künstlerin, von —— wir gesprochen haben, war kein Wunderkind. 4. Manches, —— die Menschen erfinden, dient keinem guten Zweck. 5. Viele Komponisten, (*whose*) Werke uns begeistern, mußten um ihre Anerkennung kämpfen. 6. Das Berühmteste, —— Händel geschaffen hat, ist sein „Messias“. 7. Mozart nahm das Angebot, —— ihm der König von Preußen machte, nicht an. 8. Der Kaiser, —— Mozart treu geblieben war, belohnte ihn aber nicht. 9. Die Anmut, mit —— Mozart spielte, war bezaubernd, (*which*) wir leicht verstehen können. 10. Zu den Menschen, —— Beethoven am meisten verdankte, gehörte Graf Waldstein.

(*d*) Form sentences with the following demonstratives: dem, derer, diejenigen, dessen, denen.

WRITTEN TRANSLATION

1. He who has a radio (das Radio) can hear the works of the great composers on winter-Sundays. 2. The works of Beethoven are performed more often than those of Mozart. 3. However, among the German composers it is not Beethoven, but Wagner, whose works are heard most frequently over the radio. 4. Although on (bei) special occasions the finest that Bach has created may be heard (*use* man), the number of-those who understand this type [of] music is small, in comparison to (im Vergleich zu) those who can enjoy a Wagnerian-opera. 5. A few, for whom music means the highest that life can offer, assert that even the most perfect radio

can never produce the impression one receives in the concert-hall.
6. If you belong to those who must see the musicians in order to
enjoy their music, you will have to go to (in) the concert-hall, but
if you like best to lose yourself entirely in what (that which) you
hear, you can do this best in the solitude of your own room.

7. What has been said (*use active voice*) of the United States, that
it is a country without music, is no longer true. 8. Is there anyone
among the really great musicians of our time who was not warmly
received when he came to this country? 9. To be sure, the musical
tradition (Tradition) which is so strong in Germany or Italy is-
lacking (fehlen) here, but instead of-this we can now give the people
(Volf) [an] opportunity to hear the greatest and finest that the
composers of all time(s) have produced.

LESSON XIII

The Use of Cases

183. *The nominative case* is used as subject of the sentence
and in address. It also appears in the predicate after the
verbs **bleiben, scheinen, sein, werden.**

Mein lieber Sohn, wo bist du gewesen?
Er wurde sein bester Schüler und blieb auch später ein treuer Freund.

184. *The genitive* corresponds to the English possessive case
or to the objective case preceded by *of*.

1. A partitive relation is commonly expressed by the
genitive:

Ein Drittel des Dorfes wurde zerstört.
One third of the village was destroyed.

But after nouns denoting measure or weight the partitive
noun stands in apposition:

Er brachte ein Glas Wein. *He brought a glass of wine.*
Hier sind ein Dutzend frische Eier. *Here are a dozen (of) fresh eggs.*

2. The genitive may denote indefinite or repeated time
(§ 41):

Eines Morgens war er verschwunden. *One morning he had vanished.*
Des Abends arbeitete er nie. *He never worked in the evening.*

3. The genitive of description is used idiomatically in such phrases as:

Er ging leichten Herzens seines Weges.
He went on his way with a light heart.

Note that there are a number of adverbs ending in –s, which were originally the genitive forms of nouns, or formed in analogy to them: jedenfalls (*at any rate*), meinerseits (*on my part*).

4. For common prepositions requiring the genitive cf. § 40.

5. Verbs governing the genitive were formerly more common than today. A number of them are used with the genitive in elevated diction, while the colloquial language treats them as transitive verbs, or verbs with a prepositional object. Of the verbs requiring the genitive as sole object, the following are the most common:

gedenken, *to remember*	sich erinnern, *to remember*
sich enthalten, *to refrain*	sich rühmen, *to boast*
sich erfreuen, *to enjoy*	sich schämen, *to be ashamed*

A number of verbs expressing separation or deprivation and some verbs used in judicial procedure require the accusative of person and the genitive of the thing:

anklagen, *to accuse*   berauben, *to deprive*

Man hat ihn des Verrates angeklagt.
They accused him of treason.

6. The adjectives governing the genitive usually follow the word they govern. The most common of these are:

bewußt, *conscious*	ledig, *free, rid*
fähig, *capable*	müde, *tired*
gewahr (werden), (*to become*) aware	schuldig, *guilty*
gewiß, *certain*	sicher, *certain*
kundig, *acquainted*	wert, *worth*
	würdig, *worthy*

Er ist des Lebens müde. *He is weary of life.*

185. *The dative* is used for the indirect object. In English this is sometimes expressed by a prepositional phrase introduced by *to* or *for* (§ 20).

1. The most common verbs governing the dative as sole object are:

antworten, *to answer*	**glauben,** *to believe*
begegnen, *to meet*	**gleichen,** *to resemble*
danken, *to thank*	**helfen,** *to help*
dienen, *to serve*	**nahen,** *to approach*
drohen, *to threaten*	**nützen,** *to benefit*
(er)scheinen, *to appear*	**passen,** *to fit, suit*
fehlen, *to be lacking*	**raten,** *to advise*
fluchen, *to curse*	**schaden,** *to injure, damage*
folgen, *to follow*	**schmeicheln,** *to flatter*
gefallen, *to please*	**trotzen,** *to defy*
gehorchen, *to obey*	**(ver)trauen,** *to trust*
gehören, *to belong*	**vergeben,** *to forgive*
gelingen, *to succeed*	**weichen,** *to yield*
genügen, *to suffice*	**widersprechen,** *to contradict*
geschehen, *to happen*	

Note that (*a*) gelingen and geschehen are impersonal verbs; (*b*) glauben uses the dative of person and accusative of the thing: Er glaubt mir; er glaubt die Geschichte; (*c*) gehören governs the dative to express ownership, otherwise zu is used: Das Gebäude gehört der Universität. *The building is owned by the University.* Das Gebäude gehört zur Universität. *The building is part of the University.*

2. Verbs of taking and stealing use the dative for the person who is deprived:

> Er hat mir das Buch genommen.
> *He took the book from me.*

3. The dative of interest indicates that a person is interested but does not take an active part in the action:

> Trink mir nicht zu viel!
> (*Do me a favor and*) *don't drink too much.*

4. The dative of possession appears with the definite article, where English uses the possessive case or possessive adjective (§ 24):

Er fah dem Fremden ins Geficht. *He looked into the stranger's face.*
Ich habe mir den Arm gebrochen. *I broke my arm.*

5. The most common adjectives governing the dative are:

ähnlich, *similar*	gleich, *like*
angenehm, *pleasant*	leicht, *easy*
bekannt, *known*	lieb, *dear*
bequem, *comfortable*	möglich, *possible*
böfe, *angry*	nahe, *near*
dankbar, *grateful*	nützlich, *useful*
eigen(tümlich), *peculiar*	fchwer, *difficult*
feindlich, *hostile*	treu, *faithful*
fremd, *strange*	verwandt, *akin*
freundlich, *friendly*	wert, *dear*
gemeinfam, *common*	willkommen, *welcome*

Such an adjective follows the word it governs:

Sie find mir dankbar. *They are grateful to me.*

6. The following prepositions govern the dative (§ 20):

aus	gegenüber	feit
außer	mit	von
bei	nach	zu

Außer einigen alten Frauen war niemand gekommen.
Nobody had come except a few old women.

Ich habe bei meinem Bruder geschlafen.
I slept at my brother's house.

Frequently gegenüber meaning *opposite* (and sometimes nach meaning *according to*) follows the word it governs.

7. For prepositions governing the dative or accusative cf. § 30.

Note that vor, when meaning *ago*, takes the dative: vor einer Woche.

186. *The accusative* is used mainly for the direct object.

1. A few verbs: **fragen, heißen, lehren, nennen** may have two objects in the accusative case:

> Was hat er dich gefragt?   *What did he ask you?*
> Sie nennen ihn ihren Führer.   *They call him their leader.*

2. Duration of time, definite time, and measure are expressed by the accusative (§ 5):

> Ich habe den ganzen Tag geschlafen.   *I slept all day.*
>
> Letzten Sommer hatten wir heißere Tage.
> *Last summer we had hotter days.*
>
> Er kaufte einen Korb Äpfel.
> *He bought a basket of apples.*

Note that **lang** is often added to the accusative to express duration:

> Ich habe zwei Stunden lang geschlafen.
> *I slept for two hours* (not *for two long hours*).

3. For prepositions governing the accusative, cf. § 5.

Note that **bis** is usually followed by another preposition which governs the following noun or pronoun:

> Wir gingen bis an den Fluß.   *We walked up to the river.*
> Wir gingen bis zum nächsten Haus.   *We walked as far as the next house.*
> Wir warteten bis gegen Mittag.   *We waited until about noon.*

Wider is used only in fixed expressions:

> Er hat wider meinen Willen gehandelt.   *He acted contrary to my wishes.*

4. The accusative may be used absolutely, with *having* understood:

> Die Pistole in der Hand bestieg er mit uns den Wagen.
> *Pistol in hand he climbed with us into the carriage.*

187. *Apposition.* — The noun in apposition stands in the same case as its antecedent:

> Vor einem Hotel, dem schönsten der Stadt, ließ er den Wagen halten.
> *He had his carriage stopped in front of a hotel, the finest in the city.*

In such phrases as *the city of Berlin, the kingdom of Sweden,* the proper name stands in apposition: die Stadt Berlin, das Königreich Schweden.

Der junge Goethe

Goethe wurde 1749 in Frankfurt am Main geboren. Als Sohn einer wohlhabenden, vornehmen Familie wuchs er in einer feinge= bildeten Umgebung auf, wurde von allen als Liebling und Wunder= kind behandelt und war sich seiner außerordentlichen Begabung wohl bewußt. Mit sechzehn Jahren kam er auf die Universität Leipzig. 5 Aus dem traulichen alten Frankfurt trat er in die elegante Mode= stadt, die man Klein=Paris nannte. Hier verlor der junge Dichter etwas von seiner selbstsicheren Unbefangenheit. Er schämte sich seiner soliden, aber etwas altmodischen Kleidung, die der Vater ihm hatte machen lassen, und seiner bilderreichen Sprache, die den Frank= 10 furter Dialekt verriet. Eine Zeit lang war es sein höchstes Ziel, sich der eleganten Leipziger Gesellschaft, besonders den jungen Damen, angenehm zu machen. Alles, was Leipzig ihm an Kunst, Wissen und Lebenskenntnis bieten konnte, nahm er mit ganzem Herzen und ganzer Seele auf und so genoß er auch das Studentenleben mit 15 solcher Leidenschaftlichkeit, daß seine Gesundheit darunter litt und er nach drei Jahren, ohne seine Studien beendet zu haben, krank ins Vaterhaus zurückkehrte.

Diesen Leipziger Jahren folgte nun eine Zeit der Konzentration und Vertiefung in Frankfurt. Goethe sehnte sich nach etwas, was 20 tiefer ging als die Verstandeskultur seiner Zeit. Da begegnete ihm Fräulein von Klettenberg, eine Freundin seiner Mutter. Sie ge= hörte zum Pietismus und mit ihrem innigen religiösen Gefühl kam sie dem Streben des jungen Goethe nahe. Mit Eifer forschte dieser in mystischen und alchemistischen Schriften nach der lebendigen Ein= 25 heit alles Lebens. Damals fühlte er sich zum ersten Mal jenem alten Zauberer, dem Doktor Faust, verwandt, dessen Gestalt ihn sein Leben lang nicht mehr verlassen sollte. In Straßburg, wohin Goethe im Frühling 1770 reiste, um seine Studien zu beenden, kam sein Genius,

der bisher unter den Schichten traditioneller Bildung verborgen
herangereift war, mächtig zum Durchbruch. Was er in Frankfurt
dunkel geahnt hatte, die Einheit von Natur und Geist, sollte ihm
hier klare Erkenntnis werden. Sein Jugendfreund Johann Gott-
5 fried Herder lehrte ihn nämlich alles in der Natur und Menschenkultur
als sichtbaren Ausdruck einer schöpferischen Urkraft empfinden, die
auch in ihm selber wirkte. Das Dichten war also auch eine Offenbarung der göttlichen Schöpferkraft, die um so reiner im Dichter erschien, je weniger er durch künstliche Bildung verdorben war. Der
10 wahre Dichter brauchte nur seinem eigenen Genius zu folgen, nicht
den äußeren Regeln und Traditionen der Gesellschaft. Dies wirkte
wie eine Offenbarung auf den jungen Goethe, der die dichterischen
Kräfte selber mächtig in sich regen spürte. In der ersten großen
Liebe seines Lebens, der Liebe zu dem anmutigen Naturkind Friederike
15 Brion aus Sesenheim, fand Goethe den ihm ganz eigenen Ton. Die
Sesenheimer Lieder sind die ersten unvergeßlichen, unnachahmlichen
Liebeslieder der modernen deutschen Literatur.

Ist die Innigkeit der Sesenheimer Lieder mehr der Ausdruck der
frauenhaften Seite der Goetheschen Seele, so sind die Dramen,
20 Dramenfragmente und Hymnen der siebziger Jahre Symbole seines
trotzigen Genies. Die genialsten Gestalten der Menschheit erscheinen
hier als Helden: Christus, Prometheus, Mohammed, Sokrates,
Cäsar. Alle diese Dichtungen blieben Fragmente, oder sogar nur
Pläne. Einzig Goetz von Berlichingen, das Schauspiel aus der
25 Reformationszeit, wurde ein paar Jahre nach dem Straßburger
Aufenthalt fertig und machte Goethe zum anerkannten Führer der
jungen Dichtergeneration.

Nach Vollendung seiner Studien kehrte Goethe in seine Vaterstadt
zurück, um sich dort nach dem Wunsch des Vaters als Advokat nieder-
30 zulassen. Seine dichterischen Pläne lagen ihm aber viel mehr am
Herzen, als sein Beruf, und gerne ließ er sich zur weiteren Ausbildung zum Reichskammergericht (*imperial court of appeal*) nach
Wetzlar schicken. Was er hier erlebte, seine Liebe zur anmutigen,
munteren und doch mütterlich zarten Lotte Buff, der Verlobten eines
35 Freundes von ihm, hat Goethe später in dem weltberühmten Brief-

roman „Die Leiden des jungen Werthers" beschrieben. Wollte er seinem Freunde treu und dieses Mädchens würdig bleiben, so mußte er ihr entsagen. Wie schwer ihm dies fiel und wie groß die Versuchung war, sich aus der unerträglichen Lage durch den Tod zu retten, können wir heute noch aus dem Roman erkennen. Goethe befreite 5 sich nach langem innerem Kampf von diesem Druck, indem er die Gefahr, die ihm drohte, in der Gestalt des Werther bannte.

ADDITIONAL ACTIVE VOCABULARY

die **Dame** (Damen) lady
der **Eifer** zeal, ardor
die **Gestalt** (Gestalten) form, figure

streben (**nach**) to strive (for), endeavor
wirken to work, effect
verwandt related, kindred

QUESTIONS

1. Warum hatte es Goethe in seiner Jugend leichter als Schiller? 2. Warum machte die Leipziger Gesellschaft sich zuerst über den Studenten Goethe lustig? 3. Wofür interessierte sich Goethe in Leipzig am meisten? 4. Warum konnte Fräulein von Klettenberg Goethe helfen? 5. Wie lehrte Herder die Einheit von Natur und Geist? 6. Warum war Herders Lehre für Goethe damals besonders wichtig? 7. Was für eine Bedeutung hatte Friederike für Goethes Dichten? 8. Wodurch wurde Goethe zuerst in Deutschland berühmt? 9. Welche Gefahr drohte Goethe in Wetzlar?

EXERCISES

(*a*) Answer the following questions, using the noun indicated:

1. Wofür wollte sie nicht sorgen? Garten. 2. Wovon spricht er? Einheit des Reichs. 3. Woran glaubte er sein Pferd zu binden? Ein Baumstumpf. 4. Worin hat er gelesen? Das bekannte Buch seines Freundes. 5. Worum wollt ihr bitten? Der Friede. 6. Woran konnte er sich am besten erinnern? Sein älterer Bruder. 7. Wovor mußte er knien? Das Bild des heiligen Alphonsus. 8. Worüber plauderten sie am liebsten? Der Aufenthalt in Berlin. 9. Wonach fragten sie zuerst? Ihre Belohnung.

10. Worauf mag er nicht schießen? Ein Vogel. 11. Wodurch machte er sich beliebt? Seine Gerechtigkeit. 12. Worauf lag er während der Nacht? Der kalte Boden.

(b) Supply the missing endings:

1. Das schadet sein– zart– Gesundheit. 2. Wir brauchen uns dies– klein– Arbeit nicht zu rühmen. 3. Wer möchte nicht gern ein– solch– Genie dienen? 4. Gleicht sie nicht ihr– jung– Schwester? 5. Wir sind d– ewig– Kämpf– müde. 6. Bist du dir dein– schöpferisch– Kraft bewußt? 7. Wir nähern uns jetzt d– unvergeß= lich– Ort. 8. Es fällt uns nicht schwer, sein– bezaubernd– Persön= lichkeit zu folgen. 9. Sind wir so groß– Treue wert? 10. Sie sollten sein– außerordentlich– Verstand trauen. 11. Warum schä= men sie sich dies– alt– Tradition? 12. Kann er dies– dichterischen Träum– entsagen? 13. Wir müssen d– göttlich– Gesetz gehorchen. 14. Er war d– Weg– nicht kundig. 15. Sie nannten d– Unver= geßlich– ein Genie.

(c) Form one sentence with each of the following prepositions, using the verb indicated:

1. bei, bleiben; 2. ohne, reisen; 3. neben, sitzen; 4. aus, fliehen; 5. hinter, fahren; 6. seit, arbeiten; 7. zwischen, legen; 8. trotz, schlafen; 9. um . . . willen, fluchen; 10. unter, kommen.

WRITTEN TRANSLATION

1. One day while Goethe was studying at the University [of] Strassburg he met a young clergyman at the entrance to the inn (Gasthaus) „Zum Geist." 2. It was Herder, who had just arrived at (in) Strassburg. 3. Goethe's lively personality pleased the twenty-six-year-old Herder and after [a] short time the two became close friends. 4. Herder had a keen intellect and was capable of great, creative ideas. 5. Goethe soon recognized how much this man could help him in his intellectual development and he spent many hours in the room where Herder was recovering from an eye-operation (Augenoperation). 6. In spite of the irritable (reizbar) temperament of his new friend, Goethe remained loyal to him and tried to help him as much as he could. 7. And he was well rewarded. 8. Herder

revealed to him the significance of Rousseau's ideas, the power of
Shakespeare's dramas, and the beauty of the folk-songs of all na-
tions.   9. Under Herder's guidance Goethe also devoted himself to
the study of-Homer and learned to regard (look-at) the Bible (bie
Bibel) as a work-of-art.   10. Thus Herder opened Goethe's (the)
eyes for all that-was-great in the world's literature and showed
him that every nation had a literature that was peculiar to its
nature.

LESSON XIV

The Passive Voice

188. Review the formation of the passive voice (§ 109):

	ACTIVE	PASSIVE
Pres.	Man sieht uns hier.	Wir werden hier gesehen.
Past	Mein Freund lud mich ein.	Ich wurde von meinem Freund ein= geladen.
Pres. Perf.	Sein eigener Vater hat ihn nicht erkannt.	Er ist von seinem eigenen Vater nicht erkannt worden.
Past Perf.	Der Überfall hatte die Ge= fangenen befreit.	Die Gefangenen waren durch * den Überfall befreit worden.
Fut.	Ich werde seinen Bruder unterrichten.	Sein Bruder wird von mir unter= richtet werden.
Fut. Perf.	Man wird ihn nicht ge= fragt haben.	Er wird nicht gefragt worden sein.

189. Remember the distinction between true and apparent
passive (§ 110):

> Die Bücher werden von mir verkauft.
> *The books are (being) sold by me.*

> Die Bücher sind verkauft.   *The books are sold.*

> Das Heer wurde geschlagen und der Führer getötet.
> *The army was (being) defeated and its leader was killed.*

> Das Heer war geschlagen und der Führer tot.
> *The army was defeated and its leader was dead.*

* Note that if the agent is not a person, durch is used instead of von.

190. The impersonal passive with the grammatical subject es may be used with *intransitive* verbs denoting action and with verbs governing the dative. The dative must be preserved in the passive construction.

Active	Passive
Man trank an jenem Abend nicht.	Es wurde an jenem Abend nicht getrunken.
Man tanzt hier am Sonntag nicht.	Es wird hier am Sonntag nicht getanzt.
Alle schmeicheln ihm.	Es wird ihm von allen geschmeichelt.
Man hat ihm nie dafür gedankt.	Es ist ihm nie dafür gedankt worden.
Jemand soll geschossen haben.	Es soll geschossen worden sein.
Somebody is said to have done some shooting.	*Some shooting is said to have been going on.*

Es is omitted in the inverted and transposed word order:

An jenem Abend wurde nicht getrunken.
There was no drinking on that evening.

Er freute sich, daß an jenem Abend nicht getrunken wurde.
He was glad that there was no drinking on that evening.

Dabei soll geschossen worden sein.
At the same time some shooting is said to have been going on.

Ihm ist nie dafür gedankt worden.
He has never been thanked for it.

191. The passive construction is more common in English than in German, where several substitute constructions may take its place:

1. *This is not needed here.*   Das braucht **man** hier nicht.
She is believed to be his wife.   **Man** glaubt, daß sie seine Frau ist.

2. *It is understood.*   Es versteht **sich**.
The door was opened.   Die Tür öffnete **sich**.

192. Lassen with a reflexive and infinitive expresses possibility and is rendered in English by *can (could)* and the passive infinitive:

Das läßt sich leicht erklären.   *This can easily be explained.*
Es hat sich einfach nicht machen lassen.   *It simply could not be done.*

Sein with **zu** and the active infinitive is also rendered by a passive construction in English (cf. 159 *f*):

Das ist nicht zu erklären.	*This cannot be explained.*
Das war zu erwarten.	*This was to be expected.*
Zehn Mark sind zu bezahlen.	*Ten marks are to be paid.*

Der reife Goethe

Im Herbst 1775 wurde der sechsundzwanzigjährige Dichter des „Werther" vom Herzog Karl August an den Weimarer Hof einge=laden, wo er mit seinem dichterischen Talent und seiner bezaubernden Persönlichkeit schnell allgemeine Bewunderung erregte. Um das Vertrauen des jungen Herzogs zu gewinnen, machte Goethe das 5 jugendliche Treiben der Hofgesellschaft mit. Wie Goethe liebte auch der Herzog das Leben in der freien Natur, und so wurde manchmal tagelang geritten und getrunken, getanzt und gejagt, unter freiem Himmel geschlafen und Theater gespielt. Nach wenigen Wochen schon war der achtzehnjährige Herzog von seinem berühmten Gast so 10 begeistert, daß er ihn bat, am Hof zu bleiben und in seine Dienste zu treten. Als Beamter erwies sich Goethe so tüchtig und gewissenhaft, daß er schon nach sieben Jahren zum Finanzminister des Herzogtums ernannt wurde. Für den Dichter waren die zehn Jahre, die er vor der Italienischen Reise am Weimarer Hof zubrachte, Jahre des 15 Übergangs und der Vorbereitung. Das mochte Goethe auch selbst empfunden haben, denn es ist damals viel Bedeutendes zwar ange=fangen worden, zum Beispiel, die klassischen Dramen „Iphigenie" und „Tasso" und der Roman „Wilhelm Meister", aber nur weniges ist vollendet worden. Unter den mannigfaltigen Einflüssen, die aus 20 dem revolutionären Stürmer einen gütigen, aber verschlossenen Welt=weisen machten, war die Hofdame Frau von Stein die mächtigste. Sie war zugleich eine feurige und gegen sich strenge Natur, von leb=haftem Temperament und klarem, reifem Charakter. Goethe sah in ihr die Verkörperung seiner besten Kräfte, die in ihm zur Läuterung 25 strebten. Alles, was ihn beunruhigte, wurde ihr anvertraut und von ihr in tiefster Seele verstanden. So konnte sie sein stürmisches Herz zur Ruhe bringen und ihm eine Führerin werden zu sich selbst.

Johann Wolfgang von Goethe.

Nach zehnjährigem Aufenthalt sehnte sich Goethe fort aus dem eng gewordenen Weimar nach einem weiteren Horizont, dem sonnigen Italien. Zuletzt wurde seine Sehnsucht so groß, daß er kein italienisches Buch oder Bild ohne Qual ansehen konnte. So verließ er Deutschland heimlich. Die zwei Jahre, die Goethe in Italien 5 verbrachte, gehörten zu den glücklichsten seines Lebens. Er fühlte sich körperlich und geistig wie neu geboren, denn in Italien konnte er sich als Mensch und Künstler ganz frei entfalten. Mit stiller Freude kehrte er dann zu seinen Freunden nach Weimar zurück, um ihnen von seinem neuen inneren Reichtum zu spenden. Er wurde 10 aber bitter enttäuscht. Seltsames Schicksal: der junge geniale Stürmer, der der Gesellschaft trotzte und die Menge verachtete, wurde von ihr gefeiert und bewundert; der durch Italien gereifte Goethe, gerechter gegen seine Mitmenschen und von reinster Güte gegen sie beseelt, fand seine Freunde enttäuscht über seine maßvolle 15 Haltung, über seine stillen, klaren Dichtungen und seine naturwissen= schaftlichen Studien, als ob er den begeisterten Genius seiner Jugend verraten hätte. So kam es, daß Goethe von nun ab immer ver= schlossener und einsamer wurde. Vielleicht hätte Goethe sich mehr und mehr von der Welt abgeschlossen, sich ganz seinen naturwissen= 20 schaftlichen Forschungen und Sammlungen hingegeben und nur noch wenig gedichtet, wenn nicht Schiller seinen Geist wieder der Außen= welt zugewandt hätte. Zuerst behandelte Goethe den jüngeren Dichter mit vornehmer Zurückhaltung. Als er aber erkannte, daß er von Schiller allein in seinem tiefsten Wesen verstanden wurde, 25 schloß er mit ihm eine enge Freundschaft. Gegen Ende des Jahrhun= derts wurde Schiller immer mehr die eigentliche Triebkraft des Goetheschen Dichtens. „Faust" wurde wieder vorgenommen, der Roman „Wilhelm Meister" wurde vollendet, das Epos „Hermann und Dorothea" und die großen Balladen entstanden. An der Seite 30 des jugendlich vorwärtsdrängenden Freundes fühlte sich Goethe selbst wieder jung.

So kam es, daß mit Schillers Tode, 1805, Goethes Altersperiode beginnt. Nun wurde Goethe die über allen literarischen Richtungen und Parteien stehende, das ganze europäische Geistesleben beherr= 35 schende Persönlichkeit, wie wir sie heute noch verehren. In seinem Roman „Die Wahlverwandtschaften" und in seiner Lebensbeschreibung „Dichtung und Wahrheit" suchte Goethe die ewigen Gesetze nicht nur in der physischen und seelischen Welt, sondern auch im Reich der Schicksalsmächte zu deuten. Über das europäische Geistesleben hinaus wandte er seinen Geist nach dem Morgenland gerade zur Zeit der deutschen Befreiungskriege gegen Napoleon, so sehr war sein Geist über das Zeitliche auf die Höhen des allgemein Menschlichen gestiegen. Als letzte und heiligste Aufgabe begleitete ihn bis zu seinem 82. Geburtstag die Vollendung seines Lebenswerks, des „Faust."

ADDITIONAL ACTIVE VOCABULARY

die **Aufgabe** (Aufgaben) task
begleiten to accompany
deuten to point to, interpret
fort off, away
gerade just then, straight

reif mature, ripe
streben to strive
das **Wesen** (Wesen) being, nature
zugleich at the same time

QUESTIONS

1. Wie gewann Goethe das Vertrauen des jungen Herzogs? 2. Warum dichtete Goethe in den ersten Weimarer Jahren nicht so viel wie früher? 3. Warum fühlte sich Goethe in Italien so wohl? 4. Warum konnte Frau von Stein ihm eine Führerin werden? 5. Warum waren die Weimarer Freunde über den gereiften Goethe enttäuscht? 6. Was für eine Bedeutung hatte Schillers Freundschaft für Goethe? 7. In welchem Werk hat Goethe die Gesetze seiner eigenen Entwicklung darstellen wollen? 8. Warum haben manche den alten Goethe unpatriotisch genannt?

EXERCISES

(a) Change to active voice:

1. Goethes Aufenthalt in Weimar ist von seinem Vater nicht gern gesehen worden. 2. Der junge Goethe wurde überall geschätzt und bewundert. 3. Viele konnten nicht glauben, daß ein Dichter vom Herzog zum Finanzminister ernannt werden würde. 4. Am Weimarer Hof wurde zu Goethes Zeiten viel gedichtet. 5. Zuerst

war Frau von Stein vom Dichter fast wie eine Heilige verehrt worden. 6. Es ist schon viel über Goethes und Schillers Freundschaft geschrieben worden. 7. Vieles könnte über Goethes Italienische Reise gesagt werden. 8. Der alte Goethe ist nur von wenigen ganz verstanden worden. 9. „Faust" ist von dem Zweiundachtzigjährigen vollendet worden. 10. Der zweite Teil des „Faust" wird nicht viel gelesen.

(b) Change to passive voice:

1. In Frankfurt hatte der Vater selber den jungen Goethe unterrichtet. 2. In den Jahren vor dem Weimarer Aufenthalt hat Goethe mehr gedichtet, als später. 3. Interessante Geschichten erzählt man von Goethes Kinderzeit. 4. Auf Goethes Bitte lud der Herzog Herder nach Weimar ein. 5. Goethe hat auch andere Ämter neben dem Finanzamt übernommen. 6. Das Land und die Leute in Italien enttäuschten den Dichter auf seiner zweiten Italienischen Reise. 7. Welches Drama von Goethe spielt man heute am meisten? 8. Schon die Romantiker hatten Goethe als den größten deutschen Dichter erkannt. 9. Solange man deutsche Literatur liest, wird man Goethes „Faust" lesen. 10. Goethe hat in Napoleon den genialen Menschen bewundert.

(c) Use the proper auxiliary war or wurde:

1. Wann —— das Herzogtum Preußen mit Brandenburg vereinigt? 2. Er —— immer von hohem Pflichtgefühl erfüllt. 3. Das Geld —— verloren, als er mich danach fragte. 4. Das —— von Ihnen schon früher erwähnt. 5. In jener Stunde —— ich zweimal unterbrochen. 6. Die beiden —— seit Jahren getrennt. 7. Das Geheimnis —— von ihm am dritten Tag verraten. 8. Der Weg zum Schloß —— verschneit. 9. —— er vorbereitet? 10. Wie lange —— der Feind aus der Stadt vertrieben?

(d) Translate:

1. Ein Besuch läßt sich am Morgen besser einrichten. 2. In diesem Fall sind sie noch einmal zu prüfen. 3. Der Junge wird sich nicht so schnell erziehen lassen. 4. Das Gesicht war nicht mehr zu erkennen. 5. So etwas vergißt sich nicht leicht. 6. Man wird die Geschichte überall erzählen.

WRITTEN TRANSLATION

1. During the last months of his stay in Frankfort Goethe was greatly (strongly) disturbed by his love for Lili Schönemann. 2. The poet had been invited to one of the many social evenings in the Schönemann home (house Schönemann), and he was at once fascinated by the brilliant beauty and extraordinary charm of the seventeen-year-old Lili. 3. Although Lili was accustomed to being admired by all young men, she could not resist the charming personality of the famous young poet. 4. Goethe loved this wealthy girl not only for (wegen) her beauty and her charm but also for her excellent qualities-of-character, and he felt that he was truly loved by her. 5. But he also felt that he was not considered by her family [to be] (als) her equal (worthy of her) socially, and he did not like (it) that Lili allowed herself to be admired by other young men after her engagement as much as before (vorher). 6. The poet's love for (zu) nature and freedom could not be brought into harmony (Einklang) with Lili's views and those of her family. 7. Finally it was decided (beschließen) that Goethe should make a trip to Switzerland to see whether he could bear (it) to be separated from her. 8. Although he felt his love for (zu) Lili even more strongly when he was away, the engagement was broken (gelöst) after he returned. 9. So we understand why Goethe was glad to be invited to the Weimar court, for in Frankfort a chance-meeting (zufällige Begegnung) with Lili could hardly be avoided (use sich lassen).

LESSON XV

The Subjunctive, Type I

Review the formation of the subjunctive, type I, § 118.

193. *Optative subjunctive.* — The first subjunctive may express a formal wish or a wish likely to be fulfilled:

Dein Reich komme!	*Thy kingdom come!*
Es lebe die Freiheit!	*Long live freedom!*
Er ruhe in Frieden!	*May he rest in peace!*

Frequently the first subjunctive of mögen is used in phrases of this type, especially for the second person:

Mögeſt bu geſunb bleiben, unb möge bas neue Jahr bir Glück bringen!

194. *Hortative subjunctive.* — The first subjunctive is used to express a command or request in the third person singular and first person plural, since the imperative mood can be used only for the second person. The first person shows inversion to distinguish it from the indicative, while with the third person inversion is optional:

Ebel ſei ber Menſch.   *Let man be noble.*

Jeber hanble ſo, baß ſein Hanbeln als Vorbilb für alle bienen kann.
   Let everyone act in such a way that his actions can serve as an example for all.

Freuen wir uns über ſeinen Sieg!   *Let us rejoice over his victory.*
Vergeſſen wir nicht, was er uns war!   *Let us not forget what he meant to us.*

This may be expressed also less formally by the imperative of laſſen with the infinitive:

Laß (laßt, laſſen Sie) uns nicht vergeſſen, was er uns war!

195. *Concessive subjunctive.* — The first subjunctive is used in a dependent concessive clause which is followed by an independent clause in normal word order:

Sei er auch noch ſo unglücklich, ⎫
or: So unglücklich er auch ſei, ⎬ er wirb ben Schmerz überwinden.

   Be he (May he be) ever so unhappy, ⎫
or: No matter how unhappy he may be, ⎬ he will overcome his sorrow.

So freunblich er auch ſprechen möge, ⎫
Möge er auch noch ſo freunblich ſprechen, ⎬ er iſt unſer Feinb.

   No matter how friendly he may speak, ⎫
   May he speak ever so friendly, ⎬ he is our enemy.

The indicative is often used in concessive clauses instead of the subjunctive, but with more definite meaning:

So unglücklich er auch iſt, er wirb ben Schmerz überwinden.
So freunblich er auch ſpricht, er iſt (boch) unſer Feinb.

Note that for the sake of emphasis the normal word order appears in the main clauses.

196. *Indirect discourse* (§ 119)

1. Use of the indicative:

> Er wußte, daß er unrecht hatte.
> Wir behaupten, daß er unrecht hat.

2. Use of the tenses:

Direct Discourse	Indirect Discourse
Er hat unrecht. *He is wrong.*	Sie glaubten, daß er unrecht habe (hätte).
Er hatte unrecht. ⎫ Er hat unrecht gehabt. ⎬ Er hatte unrecht gehabt. ⎭	Sie glaubten, daß er unrecht gehabt habe (hätte).
Er wird unrecht haben.	Sie glaubten, daß er unrecht haben werde (würde).
Er wird unrecht gehabt haben.	Sie glaubten, daß er unrecht gehabt haben werde (würde).

3. Indirect question and indirect imperative:

Direct Discourse	Indirect Discourse
Nimmst du mich mit?	Er fragte mich, ob ich ihn mitnehme.
Wann ist sie gekommen?	Er fragte mich, wann sie gekommen sei.
Nimm mich mit!	Er bat mich, ich solle ihn mitnehmen.
Wartet auf mich!	Er bat uns, wir sollten auf ihn warten.

4. Clauses of purpose:

> Wir baten ihren Bruder, sie zu begleiten, damit sie jemand bei sich habe (hätte).
> *We asked her brother to accompany her, so that she might have somebody with her.*

Deutsche Philosophen

Wenn man vom deutschen Volk als dem „Volk der Denker und Dichter" spricht, so denkt man meistens an das Ende des 18. und den Beginn des 19. Jahrhunderts, wo neben der deutschen Literatur auch die deutsche Philosophie auf ihrem Höhepunkt stand. Im Jahre

1781 erschien Immanuel Kants „Kritik der reinen Vernunft", an
welcher der Siebenundfünfzigjährige fast fünfzehn Jahre gearbeitet
hatte. Wer hätte damals gedacht, daß dieser kleine, schwächliche, be=
scheidene Philosophieprofessor von Königsberg, der sein Leben lang
von der Welt wenig mehr als seine Vaterstadt gesehen hatte, über   5
hundert Jahre lang das philosophische Denken in Deutschland be=
herrschen würde. Kant untersuchte in diesem Werk das Instrument
unseres philosophischen Denkens selbst: die menschliche Vernunft.
Das hatten auch die englischen Philosophen Locke und Hume getan und
waren zu dem Schluß gekommen, daß es keine menschliche Vernunft   10
als solche gebe, sondern nur ein Bündel von Sinnesempfindungen,
Gefühlen und Gedanken, die man Vernunft nenne. Kant wollte
zunächst beweisen, daß unser Geist ein aktives Organ sei, das die
vielen Tausende von Sinnesreizen auswähle, leite und zu Emp=
findungen und Gedanken ordne. Wir erleben die Dinge der Außen=   15
welt in Raum und Zeit. Nun lehrte aber Kant, daß Raum und Zeit
gar nicht außerhalb unseres Geistes bestünden, sondern Formen
unseres menschlichen Geistes seien, die es uns erst möglich machten, die
Außenwelt zu erleben. Nach Kant wären wir also in unserem Denken
an die Gesetze unseres Geistes gebunden und könnten nie wissen, wie   20
die Außenwelt an sich ist. Wie einem mit grüner Brille (*glasses*)
alles grün erscheine, so sähen wir mit unserer menschlichen Vernunft
eben alles menschlich und könnten die absolute Wahrheit nie erfahren.
Das war ein schwerer Schlag für die Theologie seiner Zeit, die Gott
und Unsterblichkeit mit Gründen der Vernunft beweisen wollte.   25

Für die Religion aber brachte Kant eine neue Grundlage in
seinem zweiten berühmten Werk, der „Kritik der praktischen Ver=
nunft". Ebenso wie es Gesetze unseres Denkens gebe, die unabhängig
von der Sinneserfahrung seien, so lehrte Kant, gebe es auch einen
moralischen Sinn in uns, der unabhängig von der äußeren Situa=   30
tion uns immer sage, was recht und unrecht ist. „Jeder handle so,
daß sein Handeln als Vorbild für alle Menschen dienen kann", das
ist der Sinn von Kants berühmtem „kategorischen Imperativ".
Von dem moralischen Sinn ausgehend beweist Kant die Freiheit des
Willens, Gott und Unsterblichkeit als notwendige Postulate.   35

Immanuel Kant.

Zwischen Kant und ihm selbst sei in der Philosophie nichts ge=
leistet worden, meinte der junge Arthur Schopenhauer in seinem
Eigendünkel und überging stillschweigend die berühmten Philosophie-
professoren seiner Zeit: Fichte, Schelling und Hegel, wie sie ihn und
seine Philosophie unbeachtet ließen; und doch waren sie alle von Kant 5
ausgegangen.   Man kann sich kaum einen größeren Gegensatz
denken, als den zwischen Kant und Schopenhauer.   Kant hat seine
Gedanken ganz abstrakt und auch sonst schwer verständlich ausge=
drückt, Schopenhauer war der erste große deutsche Philosoph, der
über die schwierigsten Fragen interessant und leicht verständlich schrieb 10
und seine Philosophie mit Beispielen aus der eigenen psychologischen
Erfahrung und aus allen Naturgebieten klar machte.   Kant hatte
den Geist des Menschen als den Gesetzgeber aller Dinge erkannt und
die Freiheit des menschlichen Willens verkündet.   Schopenhauer
lehrte, daß die Triebkraft aller Erfahrung nicht der Geist, sondern 15
der Wille sei, den man mit dem Verstand nicht erkennen, aber in sich
direkt erleben könne.   In seinem Hauptwerk „Die Welt als Wille
und Vorstellung" (1819) behauptete Schopenhauer, daß der Wille
in allen Lebewesen als unbewußter Trieb wirke.   Im denkenden
Menschen sei er wie der starke Blinde, der den sehenden Lahmen auf 20
den Schultern trage.   Alles sei von diesem Willen beherrscht, der
sich als „Wille zum Leben" manifestiere und selbst seinen größten
Feind, den Tod, überwinde, indem er durch die Liebe zwischen Mann
und Weib den Menschen verlocke, die Rasse zu erhalten, auch wenn er
selbst dabei untergehe.   Für den Weisen gebe es nur einen Ausweg: 25
zu erkennen, daß der Wille zum Leben die Wurzel alles Leidens sei,
indem er uns zu fortgesetztem Kampf mit anderen Willen zwinge und
immer neue Wünsche in uns errege, die das Leben nicht erfüllen
könne.   So werde es die Aufgabe der Kunst, uns aus dieser Welt des
Wollens herauszuheben, uns die Schönheit erleben zu lassen, ohne 30
den Wunsch, sie zu besitzen.   Die höchste Kunst aber ist nach Schopen=
hauer die Musik, die ein harmonisches Abbild des Willens ist und
damit des innersten Wesens der Welt selbst.   So konnte Richard
Wagner in Schopenhauer seinen Philosophen sehen.

ADDITIONAL ACTIVE VOCABULARY

das Ding (Dinge) thing
erfahren (erfährt), erfuhr, erfahren
    to experience
schwierig difficult

weise wise
die Wurzel (Wurzeln) root
zunächst first of all
zwingen, zwang, gezwungen to force

QUESTIONS

1. Was wissen Sie über Kant als Menschen? 2. Was für eine Rolle spielt der menschliche Geist nach Kant? 3. Warum konnte Kants Philosophie bei vielen Menschen enttäuschend wirken? 4. Wie unterscheidet sich der Form nach Schopenhauers philosophisches Hauptwerk von dem Kants? 5. Was ist der Hauptgedanke von Kants „Kritik der praktischen Vernunft"? 6. Was für eine Bedeutung hat der Wille bei Schopenhauer? 7. Was macht Schopenhauers Philosophie pessimistisch? 8. Was für eine Rolle soll, nach Schopenhauer, die Kunst im menschlichen Leben spielen?

EXERCISES

(a) Translate the following sentences and classify the subjunctives used:

1. Dem Himmel sei Dank! 2. Fragen wir ihn selbst! 3. Sei es auch noch so kalt, wir müssen auf den Bahnhof. 4. Der Mensch versuche die Götter nicht! 5. So gern wir ihn auch hier sähen, wir verstehen, warum er nicht kommen kann. 6. Dein Wille geschehe! 7. Mögest du diese Freude noch oft erleben! 8. So wenig es auch sei, es ist besser als gar nichts. 9. Er sollte seine Arbeit vollenden, sei er auch noch so müde. 10. Der Herr segne euch und behüte euch! 11. Verspreche er uns auch noch so viel, wir können ihm nicht helfen. 12. Versuchen wir es noch einmal!

13.   **Maria**

    Ich bin die Schwache, sie die Mächt'ge. — Wohl,
    Sie brauche die Gewalt, sie töte mich,
    Sie bringe ihrer Sicherheit das Opfer.
    Doch sie gestehe dann, daß sie die Macht
    Allein, nicht die Gerechtigkeit geübt.

                      (aus Schillers „Maria Stuart")

14. **Spruch**

> Eines schickt sich nicht für alle.
> Sehe jeder, wie er's treibe,
> Sehe jeder, wo er bleibe,
> Und wer steht, daß er nicht falle!

(Goethe)

(b) Reproduce the third paragraph of „Der deutsche Arbeits=dienst" (page 237) and the second paragraph of „Die deutsche Volksschule" (page 251) in indirect discourse.

(c) Translate:

1. Peace be with you! 2. Let us not promise him too much. 3. No matter how much you may demand of him, he will not disappoint you. 4. Let everyone examine his own work. 5. Don't take him along unless you have enough room. 6. However little he may contribute, we shall be thankful for it. 7. Let us not send him all the pictures lest (damit . . . nicht) the letter become too heavy. 8. Let us ask him that he forgive us our rash (unbesonnen) words. 9. May you never experience such sorrow! 10. Let us hope that he will never return.

WRITTEN TRANSLATION

1. Yesterday we spoke in (the) class about Schopenhauer's philosophy. 2. Some of the students asserted that his pessimistic views were the result of his character and his personal experiences, while others tried to show that the same pessimistic mood was to be found in (bei) other writers and composers of-those days: for instance, in Byron, Lenau, Schumann, and Chopin. 3. We were told (*use active voice*) that Schopenhauer had never known a mother's love, since Frau Schopenhauer, a well-known writer herself, was jealous of (auf *with acc.*) her son. 4. One student thought that Schopenhauer's conceit was to-blame (schuld) for-the-fact (daran) that he had no close friends, no family, and few admirers in his earlier years.

5. Other students explained to us why Europe was in such a sad condition after the Napoleonic Wars. 6. All [the] hopes which the French Revolution had aroused, they said, had disappeared with

Napoleon's defeat. 7. Reactionary princes were sitting on Europe's thrones and suppressing all liberal thoughts. 8. People could justly (mit Recht) ask themselves why all these wars had been fought (led), why so many thousands had had to die, and why Europe had been-plunged (geraten) into such wretched (bitter) poverty. 9. Some thought that this was God's answer to (auf) man's unbelieving (ungläubig) intellect, which had triumphed in the age of reason.

LESSON XVI

The Subjunctive, Type II

197. Review the formation of the second subjunctive (§§ 111–114):

	AUXILIARY VERBS	STRONG VERBS	IRREGULAR WEAK VERBS
Present Time	ich hätte	ich bliebe	ich dächte
	ich wäre	ich verlöre	ich brächte
	ich würde	ich fände	ich wüßte
		ich schüfe	
	ich dürfte	ich liefe	ich brennte
	ich könnte		ich kennte
	ich möchte	ich hülfe	ich nennte
	ich müßte	ich stünde	ich rennte
	ich sollte	ich stürbe	ich sendete
	ich wollte	ich würfe	ich wendete
Past Time	ich hätte gehabt	ich wäre geblieben	ich hätte gedacht
	ich wäre gewesen	ich hätte verloren	ich hätte gewußt
	ich wäre geworden	ich hätte gefunden	
	ich hätte gedurft	ich hätte geholfen	ich hätte gekannt
	ich hätte (*inf.*) + dürfen		
Future	ich würde haben	ich würde bleiben	ich würde denken
Future Perfect	ich würde gehabt haben	ich würde geblieben sein	ich würde gedacht haben

Note that besides the irregular forms hülfe, stünde, stürbe, würfe the regular forms hälfe, stände, stärbe, wärfe are also used, but less commonly.

198. *Use of the second subjunctive* (§§ 115–116):

1. To express a wish that cannot be, or is not likely to be, fulfilled.

Referring to present time:

Wenn ich nur mehr Zeit hätte! Hätte ich doch mehr Zeit!	*If only I had more time!* *I wish I had more time.*
Wenn es doch nicht so weit wäre! Wäre es nur nicht so weit!	*If only it were not so far!* *I wish it were not so far.*
Wenn sie nur ruhiger würde! Würde sie doch ruhiger!	*If only she would become calmer!* *I wish she would become calmer.*
Wenn ihr nur mitdürftet! Dürftet ihr nur mit!	*If only you were allowed to come along!* *I wish you were allowed to come along.*
Wenn er es mir nur glaubte! Wenn er es mir nur glauben würde! *	*If only he would believe me!*

Referring to past time:

Hätte ich nur mehr Zeit gehabt!	*If only I had had more time!*
Wenn es doch nicht so weit gewesen wäre!	*If only it had not been so far!*
Hättet ihr nur mitgedurft! Hättet ihr doch mitkommen dürfen!	*If only you had been allowed to come along!*
Hätte er es mir nur geglaubt!	*If only he had believed me!*

2. To express contingency, *i.e.* what a person would do (or would have done) if a certain event were to happen (or had happened). An *if*-clause is here understood:

(*a*) Ich bliebe zu Hause.	*I should stay at home.*
Er hülfe mir doch nicht. Er würde mir doch nicht helfen.*	*He would not help me anyway.*
Wir wüßten es.	*We should know it.*
Ihr müßtet kommen.	*You would have to come.*

* Note that with weak verbs the conditional (würde + infinitive) is preferred to the second subjunctive, since the latter is identical in form with the past indicative. The conditional may be used with strong verbs also but not with modal auxiliaries.

(b) Ich wäre zu Hause geblieben.   *I should have stayed at home.*

Er hätte mir doch nicht geholfen.   *He would not have helped me anyway.*

Wir hätten es gewußt.   *We should have known it.*

Ihr hättet kommen müssen.   *You would have had to come.*

3. To express (a) possibility or (b) doubt. This usage is especially common in (c) polite questions and assertions, and diplomatic expressions of opinion. Here the modal auxiliaries are frequently employed:

(a) Es könnte Streit geben.   *There might be a quarrel.*

Das ließe sich wohl machen.   *This could probably be done.*

(b) Aber nähme er dich mit?   *But would he take you along?*

Er würde es kaum wagen.   *I hardly think that he would risk it.*

(c) Dürfte ich Sie um etwas Tee bitten?   *May I ask you for some tea?*

Da wäre ich anderer Meinung.   *(I might say that) I am of a different opinion.*

Das dürfte nicht so leicht sein.   *This might not be so easy.*

Nicht daß ich wüßte.   *Not that I know (am aware) of.*

4. In a sentence beginning with **als ob** (§ 123):

Er tut, als ob er nichts davon verstünde.

Er tut, als ob er selbst den Preis gewonnen hätte.

Er tut, als ob er noch nie hätte arbeiten müssen.

Er tut, als verstünde er nichts davon.

Er tut, als hätte er den Preis selbst gewonnen.

Er tut, als hätte er noch nie arbeiten müssen.

5. A wish without reference to the possibility of its fulfillment may be expressed by (1) **möchte**, (2) **möchte gern**, (3) **gern** combined with the second subjunctive or conditional of the verb:

Ich möchte (gern) einen Tag dort bleiben.

Ich bliebe gern einen Tag dort.

Ich würde gern einen Tag dort bleiben.

    I should like to stay there a day.

Ich wäre gern einen Tag dort geblieben.

    I should have liked to stay there a day.

199. Review the conditional sentences (§ 117):

1. The indicative is used in simple conditional sentences in which the condition is viewed as a fact:

> Wenn du mich liebst, (so) verläßt du mich nicht.
> Liebst du mich, so verläßt du mich nicht.

2. In conditional sentences contrary to fact, in which the condition is viewed merely as a possibility, the second subjunctive appears in both clauses.

Referring to the present:

> Wenn du mich liebtest, (so) verließest du mich nicht.
> Wenn du mich liebtest, (so) würdest du mich nicht verlassen.
> Liebtest du mich, so würdest du mich nicht verlassen.
>
> Wenn das wahr wäre, (so) käme er noch heute.
> Wäre das wahr, so käme er noch heute.
> Wäre das wahr, so würde er noch heute kommen.
>
> Wenn wir es ihm sagen dürften, könnte er noch entfliehen.
> Dürften wir es ihm sagen, so könnte er noch entfliehen.
> Er könnte noch entfliehen, wenn wir es ihm sagen dürften.

The conditional (würde + infinitive) is commonly used in the conclusion with a weak verb, sometimes also with a strong verb, but not with a modal auxiliary.

Referring to the past:

> Wenn du mich geliebt hättest, (so) hättest du mich nicht verlassen.
> Hättest du mich geliebt, so hättest du mich nicht verlassen.
>
> Wenn das wahr gewesen wäre, (so) wäre er noch heute gekommen.
> Wäre das wahr gewesen, so wäre er noch heute gekommen.
>
> Wenn wir es ihm hätten sagen dürfen, (so) hätte er noch fliehen können.
> Hätten wir es ihm sagen dürfen, so hätte er noch fliehen können.

Note the "double infinitive" construction and its word order in connection with modal auxiliaries. Remember especially the following phrases and their English equivalents:

> Ich hätte es tun können.   *I could have done it.*
>
> Ich hätte es tun sollen.   { *I should have done it.*
>   { *I ought to have done it.*

Ungeduld

Ich schnitt' es gern in alle Rinden ein,
Ich grüb' es gern in jeden Kieselstein,
Ich möcht' es fä'n auf jedes frische Beet
Mit Kressensamen, der es schnell verrät,
Auf jeden weißen Zettel möcht' ich's schreiben:
Dein ist mein Herz, und soll es ewig bleiben.

Ich möcht' mir ziehen einen jungen Star,
Bis daß er spräch' die Worte rein und klar,
Bis er sie spräch' mit meines Mundes Klang,
Mit meines Herzens vollem heißem Drang;
Dann säng' er hell durch ihre Fensterscheiben:
Dein ist mein Herz, und soll es ewig bleiben.

Ich meint', es müßt' in meinen Augen stehn,
Auf meinen Wangen müßt' man's brennen sehn,
Zu lesen wär's auf meinem stummen Mund,
Ein jeder Atemzug gäb's laut ihr kund;
Und sie merkt nichts von all dem bangen Treiben:
Dein ist mein Herz, und soll es ewig bleiben!

Wilhelm Müller

Aus Goethes Sprüchen

Es ließe sich alles trefflich schlichten.
Könnte man die Sachen zweimal verrichten.

Nicht größern Vorteil wüßt' ich zu nennen,
Als des Feindes Verdienst erkennen.

Trüge gern noch länger des Lehrers Bürden,
Wenn Schüler nur nicht gleich Lehrer würden.

Wenn ich kennte den Weg des Herrn,
Ich ging' ihn wahrhaftig gar zu gern;
Führte man mich in der Wahrheit Haus,
Bei Gott! ich ging' nicht wieder heraus.

Wär' nicht das Auge sonnenhaft,
Die Sonne könnt' es nie erblicken;
Läg' nicht in uns des Gottes eigne Kraft,
Wie könnt' uns Göttliches entzücken?

Zu Goethes Denkmal was zahlst du jetzt?
Fragt dieser, jener und der. —
Hätt' ich mir nicht selbst ein Denkmal gesetzt,
Das Denkmal, wo käm' es denn her?

EXERCISES

(a) Use the potential subjunctive based on the following sentences. Refer (1) to present time, (2) to past time:

Example: Ich zwinge ihn nicht: Ich zwänge ihn nicht. Ich hätte ihn nicht gezwungen.

1. Ich erfahre es doch. 2. Er bringt doch nichts Bedeutendes hervor. 3. Wir fangen noch nicht an. 4. Sie erziehen ihn nicht streng genug. 5. Prüfst du ihn selbst? 6. Ihr dürft es nicht verraten.

(b) Express a wish not likely to be fulfilled: (1) referring to the present, (2) referring to the past, using the following sentences:

Example: Er unterbricht mich immer: Wenn er mich nur nicht immer unterbräche. Hätte er mich nur nicht immer unterbrochen.

1. Er vergißt es nicht. 2. Du vertrittst mich in dieser Stunde. 3. Ihr verbringt den Sonntag bei uns. 4. Wir bereiten uns besser vor. 5. Es findet in unsrer Kirche statt. 6. Er stirbt nicht so langsam. 7. Du kannst ihm verzeihen. 8. Sie wollen mitmachen.

(c) Change the simple conditional sentences to conditional sentences contrary to fact: (1) referring to the present, (2) referring to the past:

1. Wenn ich genug Geld habe, wandre ich auch aus. 2. Versprechen sie es uns, so werden sie nicht vertrieben. 3. Wenn Schnee liegt, steige ich nicht auf den Gipfel. 4. Wir nehmen dein Geld nicht

an, auch wenn wir noch so viel verlieren. 5. Wenn du ihn selber einlädst, kommt er sicher. 6. Ihr müßt euch rasch entschließen, wenn ihr mitfahren wollt. 7. Wenn du auch einen Wagen besitzt, können wir nicht alle mitnehmen. 8. Wir sind drei Ärzte, wenn er sich auch hier niederläßt. 9. Wenn du ihn kennst, kannst du es ihm selbst sagen. 10. Sie schließen gern Frieden, wenn sie den Preis erhalten.

(d) Translate:

1. He ought to have asked you. 2. I should like to try it once more. 3. He treats me as though I had done something wrong. 4. Might (*use* können) we not see him ourselves? 5. You could have come with us. 6. Does it not create (make) the impression that I am not allowed (as though I were not allowed) to help him? 7. Might (*use* dürfen) I ask you for your name? 8. They should never have undertaken it. 9. I should be ashamed of him if he did that. 10. He would like to read the book too.

APPENDIX

THE ARTICLE

The Definite Article

		SINGULAR		PLURAL
	Masc.	Fem.	Neut.	M. F. N.
N.	der	die	das	die
G.	des	der	des	der
D.	dem	der	dem	den
A.	den	die	das	die

Similarly inflected are the so-called der=words: dieser, jener, jeder, welcher, mancher, solcher (cf. §§ 71, 124).

The Indefinite Article

		SINGULAR		PLURAL
	Masc.	Fem.	Neut.	M. F. N
N.	ein	eine	ein	——
G.	eines	einer	eines	——
D.	einem	einer	einem	——
A.	einen	eine	ein	——

Similarly inflected are the so-called ein=words: kein and the possessive adjectives mein, dein, sein, ihr (*her*), unser, euer, ihr (*their*), Ihr (*your*) (cf. §§ 72, 128):

		SINGULAR		PLURAL
	Masc.	Fem.	Neut.	M. F. N.
N.	kein	keine	kein	keine
G.	keines	keiner	keines	keiner
D.	keinem	keiner	keinem	keinen
A.	keinen	keine	kein	keine

THE DECLENSION OF NOUNS

NOTE: The nouns included in this Appendix are, with a few additions, those starred in the A.A.T.G. list.

Table of Noun Inflections

		STRONG			WEAK	MIXED
		I	II	III	IV	V
Singular of Masculines and Neuters (Feminines unchanged)	N.		——		——	——
	G.		–(e)§		–(e)n	–(e)§
	D.		–(e)		–(e)n	–(e)
	A.		——		–(e)n	——
Plural all Genders	N.	ˮ	ˮe	ˮer	–(e)n	
	G.	ˮ	ˮe	ˮer	–(e)n	
	D.	ˮ(n)	ˮen	ˮern	–(e)n	
	A.	ˮ	ˮe	ˮer	–(e)n	
Vowel changed a, o, u, au to ä, ö, ü, äu		Sometimes	Generally	Always	Never	

I. *Strong Declension: Class 1*

SINGULAR

N.	der Bruder	der Onkel	die Tochter	das Gebäude
G.	des Bruders	des Onkels	der Tochter	des Gebäudes
D.	dem Bruder	dem Onkel	der Tochter	dem Gebäude
A.	den Bruder	den Onkel	die Tochter	das Gebäude

PLURAL

N.	die Brüder	die Onkel	die Töchter	die Gebäude
G.	der Brüder	der Onkel	der Töchter	der Gebäude
D.	den Brüdern	den Onkeln	den Töchtern	den Gebäuden
A.	die Brüder	die Onkel	die Töchter	die Gebäude

(a) The following nouns form the plural with *Umlaut:*

der Acker *field*
der Apfel *apple*
der Boden *ground*
der Bruder *brother*
der Garten *garden*
der Hafen *harbor*
der Laden *store*
der Mantel *overcoat*
die Mutter *mother*
der Ofen *stove*
die Tochter *daughter*
der Vater *father*
der Vogel *bird*

(b) The following nouns form the plural *without Umlaut*, unless this appears in the singular (cf. § 133):

das Eisen *iron*
der Enkel *grandson*
der Esel *donkey*
der Fehler *fault*
das Fenster *window*
das Feuer *fire*
der Finger *finger*
das Gebäude *building*
das Gemüse *vegetable*
der Gipfel *top*
der Himmel *sky*

der Kaiser *emperor*
der Käse *cheese*
der Keller *cellar*
der Kellner *waiter*
der Körper *body*
der Löffel *spoon*
das Mädchen *girl*
der Meister *master*
das Messer *knife*
der (or das) Meter *meter*

der Nebel *mist*
der Rücken *back*
der Schinken *ham*
der Teller *plate*
das Ufer *bank, shore*
das Wesen *being*
das Wetter *weather*
das Zeichen *signal*
das Zimmer *room*
der Zweifel *doubt*

II. *Strong Declension: Class 2*

SINGULAR

N.	der Stuhl	der Tag	die Stadt	das Jahr	der König
G.	des Stuhles	des Tages	der Stadt	des Jahres	des Königs
D.	dem Stuhl(e)	dem Tag(e)	der Stadt	dem Jahr(e)	dem König(e)
A.	den Stuhl	den Tag	die Stadt	das Jahr	den König

PLURAL

N.	die Stühle	die Tage	die Städte	die Jahre	die Könige
G.	der Stühle	der Tage	der Städte	der Jahre	der Könige
D.	den Stühlen	den Tagen	den Städten	den Jahren	den Königen
A.	die Stühle	die Tage	die Städte	die Jahre	die Könige

(a) The following masculine nouns form the plural with *Umlaut*:

der Arzt *doctor*
der Bach *brook*
der Baum *tree*
der Busch *bush*
der Fuß *foot*
der Gast *guest*
der Grund *ground*
der Hals *neck*
der Hof *courtyard*
der Hut *hat*
der Kampf *battle*

der Knopf *button*
der Kopf *head*
der Markt *market*
der Marsch *march*
der Platz *place, plaza*
der Rat *councilor*
der Raum *space*
der Rock *coat*
der Satz *sentence*
der Schatz *treasure*
der Sohn *son*

der Stamm *stalk, trunk*
der Strom *river*
der Strumpf *stocking*
der Stuhl *chair*
der Sturm *storm*
der Ton *sound*
der Zahn *tooth*
der Zufall *chance*
der Zug *train*
der Zustand *condition*

(*b*) The following masculine nouns with a, o, or u in the stem *do not* have *Umlaut* in the plural (cf. also § 133):

der Arm *arm*	der Hund *dog*	der Park *park*
der Beruf *occupation*	der Kork *cork*	der Punkt *period, point*
der Besuch *visit*	der Mond *moon*	der Schuh *shoe*
der Dom *cathedral*	der Mund *mouth*	der Tag *day*
der Grab *degree*	der Ort *place*	

(*c*) The following masculine nouns naturally have *no Umlaut* in the plural:

der Augenblick *moment*	der Krieg *war*	der Teil *part*
der Berg *mountain*	der Monat *month*	der Tisch *table*
der Bleistift *pencil*	der Offizier *officer*	der Verein *association*
der Blitz *flash*	der Pfennig *penny*	der Vorteil *advantage*
der Brief *letter*	der Preis *price*	der Wein *wine*
der Charakter *character*	der Ring *ring*	der Wert *value*
der Dieb *thief*	der Sieg *victory*	der Wind *wind*
der Feind *enemy*	der Sinn *sense*	der Wirt *host*
der Freund *friend*	der Stein *stone*	der Zweck *purpose*
der König *king*	der Stern *star*	der Zweig *twig*

(*d*) Common monosyllabic feminine nouns of this class, all *with Umlaut* in the plural, are:

die Angst *distress*	die Haut *skin*	die Maus *mouse*
die Bank *bench*	die Kraft *force*	die Nacht *night*
die Brust *chest*	die Kuh *cow*	die Not *distress*
die Frucht *fruit*	die Kunst *art*	die Nuß *nut*
die Gans *goose*	die Luft *air*	die Stadt *city*
die Hand *hand*	die Macht *power*	die Wand *wall*

(*e*) Neuter nouns in this class *never* use *Umlaut* to form the plural:

das Bein *leg*	das Heim *home*	das Recht *right*
das Beispiel *example*	das Jahr *year*	das Salz *salt*
das Brot *bread*	das Kinn *chin*	das Schaf *sheep*
das Ding *thing*	das Knie *knee*	das Schiff *ship*
das Dutzend *dozen*	das Mal *time*	das Stück *piece*
das Frühstück *breakfast*	das Meer *sea*	das Tier *animal*
das Geschäft *business*	das Paar *pair*	das Urteil *judgment*
das Haar *hair*	das Papier *paper*	das Werk *work*
das Heer *army*	das Pferd *horse*	das Wort *word* (cf. §139)
das Heft *notebook*	das Pult *desk*	das Ziel *goal*

III. *Strong Declension: Class 3*

SINGULAR

N.	das Haus	der Mann	das Königtum
G.	des Hauses	des Mannes	des Königtums
D.	dem Haus(e)	dem Mann(e)	dem Königtum
A.	das Haus	den Mann	das Königtum

PLURAL

N.	die Häuser	die Männer	die Königtümer
G.	der Häuser	der Männer	der Königtümer
D.	den Häusern	den Männern	den Königtümern
A.	die Häuser	die Männer	die Königtümer

(*a*) The following common neuter nouns, mostly nouns of one syllable, belong to this class:

das Amt *office*	das Gesicht *face*	das Lamm *lamb*
das Bad *bath*	das Glas *glass*	das Land *land*
das Bild *picture*	das Glied *limb*	das Licht *light*
das Blatt *leaf*	das Grab *grave*	das Lied *song*
das Buch *book*	das Gras *grass*	das Maul *mouth* (of animal)
das Dach *roof*	das Gut *estate*	das Nest *nest*
das Dorf *village*	das Haupt *head*	das Schloß *castle*
das Fach *specialty*	das Haus *house*	das Tal *valley*
das Faß *cask*	das Holz *wood*	das Volk *people*
das Feld *field*	das Kind *child*	das Weib *woman*
das Geld *money*	das Kleid *dress*	das Wort *word* (cf. § 139)

(*b*) Common masculine nouns belonging to this class are:

der Geist *spirit*	der Leib *body*	der Rand *edge*
der Gott *God, god*	der Mann *man*	der Reichtum *riches*
der Irrtum *error*	der Ort *place*	der Wald *forest*

IV. *Weak Declension*

SINGULAR

N.	der Knabe	der Mensch	die Frau	die Freundin
G.	des Knaben	des Menschen	der Frau	der Freundin
D.	dem Knaben	dem Menschen	der Frau	der Freundin
A.	den Knaben	den Menschen	die Frau	die Freundin

PLURAL

N.	die Knaben	die Menschen	die Frauen	die Freundinnen
G.	der Knaben	der Menschen	der Frauen	der Freundinnen
D.	den Knaben	den Menschen	den Frauen	den Freundinnen
A.	die Knaben	die Menschen	die Frauen	die Freundinnen

(*a*) The more common monosyllabic feminine nouns belonging to the weak declension are:

die Bahn *road*	die Pflicht *duty*	die Tat *deed*
die Burg *castle*	die Schlacht *battle*	die Tür *door*
die Flut *flood*	die Schrift *writing*	die Uhr *watch*
die Frau *woman*	die Schuld *debt*	die Welt *world*
die Last *load*	die Spur *trace*	die Zahl *number*
die List *stratagem*	die Stirn *forehead*	die Zeit *time*

(*b*) Polysyllabic feminine nouns:

die Absicht *intention*	die Gewalt *force*	die Schule *school*
die Antwort *answer*	die Grenze *border*	die Schulter *shoulder*
die Aufgabe *task*	die Herde *herd*	die Schwester *sister*
die Backe *cheek*	die Hose *trousers*	die Seele *soul*
die Beere *berry*	die Katze *cat*	die Seite *side*
die Birne *pear*	die Kirche *church*	die Sonne *sun*
die Blume *flower*	die Klasse *class*	die Spitze *point*
die Bohne *bean*	die Kohle *coal*	die Stimme *voice*
die Brücke *bridge*	die Krone *crown*	die Strafe *punishment*
die Dame *lady*	die Kusine *cousin*	die Straße *street*
die Ecke *corner*	die Lampe *lamp*	die Stunde *hour*
die Ehe *marriage*	die Linie *line*	die Sünde *sin*
die Ehre *honor*	die Lippe *lip*	die Tante *aunt*
die Erbse *pea*	die Literatur *literature*	die Tasche *pocket*
die Erdbeere *strawberry*	die Mauer *wall*	die Tasse *cup*
die Familie *family*	die Menge *crowd*	die Tinte *ink*
die Farbe *color*	die Mühle *mill*	die Treppe *stairs*
die Feder *pen*	die Nase *nose*	die Waffe *weapon*
die Flamme *flame*	die Natur *nature*	die Ware *ware*
die Fliege *fly*	die Nichte *niece*	die Weise *manner*
die Freude *joy*	die Nummer *number*	die Weste *vest*
die Gabel *fork*	die Person *person*	die Wiese *meadow*
die Gefahr *danger*	die Pflanze *plant*	die Woche *week*
die Geschichte *history*	die Regel *rule*	die Wolke *cloud*
die Gesellschaft *society*	die Reihe *row*	die Wurzel *root*
die Gestalt *form*	die Sache *thing*	die Zeitung *newspaper*

(*c*) Common monosyllabic *masculine* nouns belonging to the weak declension are (cf. also § 137):

der Bär *bear*   der Held *hero*   der Ochs *ox*
der Bursch *lad*   der Hirt *shepherd*   der Prinz *prince*
der Christ *Christian* der Mensch *man*   der Spatz *sparrow*
der Fürst *prince*   der Mohr *Moor*   der Tor *fool*
der Graf *count*   der Narr *fool*

V. *Mixed Declension*

SINGULAR

N.	der See	der Nachbar	der Doktor	das Auge
G.	des Sees	des Nachbars	des Doktors	des Auges
D.	dem See	dem Nachbar	dem Doktor	dem Auge
A.	den See	den Nachbar	den Doktor	das Auge

PLURAL

N.	die Seen	die Nachbarn	die Doktoren	die Augen
G.	der Seen	der Nachbarn	der Doktoren	der Augen
D.	den Seen	den Nachbarn	den Doktoren	den Augen
A.	die Seen	die Nachbarn	die Doktoren	die Augen

To this class belong the following nouns (cf. also § 138):

der Bauer *peasant*   der Staat *state*   das Bett *bed*
der Muskel *muscle*   der Strahl *ray*   das Ende *end*
der Nachbar *neighbor* der Vetter *cousin*   das Hemd *shirt*
der Schmerz *pain*   der Vorfahr *ancestor*   das Interesse *interest*
der See *lake*   das Auge *eye*   das Ohr *ear*

VI. *Irregular Nouns*

SINGULAR

N.	das Herz	der Herr	der Haufe(n)	der Name(n)
G.	des Herzens	des Herrn	des Haufens	des Namens
D.	dem Herzen	dem Herrn	dem Haufen	dem Namen
A.	das Herz	den Herrn	den Haufen	den Namen

PLURAL

N.	die Herzen	die Herren	die Haufen	die Namen
G.	der Herzen	der Herren	der Haufen	der Namen
D.	den Herzen	den Herren	den Haufen	den Namen
A.	die Herzen	die Herren	die Haufen	die Namen

Masculine nouns declined like Haufe are:

der Friede(n) *peace*

der Funke *spark*

der Gedanke *thought*

der Gefallen *favor*

der Glaube(n) *faith*

der Name(n) *name*

der Same(n) *seed*

der Wille *will*

THE GENDER OF NOUNS

The principal rules for the gender of nouns will be found in § 145. The names of the months, the days of the week, the seasons, and the points of the compass, which are all masculine nouns, are:

(a) *Months*	(b) *Days of the Week*	(c) *Seasons*
der Januar	der Sonntag	der Frühling
der Februar	der Montag	der Sommer
der März	der Dienstag	der Herbst
der April	der Mittwoch	der Winter
der Mai	der Donnerstag	
der Juni	der Freitag	(d) *Points of the Compass*
der Juli	der Sonnabend	der Nord(en)
der August	*or*	der Ost(en)
der September	der Samstag	der Süd(en)
der Oktober		der West(en)
der November		
der Dezember		

THE MOST COMMON PREPOSITIONS

1. *With the Genitive*

anstatt *instead of*

außerhalb *outside of*

diesseit(s) *on this side of*

infolge *in consequence of*

innerhalb *inside of*

jenseit(s) *on the other side of*

mittels *by means of*

oberhalb *above*

statt *instead of*

trotz *in spite of*

um ... willen *for the sake of*

unterhalb *below*

während *during*

wegen *on account of*

2. *With the Dative*

aus *from, out of*	ſeit *since, for*
bei *near, at the house of*	von *from, about*
mit *with*	zu *to*
nach *to, towards, after*	

3. *With the Accusative*

durch *through*	ohne *without*
für *for*	um *around, about,* (of time) *at*
gegen *against, towards*	wider *against*

4. *With the Dative or the Accusative*

an *at, to*	in *in, into*	unter *under*
auf *on, upon*	neben *beside*	vor *before, in front of*
hinter *behind*	über *above, over*	zwiſchen *between*

INFLECTION OF ADJECTIVES

1. *Weak Declension* (cf. §§ 54–57)

An adjective is declined weak if it is preceded by a pronominal modifier: der, dieſer, jener, ſolcher, welcher, jeder, jeglicher, jedweder, derjenige, derſelbe, mancher.

SINGULAR

Masculine	*Feminine*	*Neuter*
der gute Vater	die ſchöne Blume	das kleine Haus
des guten Vaters	der ſchönen Blume	des kleinen Hauſes
dem guten Vater	der ſchönen Blume	dem kleinen Hauſe
den guten Vater	die ſchöne Blume	das kleine Haus

PLURAL

die guten Väter	die ſchönen Blumen	die kleinen Häuſer
der guten Väter	der ſchönen Blumen	der kleinen Häuſer
den guten Vätern	den ſchönen Blumen	den kleinen Häuſern
die guten Väter	die ſchönen Blumen	die kleinen Häuſer

2. *Strong Declension* (cf. § 58)

An adjective is declined strong if it is preceded by no pronominal modifier.

SINGULAR

Masculine	Feminine	Neuter
roter Wein	warme Suppe	liebes Kind
roten Weines	warmer Suppe	lieben Kindes
rotem Weine	warmer Suppe	liebem Kinde
roten Wein	warme Suppe	liebes Kind

PLURAL

rote Weine	warme Suppen	liebe Kinder
roter Weine	warmer Suppen	lieber Kinder
roten Weinen	warmen Suppen	lieben Kindern
rote Weine	warme Suppen	liebe Kinder

3. *Mixed Declension* (cf. § 60)

An adjective is declined mixed if it is preceded by the pronominal modifiers: ein, kein, mein, dein, sein, ihr, unser, euer, Ihr.

SINGULAR

Masculine	Feminine	Neuter
ein alter Mann	meine gute Tochter	unser schönes Haus
eines alten Mannes	meiner guten Tochter	unseres schönen Hauses
einem alten Manne	meiner guten Tochter	unserem schönen Hause
einen alten Mann	meine gute Tochter	unser schönes Haus

PLURAL

keine alten Männer	meine guten Töchter	unsere schönen Häuser
keiner alten Männer	meiner guten Töchter	unserer schönen Häuser
keinen alten Männern	meinen guten Töchtern	unseren schönen Häusern
keine alten Männer	meine guten Töchter	unsere schönen Häuser

THE PRONOUNS

1. *Personal Pronouns* (cf. § 175)

SINGULAR

	First Person	Second Person	Third Person		
N.	ich	du	Sie	er	sie	es
G.	meiner	deiner	Ihrer	seiner	ihrer	seiner
D.	mir	dir	Ihnen	ihm	ihr	ihm
A.	mich	dich	Sie	ihn	sie	es

PLURAL

First Person	Second Person		Third Person
N. wir	ihr	Sie	sie
G. unser	euer	Ihrer	ihrer
D. uns	euch	Ihnen	ihnen
A. uns	euch	Sie	sie

2. *Possessives* (used as adjectives, cf. §§ 10, 44, 72; used as pronouns, cf. §§ 36, 177)

SINGULAR

First Person	Second Person		Third Person		
mein	dein	Ihr	sein	ihr	sein

PLURAL

unser	euer	Ihr		ihr

3. *Demonstrative Pronouns* (cf. § 87)

Uninflected: dies, das (cf. § 4)
Inflected like the relatives: der (cf. § 87)
Inflected like the definite article: dieser, jener (cf. § 124)
Inflected like the definite article and a weak declined adjective:
  derjenige, derselbe (cf. § 182, 3)

4. *Interrogative Pronouns* (cf. §§ 85, 179)

	PERSONS	THINGS
N.	wer	was
G.	wessen	—
D.	wem	—
A.	wen	was

5. *Reflexive Pronouns* (cf. § 49)

SINGULAR

First Person	Second Person		Third Person		
D. mir	dir	sich	sich	sich	sich
A. mich	dich	sich	sich	sich	sich

PLURAL

D. uns	euch	sich		sich
A. uns	euch	sich		sich

6. *Relative Pronouns* (cf. §§ 81, 82, 180)

	SINGULAR			PLURAL
	Masc.	*Fem.*	*Neut.*	*M. F. N.*
N.	ber welcher	bie welche	bas welches	bie welche
G.	beſſen ——	beren ——	beſſen ——	beren ——
D.	bem welchem	ber welcher	bem welchem	benen welchen
A.	ben welchen	bie welche	bas welches	bie welche

VERBS

AUXILIARIES OF TENSES

1. **haben,** *to have*

PERF. INFINITIVE: gehabt haben, *to have had*
PARTICIPLES: Present, habenb, *having*   Past, gehabt, *had*
PRINCIPAL PARTS: haben, hatte, gehabt, hat
IMPERATIVE: habe, habt, haben Sie, *have*

INDICATIVE	SUBJUNCTIVE	
	I	II
PRES. *I have,* etc.	DENOTES PRESENT OR FUTURE TIME	
ich habe	habe	hätte
bu haſt	habeſt	hätteſt
er hat	habe	hätte
wir haben	haben	hätten
ihr habt	habet	hättet
ſie haben	haben	hätten

PAST *I had,* etc.

   ich hatte
   bu hatteſt
   er hatte

   wir hatten
   ihr hattet
   ſie hatten

INDICATIVE	SUBJUNCTIVE	
	I	II

PRES. PERF. *I have had*, etc. — PAST TIME

		I	II
ich	habe gehabt	habe gehabt	hätte gehabt
du	haft gehabt	habeft gehabt	hätteft gehabt
er	hat gehabt	habe gehabt	hätte gehabt
wir	haben gehabt	haben gehabt	hätten gehabt
ihr	habt gehabt	habet gehabt	hättet gehabt
fie	haben gehabt	haben gehabt	hätten gehabt

PAST PERF. *I had had*, etc.

ich	hatte gehabt
du	hatteft gehabt
er	hatte gehabt
wir	hatten gehabt
ihr	hattet gehabt
fie	hatten gehabt

FUT. *I shall have*, etc. — FUTURE TIME

(First Conditional)

ich	werde haben	werde haben	würde haben
du	wirft haben	werdeft haben	würdeft haben
er	wird haben	werde haben	würde haben
wir	werden haben	werden haben	würden haben
ihr	werdet haben	werdet haben	würdet haben
fie	werden haben	werden haben	würden haben

FUT. PERF. — FUTURE PERFECT TIME

I shall have had, etc. — (Second Conditional)

ich	werde gehabt haben	werde gehabt haben	würde gehabt haben
du	wirft gehabt haben	werdeft gehabt haben	würdeft gehabt haben
er	wird gehabt haben	werde gehabt haben	würde gehabt haben
wir	werden gehabt haben	werden gehabt haben	würden gehabt haben
ihr	werdet gehabt haben	werdet gehabt haben	würdet gehabt haben
fie	werden gehabt haben	werden gehabt haben	würden gehabt haben

2. fein, *to be*

PERF. INFINITIVE: gewefen fein, *to have been*
PARTICIPLES: Present, feiend, *being*   Past, gewefen, *been*
PRINCIPAL PARTS: fein, war, ift gewefen, ift
IMPERATIVE: fei, feid, feien Sie, *be*

INDICATIVE	SUBJUNCTIVE	
	I	II

Pres. *I am*, etc. — Denotes Present or Future Time

	I	II
ich bin	sei	wäre
du bist	seiest	wärest
er ist	sei	wäre
wir sind	seien	wären
ihr seid	seiet	wäret
sie sind	seien	wären

Past *I was*, etc.

ich war	wir waren
du warst	ihr wart
er war	sie waren

Pres. Perf.
I have been, etc. — Past Time

ich bin gewesen	sei gewesen	wäre gewesen
du bist gewesen	seiest gewesen	wärest gewesen
er ist gewesen	sei gewesen	wäre gewesen
wir sind gewesen	seien gewesen	wären gewesen
ihr seid gewesen	seiet gewesen	wäret gewesen
sie sind gewesen	seien gewesen	wären gewesen

Past Perf. *I had been*, etc.

ich war gewesen	wir waren gewesen
du warst gewesen	ihr wart gewesen
er war gewesen	sie waren gewesen

Fut. *I shall be*, etc. — Future Time
(First Conditional)

ich werde sein	werde sein	würde sein
du wirst sein	werdest sein	würdest sein
er wird sein	werde sein	würde sein
wir werden sein	werden sein	würden sein
ihr werdet sein	werdet sein	würdet sein
sie werden sein	werden sein	würden sein

INDICATIVE	SUBJUNCTIVE	
	I	II

FUT. PERF.   FUTURE PERFECT TIME
I shall have been, etc.   (Second Conditional)

ich werde gewesen sein	werde gewesen sein	würde gewesen sein
du wirst gewesen sein	werdest gewesen sein	würdest gewesen sein
er wird gewesen sein	werde gewesen sein	würde gewesen sein
wir werden gewesen sein	werden gewesen sein	würden gewesen sein
ihr werdet gewesen sein	werdet gewesen sein	würdet gewesen sein
sie werden gewesen sein	werden gewesen sein	würden gewesen sein

3. werden, *to become*

PERF. INFINITIVE: geworden sein, *to have become*
PARTICIPLES: Present, werdend, *becoming*   Past, geworden, *become*
PRINCIPAL PARTS: werden, wurde, ist geworden, wird
IMPERATIVE: werde, werdet, werden Sie, *become*

PRES. *I become*, etc.   DENOTES PRESENT OR FUTURE TIME

ich werde	werde	würde
du wirst	werdest	würdest
er wird	werde	würde
wir werden	werden	würden
ihr werdet	werdet	würdet
sie werden	werden	würden

PAST *I became*, etc.

ich wurde (ward)	wir wurden
du wurdest (wardst)	ihr wurdet
er wurde (ward)	sie wurden

PRES. PERF.   PAST TIME
I have become, etc.

ich bin geworden	sei geworden	wäre geworden
du bist geworden	seiest geworden	wärest geworden
er ist geworden	sei geworden	wäre geworden
wir sind geworden	seien geworden	wären geworden
ihr seid geworden	seiet geworden	wäret geworden
sie sind geworden	seien geworden	wären geworden

PAST PERF.   *I had become*, etc.

ich war geworden	wir waren geworden
du warst geworden	ihr wart geworden
er war geworden	sie waren geworden

INDICATIVE	SUBJUNCTIVE	
	I	II

Fut. *I shall become*, etc.

FUTURE TIME
(First Conditional)

ich werde werden	werde werden	würde werden
du wirst werden	werdest werden	würdest werden
er wird werden	werde werden	würde werden
wir werden werden	werden werden	würden werden
ihr werdet werden	werdet werden	würdet werden
sie werden werden	werden werden	würden werden

FUT. PERF.
I shall have become, etc.

FUTURE PERFECT TIME
(Second Conditional)

ich werde geworden sein	werde geworden sein	würde geworden sein
du wirst geworden sein	werdest geworden sein	würdest geworden sein
er wird geworden sein	werde geworden sein	würde geworden sein
wir werden geworden sein	werden geworden sein	würden geworden sein
ihr werdet geworden sein	werdet geworden sein	würdet geworden sein
sie werden geworden sein	werden geworden sein	würden geworden sein

THE WEAK VERB

INFINITIVES: Present, fragen, *to ask*
Past, gefragt haben, *to have asked*
PARTICIPLES: Present, fragend, *asking*   Past, gefragt, *asked*
PRINCIPAL PARTS: fragen, fragte, gefragt
IMPERATIVE: frage, fragt, fragen Sie, *ask*

INDICATIVE	SUBJUNCTIVE	
	I	II

Pres. *I ask*, etc.

DENOTES PRESENT OR FUTURE TIME

ich frage	frage	(Same as Past of
du fragst	fragest	Indicative)
er fragt	frage	
wir fragen	fragen	
ihr fragt	fraget	
sie fragen	fragen	

INDICATIVE	SUBJUNCTIVE	
	I	II

PAST *I asked*, etc.

ich fragte	wir fragten
du fragteſt	ihr fragtet
er fragte	ſie fragten

PRES. PERF.
I have asked, etc.

PAST TIME

ich habe gefragt	habe gefragt	hätte gefragt
du haſt gefragt	habeſt gefragt	hätteſt gefragt
er hat gefragt	habe gefragt	hätte gefragt
wir haben gefragt	haben gefragt	hätten gefragt
ihr habt gefragt	habet gefragt	hättet gefragt
ſie haben gefragt	haben gefragt	hätten gefragt

PAST PERF. *I had asked*, etc.

ich hatte gefragt	wir hatten gefragt
du hatteſt gefragt	ihr hattet gefragt
er hatte gefragt	ſie hatten gefragt

FUT. *I shall ask*, etc.

FUTURE TIME

(First Conditional)

ich werde fragen	werde fragen	würde fragen
du wirſt fragen	werdeſt fragen	würdeſt fragen
er wird fragen	werde fragen	würde fragen
wir werden fragen	werden fragen	würden fragen
ihr werdet fragen	werdet fragen	würdet fragen
ſie werden fragen	werden fragen	würden fragen

FUT. PERF.

I shall have asked, etc.

FUTURE PERFECT TIME

(Second Conditional)

ich werde gefragt haben	werde gefragt haben	würde gefragt haben
du wirſt gefragt haben	werdeſt gefragt haben	würdeſt gefragt haben
er wird gefragt haben	werde gefragt haben	würde gefragt haben
wir werden gefragt haben	werden gefragt haben	würden gefragt haben
ihr werdet gefragt haben	werdet gefragt haben	würdet gefragt haben
ſie werden gefragt haben	werden gefragt haben	würden gefragt haben

THE STRONG VERB

INFINITIVES: Present, ſehen, *to see*
Past, geſehen haben, *to have seen*
PARTICIPLES: Present, ſehend, *seeing*   Past, geſehen, *seen*
PRINCIPAL PARTS: ſehen, ſah, geſehen
IMPERATIVE: ſieh, ſeht, ſehen Sie, *see*

INDICATIVE	SUBJUNCTIVE	
	I	II
PRES. *I see*, etc.	DENOTES PRESENT OR FUTURE TIME	
ich ſehe	ſehe	ſähe
du ſiehſt	ſeheſt	ſäheſt
er ſieht	ſehe	ſähe
wir ſehen	ſehen	ſähen
ihr ſeht	ſehet	ſähet
ſie ſehen	ſehen	ſähen

PAST *I saw*, etc.

ich ſah
du ſahſt
er ſah

wir ſahen
ihr ſaht
ſie ſahen

PRES. PERF.
I have seen, etc.   PAST TIME

ich habe geſehen	habe geſehen	hätte geſehen
du haſt geſehen	habeſt geſehen	hätteſt geſehen
er hat geſehen	habe geſehen	hätte geſehen
wir haben geſehen	haben geſehen	hätten geſehen
ihr habt geſehen	habet geſehen	hättet geſehen
ſie haben geſehen	haben geſehen	hätten geſehen

PAST PERF. *I had seen*, etc.

ich hatte geſehen	wir hatten geſehen
du hatteſt geſehen	ihr hattet geſehen
er hatte geſehen	ſie hatten geſehen

INDICATIVE	SUBJUNCTIVE	
	I	II

Fᴜᴛ. *I shall see*, etc.

Fᴜᴛᴜʀᴇ Tɪᴍᴇ
(First Conditional)

ich werde ſehen	werde ſehen	würde ſehen
du wirſt ſehen	werdeſt ſehen	würdeſt ſehen
er wird ſehen	werde ſehen	würde ſehen
wir werden ſehen	werden ſehen	würden ſehen
ihr werdet ſehen	werdet ſehen	würdet ſehen
ſie werden ſehen	werden ſehen	würden ſehen

Fᴜᴛ. Pᴇʀꜰ.
I shall have seen, etc.

Fᴜᴛᴜʀᴇ Pᴇʀꜰᴇᴄᴛ Tɪᴍᴇ
(Second Conditional)

ich werde geſehen haben	werde geſehen haben	würde geſehen haben
du wirſt geſehen haben	werdeſt geſehen haben	würdeſt geſehen haben
er wird geſehen haben	werde geſehen haben	würde geſehen haben
wir werden geſehen haben	werden geſehen haben	würden geſehen haben
ihr werdet geſehen haben	werdet geſehen haben	würdet geſehen haben
ſie werden geſehen haben	werden geſehen haben	würden geſehen haben

THE REFLEXIVE VERB

Iɴꜰɪɴɪᴛɪᴠᴇꜱ: Present, ſich ſetzen, *to sit down*
Past, ſich geſetzt haben, *to have sat down*
Pᴀʀᴛɪᴄɪᴘʟᴇꜱ: Present, ſich ſetzend, *sitting down*   Past, ſich geſetzt, *sat down*
Pʀɪɴᴄɪᴘᴀʟ Pᴀʀᴛꜱ: ſich ſetzen, ſetzte ſich, ſich geſetzt
Iᴍᴘᴇʀᴀᴛɪᴠᴇ: ſetze dich, ſetzt euch, ſetzen Sie ſich, *sit down*

INDICATIVE	SUBJUNCTIVE	
	I	II

Pʀᴇꜱ. *I sit down*, etc.

Dᴇɴᴏᴛᴇꜱ Pʀᴇꜱᴇɴᴛ ᴏʀ Fᴜᴛᴜʀᴇ Tɪᴍᴇ
(Same as Past of Indicative)

ich ſetze mich	ſetze mich	
du ſetzt dich	ſetzeſt dich	
er ſetzt ſich	ſetze ſich	
wir ſetzen uns	ſetzen uns	
ihr ſetzt euch	ſetzet euch	
ſie ſetzen ſich	ſetzen ſich	

INDICATIVE	SUBJUNCTIVE	
	I	II

Past *I sat down,* etc.

ich	setzte mich	wir	setzten uns
du	setztest dich	ihr	setztet euch
er	setzte sich	sie	setzten sich

Pres. Perf.
I have sat down, etc.

Past Time

ich	habe mich gesetzt	habe mich gesetzt	hätte mich gesetzt
du	hast dich gesetzt	habest dich gesetzt	hättest dich gesetzt
er	hat sich gesetzt	habe sich gesetzt	hätte sich gesetzt
wir	haben uns gesetzt	haben uns gesetzt	hätten uns gesetzt
ihr	habt euch gesetzt	habet euch gesetzt	hättet euch gesetzt
sie	haben sich gesetzt	haben sich gesetzt	hätten sich gesetzt

Past Perf. *I had sat down,* etc.

ich	hatte mich gesetzt	wir	hatten uns gesetzt
du	hattest dich gesetzt	ihr	hattet euch gesetzt
er	hatte sich gesetzt	sie	hatten sich gesetzt

Fut. *I shall sit down,* etc.

Future Time
(First Conditional)

ich	werde mich setzen	werde mich setzen	würde mich setzen
du	wirst dich setzen	werdest dich setzen	würdest dich setzen
er	wird sich setzen	werde sich setzen	würde sich setzen
wir	werden uns setzen	werden uns setzen	würden uns setzen
ihr	werdet euch setzen	werdet euch setzen	würdet euch setzen
sie	werden sich setzen	werden sich setzen	würden sich setzen

Fut. Perf.
I shall have sat down, etc.

Future Perfect Time
Subj. I

ich	werde mich gesetzt haben	werde mich gesetzt haben
du	wirst dich gesetzt haben	werdest dich gesetzt haben
er	wird sich gesetzt haben	werde sich gesetzt haben
wir	werden uns gesetzt haben	werden uns gesetzt haben
ihr	werdet euch gesetzt haben	werdet euch gesetzt haben
sie	werden sich gesetzt haben	werden sich gesetzt haben

SUBJUNCTIVE II

FUTURE PERFECT TIME

(Second Conditional)

ich würde mich gesetzt haben
du würdest dich gesetzt haben
er würde sich gesetzt haben

wir würden uns gesetzt haben
ihr würdet euch gesetzt haben
sie würden sich gesetzt haben

REFLEXIVE VERB WITH DATIVE
AND SEPARABLE PREFIX

INFINITIVES: Present, sich vornehmen, *to purpose*
    Past, sich vorgenommen haben, *to have purposed*
PARTICIPLES: Present, sich vornehmend, *purposing*
    Past, sich vorgenommen, *purposed*
PRINCIPAL PARTS: sich vornehmen, nahm sich vor, sich vorgenommen
IMPERATIVE: nimm dir vor, nehmt euch vor, nehmen Sie sich vor

INDICATIVE	SUBJUNCTIVE	
	I	II
PRES. *I purpose*, etc.	DENOTES PRESENT OR FUTURE TIME	
ich nehme mir vor	nehme mir vor	nähme mir vor
du nimmst dir vor	nehmest dir vor	nähmest dir vor
er nimmt sich vor	nehme sich vor	nähme sich vor
wir nehmen uns vor	nehmen uns vor	nähmen uns vor
ihr nehmt euch vor	nehmet euch vor	nähmet euch vor
sie nehmen sich vor	nehmen sich vor	nähmen sich vor

PAST *I purposed*, etc.

ich nahm mir vor
du nahmst dir vor
er nahm sich vor

wir nahmen uns vor
ihr nahmt euch vor
sie nahmen sich vor

INDICATIVE	SUBJUNCTIVE

PRES. PERF. *I have purposed*, etc.

PAST TIME

I

ich habe mir vorgenommen	habe mir vorgenommen
du hast dir vorgenommen	habest dir vorgenommen
er hat sich vorgenommen	habe sich vorgenommen
wir haben uns vorgenommen	haben uns vorgenommen
ihr habt euch vorgenommen	habet euch vorgenommen
sie haben sich vorgenommen	haben sich vorgenommen

II

ich hätte mir vorgenommen
du hättest dir vorgenommen
er hätte sich vorgenommen

wir hätten uns vorgenommen
ihr hättet euch vorgenommen
sie hätten sich vorgenommen

PAST PERF. *I had purposed*, etc.

ich hatte mir vorgenommen
du hattest dir vorgenommen
er hatte sich vorgenommen

wir hatten uns vorgenommen
ihr hattet euch vorgenommen
sie hatten sich vorgenommen

	I	II
FUTURE	FUTURE TIME	
I shall purpose, etc.		(First Conditional)
ich werde mir vornehmen	werde mir vornehmen	würde mir vornehmen
du wirst dir vornehmen	werdest dir vornehmen	würdest dir vornehmen
er wird sich vornehmen	werde sich vornehmen	würde sich vornehmen
wir werden uns vornehmen	werden uns vornehmen	würden uns vornehmen
ihr werdet euch vornehmen	werdet euch vornehmen	würdet euch vornehmen
sie werden sich vornehmen	werden sich vornehmen	würden sich vornehmen

INDICATIVE

Fᴜᴛ. Pᴇʀꜰ.
I shall have purposed, etc.

ich werde mir vorgenommen haben
du wirst dir vorgenommen haben
er wird sich vorgenommen haben

wir werden uns vorgenommen haben
ihr werdet euch vorgenommen haben
sie werden sich vorgenommen haben

SUBJUNCTIVE

Fᴜᴛᴜʀᴇ Pᴇʀꜰᴇᴄᴛ Tɪᴍᴇ

I

werde mir vorgenommen haben
werdest dir vorgenommen haben
werde sich vorgenommen haben

werden uns vorgenommen haben
werdet euch vorgenommen haben
werden sich vorgenommen haben

II

(Second Conditional)

ich würde mir vorgenommen haben
du würdest dir vorgenommen haben
er würde sich vorgenommen haben

wir würden uns vorgenommen haben
ihr würdet euch vorgenommen haben
sie würden sich vorgenommen haben

THE PASSIVE VOICE

of sehen, *to see*

Iɴꜰɪɴɪᴛɪᴠᴇs: Present, gesehen werden, *to be seen*
            Past, gesehen worden sein, *to have been seen*
Pᴀʀᴛɪᴄɪᴘʟᴇ: Past, gesehen worden, *been seen*
Iᴍᴘᴇʀᴀᴛɪᴠᴇ: werde gesehen, werdet gesehen, werden Sie gesehen, *be seen*

INDICATIVE

Pʀᴇs. *I am seen*, etc.

ich werde gesehen
du wirst gesehen
er wird gesehen

wir werden gesehen
ihr werdet gesehen
sie werden gesehen

SUBJUNCTIVE

I	II
Dᴇɴᴏᴛᴇs Pʀᴇsᴇɴᴛ ᴏʀ Fᴜᴛᴜʀᴇ Tɪᴍᴇ	
werde gesehen	würde gesehen
werdest gesehen	würdest gesehen
werde gesehen	würde gesehen
werden gesehen	würden gesehen
werdet gesehen	würdet gesehen
werden gesehen	würden gesehen

INDICATIVE   SUBJUNCTIVE

I   II

Past *I was seen*, etc.

ich	wurde gesehen	wir	wurden gesehen
du	wurdest gesehen	ihr	wurdet gesehen
er	wurde gesehen	sie	wurden gesehen

Pres. Perf.
I have been seen, etc.   **Past Time**

ich	bin gesehen worden	sei gesehen worden	wäre gesehen worden
du	bist gesehen worden	seiest gesehen worden	wärest gesehen worden
er	ist gesehen worden	sei gesehen worden	wäre gesehen worden
wir	sind gesehen worden	seien gesehen worden	wären gesehen worden
ihr	seid gesehen worden	seiet gesehen worden	wäret gesehen worden
sie	sind gesehen worden	seien gesehen worden	wären gesehen worden

Past Perf. *I had been seen*, etc.

ich	war gesehen worden	wir	waren gesehen worden
du	warst gesehen worden	ihr	wart gesehen worden
er	war gesehen worden	sie	waren gesehen worden

Fut. *I shall be seen*, etc.   **Future Time**
(First Conditional)

ich	werde gesehen werden	werde gesehen werden	würde gesehen werden
du	wirst gesehen werden	werdest gesehen werden	würdest gesehen werden
er	wird gesehen werden	werde gesehen werden	würde gesehen werden
wir	werden gesehen werden	werden gesehen werden	würden gesehen werden
ihr	werdet gesehen werden	werdet gesehen werden	würdet gesehen werden
sie	werden gesehen werden	werden gesehen werden	würden gesehen werden

Fut. Perf.
I shall have been seen, etc.   **Future Perfect Time**
I

ich	werde gesehen worden sein	werde gesehen worden sein
du	wirst gesehen worden sein	werdest gesehen worden sein
er	wird gesehen worden sein	werde gesehen worden sein
wir	werden gesehen worden sein	werden gesehen worden sein
ihr	werdet gesehen worden sein	werdet gesehen worden sein
sie	werden gesehen worden sein	werden gesehen worden sein

SUBJUNCTIVE II

Future Perfect Time

(Second Conditional)

ich würde gesehen worden sein
du würdest gesehen worden sein
er würde gesehen worden sein

wir würden gesehen worden sein
ihr würdet gesehen worden sein
sie würden gesehen worden sein

THE MODAL AUXILIARIES

Infinitive	dürfen	können	mögen	müssen	sollen	wollen
Past Infinitive	{ geburft haben	gekonnt haben	gemocht haben	gemußt haben	gesollt haben	gewollt haben

Participles

Pres.	dürfend	könnend	mögend	müssend	sollend	wollend
Past	{ geburft (dürfen)	gekonnt (können)	gemocht (mögen)	gemußt (müssen)	gesollt (sollen)	gewollt (wollen)

Principal Parts	dürfen	können	mögen	müssen	sollen	wollen
	durfte	konnte	mochte	mußte	sollte	wollte
	geburft	gekonnt	gemocht	gemußt	gesollt	gewollt
	(dürfen)	(können)	(mögen)	(müssen)	(sollen)	(wollen)

Present Indicative

ich darf	kann	mag	muß	soll	will
du darfst	kannst	magst	mußt	sollst	willst
er darf	kann	mag	muß	soll	will
wir dürfen	können	mögen	müssen	sollen	wollen
ihr dürft	könnt	mögt	müßt	sollt	wollt
sie dürfen	können	mögen	müssen	sollen	wollen

Past Indicative

ich	durfte	konnte	mochte	mußte	sollte	wollte
du	durftest	konntest	mochtest	mußtest	solltest	wolltest
er	durfte	konnte	mochte	mußte	sollte	wollte
wir	durften	konnten	mochten	mußten	sollten	wollten
ihr	durftet	konntet	mochtet	mußtet	solltet	wolltet
sie	durften	konnten	mochten	mußten	sollten	wollten

Present Subjunctive, I

ich	dürfe	könne	möge	müsse	solle	wolle
du	dürfest	könnest	mögest	müssest	sollest	wollest
er	dürfe	könne	möge	müsse	solle	wolle
wir	dürfen	können	mögen	müssen	sollen	wollen
ihr	dürfet	könnet	möget	müsset	sollet	wollet
sie	dürfen	können	mögen	müssen	sollen	wollen

Present Subjunctive, II

ich	dürfte	könnte	möchte	müßte	sollte	wollte
du	dürftest	könntest	möchtest	müßtest	solltest	wolltest
er	dürfte	könnte	möchte	müßte	sollte	wollte
wir	dürften	könnten	möchten	müßten	sollten	wollten
ihr	dürftet	könntet	möchtet	müßtet	solltet	wolltet
sie	dürften	könnten	möchten	müßten	sollten	wollten

Present Perfect Indicative

Without Dependent Infinitive	With Dependent Infinitive
ich habe gemußt	ich habe gehen müssen
du hast gemußt	du hast gehen müssen
er hat gemußt	er hat gehen müssen
wir haben gemußt	wir haben gehen müssen
ihr habt gemußt	ihr habt gehen müssen
sie haben gemußt	sie haben gehen müssen

Past Perfect Indicative

Without Dependent Infinitive	With Dependent Infinitive
ich hatte gemußt	ich hatte gehen müssen
du hattest gemußt	du hattest gehen müssen
er hatte gemußt	er hatte gehen müssen
wir hatten gemußt	wir hatten gehen müssen
ihr hattet gemußt	ihr hattet gehen müssen
sie hatten gemußt	sie hatten gehen müssen

Past Subjunctive, I

Without Dependent Infinitive	With Dependent Infinitive
ich habe gemußt	ich habe gehen müssen
du habest gemußt	du habest gehen müssen
er habe gemußt	er habe gehen müssen
wir haben gemußt	wir haben gehen müssen
ihr habet gemußt	ihr habet gehen müssen
sie haben gemußt	sie haben gehen müssen

Past Subjunctive, II

Without Dependent Infinitive	With Dependent Infinitive
ich hätte gemußt	ich hätte gehen müssen
du hättest gemußt	du hättest gehen müssen
er hätte gemußt	er hätte gehen müssen
wir hätten gemußt	wir hätten gehen müssen
ihr hättet gemußt	ihr hättet gehen müssen
sie hätten gemußt	sie hätten gehen müssen

Future Indicative

Without Dependent Infinitive	With Dependent Infinitive
ich werde müssen	ich werde gehen müssen
du wirst müssen	du wirst gehen müssen
er wird müssen	er wird gehen müssen
wir werden müssen	wir werden gehen müssen
ihr werdet müssen	ihr werdet gehen müssen
sie werden müssen	sie werden gehen müssen

Future Subjunctive

Without Dependent Infinitive	With Dependent Infinitive
ich werde müssen	ich werde gehen müssen
du werdest müssen	du werdest gehen müssen
er werde müssen	er werde gehen müssen
wir werden müssen	wir werden gehen müssen
ihr werdet müssen	ihr werdet gehen müssen
sie werden müssen	sie werden gehen müssen

TABLE OF STRONG AND IRREGULAR VERBS

The following table contains the commonest strong and irregular verbs. Compound verbs are given only where the corresponding simple verb does not occur. Verb forms of second and third person singular present indicative, second person singular imperative, and secondary present subjunctive are noted only when a vowel change or some irregularity occurs. Verbs forming the perfect tense with fein are indicated. Double forms, found especially in the subjunctive, are added in parentheses.

Infinitive	Past Ind.	Past Part.	Pres. Ind. 2nd & 3rd sg.	Impv. 2nd sg.	Sec. Subj. 1st or 3rd sg.
backen *bake*	buk	gebacken	bäckft, bäckt		büke
befehlen *command*	befahl	befohlen	befiehlft, befiehlt	befiehl	beföhle (befähle)
beginnen *begin*	begann	begonnen			begönne (begänne)
beißen *bite*	biß	gebiffen			
biegen *bend*	bog	gebogen			böge
bieten *offer*	bot	geboten			böte
binden *bind*	band	gebunden			bände
bitten *beg, ask*	bat	gebeten			bäte
blafen *blow*	blies	geblafen	bläf(ef)t, bläft		
bleiben *remain*	blieb	ift geblieben			
braten *roast*	briet	gebraten	brätft, brät		
brechen *break*	brach	gebrochen	brichft, bricht	brich	bräche
brennen *burn*	brannte	gebrannt			brennte
bringen *bring*	brachte	gebracht			brächte
denken *think*	dachte	gedacht			dächte
dringen *press, urge*	drang	ift gedrungen			dränge
dürfen *be allowed*	durfte	gedurft	darfft, darf		dürfte
empfehlen *recommend*	empfahl	empfohlen	empfiehlft, empfiehlt	empfiehl	empföhle (empfähle)
erfchrecken *become frightened*	erfchrak	ift erfchrocken	erfchrickft, erfchrickt	erfchrick	erfchräke
effen *eat*	aß	gegeffen	ißt (iffeft), ißt	iß	äße
fahren *drive*	fuhr	ift gefahren	fährft, fährt		führe
fallen *fall*	fiel	ift gefallen	fällft, fällt		
fangen *catch*	fing	gefangen	fängft, fängt		
fechten *fight*	focht	gefochten	fichtft, ficht	ficht	föchte

Infinitive	Past Ind.	Past Part.	Pres. Ind. 2nd & 3rd sg.	Impv. 2nd sg.	Sec. Subj. 1st or 3rd sg.
finden *find*	fand	gefunden			fände
fliegen *fly*	flog	ift geflogen			flöge
fliehen *flee*	floh	ift geflohen			flöhe
fließen *flow*	floß	ift gefloffen			flöffe
freffen *devour*	fraß	gefreffen	frißt (friffeft), frißt	friß	fräße
frieren *freeze*	fror	gefroren			fröre
geben *give*	gab	gegeben	gibft, gibt	gib	gäbe
gehen *go*	ging	ift gegangen			
gelingen *succeed*	gelang	ift gelungen			gelänge
gelten *be worth*	galt	gegolten	giltft, gilt	gilt	gälte (gölte)
genießen *enjoy*	genoß	genoffen			genöffe
gefchehen *happen*	gefchah	ift gefchehen	gefchieht		gefchähe
gewinnen *gain, get*	gewann	gewonnen			gewönne (gewänne)
gießen *pour*	goß	gegoffen			göffe
gleichen *resemble*	glich	geglichen			
gleiten *glide*	glitt	ift geglitten			
graben *dig*	grub	gegraben	gräbft, gräbt		grübe
greifen *seize*	griff	gegriffen			
haben *have*	hatte	gehabt	haft, hat		hätte
halten *hold*	hielt	gehalten	hältft, hält		
hangen *hang, be suspended*	hing	gehangen	hängft, hängt	hang(e)	
hauen *hew, strike*	hieb	gehauen			
heben *lift*	hob (hub)	gehoben			höbe (hübe)
heißen *bid, call*	hieß	geheißen			
helfen *help*	half	geholfen	hilfft, hilft	hilf	hülfe (hälfe)
kennen *know*	kannte	gekannt			kennte
klingen *sound*	klang	geklungen			klänge
kommen *come*	kam	ift gekommen			käme
können *can*	konnte	gekonnt	kannft, kann		könnte
kriechen *creep*	kroch	ift gekrochen			kröche
laden *load, invite*	lud (ladete)	geladen	lädft, lädt (ladeft, ladet)		lüde
laffen *let*	ließ	gelaffen	läßt (läffeft), läßt		

Infinitive	Past Ind.	Past Part.	Pres. Ind. 2nd & 3rd sg.	Impv. 2nd sg.	Sec. Subj. 1st or 3rd sg.
laufen *run*	lief	ift gelaufen	läufft, läuft		
leiden *suffer*	litt	gelitten			
leihen *lend*	lieh	geliehen			
lefen *read*	las	gelefen	lief(ef)t, lieft	lies	läfe
liegen *lie*	lag	gelegen			läge
lügen *lie*	log	gelogen			löge
meiden *avoid*	mied	gemieden			
meffen *measure*	maß	gemeffen	mißt (miffeft), mißt	miß	mäße
mißlingen *fail*	mißlang	ift mißlungen			mißlänge
mögen *like, may*	mochte	gemocht	magft, mag		möchte
müffen *must*	mußte	gemußt	mußt, muß		müßte
nehmen *take*	nahm	genommen	nimmft, nimmt	nimm	nähme
nennen *name, call*	nannte	genannt			nennte
pfeifen *whistle*	pfiff	gepfiffen			
preifen *praise*	pries	gepriefen			
raten *advise*	riet	geraten	rätft, rät		
reiben *rub*	rieb	gerieben			
reißen *tear*	riß	geriffen			
reiten *ride*	ritt	ift geritten			
rennen *run*	rannte	ift gerannt			rennte
riechen *smell*	roch	gerochen			röche
ringen *wring, struggle*	rang	gerungen			ränge
rinnen *flow, drip*	rann	ift geronnen			rönne (ränne)
rufen *call, cry*	rief	gerufen			
faugen *suck*	fog	gefogen			föge
fchaffen *create*	fchuf	gefchaffen			fchüfe
fcheiden *part*	fchied	ift gefchieden			
fcheinen *appear, shine*	fchien	gefchienen			
fchelten *scold*	fchalt	gefcholten	fchiltft, fchilt	fchilt	fchälte (fchölte)
fchieben *shove*	fchob	gefchoben			fchöbe
fchießen *shoot*	fchoß	gefchoffen			fchöffe
fchlafen *sleep*	fchlief	gefchlafen	fchläffft, fchläft		
fchlagen *strike*	fchlug	gefchlagen	fchlägft, fchlägt		fchlüge

Infinitive	Past Ind.	Past Part.	Pres. Ind. 2nd & 3rd sg.	Impv. 2nd sg.	Sec. Subj. 1st or 3rd sg.
schleichen *sneak*	schlich	ist geschlichen			
schließen *shut*	schloß	geschlossen			schlösse
schlingen *sling*	schlang	geschlungen			schlänge
schmelzen *melt*	schmolz	ist geschmolzen	schmilzest, schmilzt	schmilz	schmölze
schneiden *cut*	schnitt	geschnitten			
schreiben *write*	schrieb	geschrieben			
schreien *cry*	schrie	geschrien			
schreiten *stride*	schritt	ist geschritten			
schweigen *be silent*	schwieg	geschwiegen			
schwimmen *swim*	schwamm	ist geschwommen			schwömme (schwämme)
schwinden *vanish*	schwand	ist geschwunden			schwände
schwingen *swing*	schwang	geschwungen			schwänge
schwören *swear*	schwur (schwor)	geschworen			schwüre (schwöre)
sehen *see*	sah	gesehen	siehst, sieht	sieh	sähe
sein *be*	war	ist gewesen	bist, ist	sei	wäre
senden *send*	sandte, sendete	gesandt, gesendet			sendete
singen *sing*	sang	gesungen			sänge
sinken *sink*	sank	ist gesunken			sänke
sinnen *think*	sann	gesonnen			sönne (sänne)
sitzen *sit*	saß	gesessen			säße
sollen *shall*	sollte	gesollt	sollst, soll		
spinnen *spin*	spann	gesponnen			spönne (spänne)
sprechen *speak*	sprach	gesprochen	sprichst, spricht	sprich	spräche
sprießen *sprout*	sproß	ist gesprossen			sprösse
springen *spring*	sprang	ist gesprungen			spränge
stechen *prick*	stach	gestochen	stichst, sticht	stich	stäche
stehen *stand*	stand	gestanden			stände (stünde)
stehlen *steal*	stahl	gestohlen	stiehlst, stiehlt	stiehl	stöhle (stähle)
steigen *ascend*	stieg	ist gestiegen			
sterben *die*	starb	ist gestorben	stirbst, stirbt	stirb	stürbe (stärbe)

Infinitive	Past Ind.	Past Part.	Pres. Ind. 2nd & 3rd sg.	Impv. 2nd sg.	Sec. Subj. 1st or 3rd sg.
stoßen *push, kick*	stieß	gestoßen	stöß(es)t, stößt		
streichen *stroke*	strich	gestrichen			
streiten *quarrel*	stritt	gestritten			
tragen *carry*	trug	getragen	trägst, trägt		trüge
treffen *hit*	traf	getroffen	triffst, trifft	triff	träfe
treiben *drive*	trieb	getrieben			
treten *tread, step*	trat	ist getreten	trittst, tritt	tritt	träte
trinken *drink*	trank	getrunken			tränke
trügen *deceive*	trog	getrogen			tröge
tun *do*	tat	getan			täte
verderben *spoil*	verdarb	ist verdorben	verdirbst, verdirbt	verdirb	verdürbe
verdrießen *vex*	verdroß	verdrossen			verdrösse
vergessen *forget*	vergaß	vergessen	vergißt (vergissest), vergißt	vergiß	vergäße
verlieren *lose*	verlor	verloren			verlöre
wachsen *grow*	wuchs	ist gewachsen	wächs(es)t, wächst		wüchse
wägen *weigh*	wog	gewogen			wöge
waschen *wash*	wusch	gewaschen	wäsch(e)st, wäscht		wüsche
weben *weave*	wob	gewoben			wöbe
weichen *yield*	wich	ist gewichen			
weisen *show*	wies	gewiesen			
wenden *turn*	wandte, wendete	gewandt, gewendet			wendete
werben *sue, woo*	warb	geworben	wirbst, wirbt	wirb	würbe
werden *become*	wurde (warb)	ist geworden	wirst, wird		würde
werfen *throw*	warf	geworfen	wirfst, wirft	wirf	würfe (wärfe)
wiegen *weigh*	wog	gewogen			wöge
winden *wind*	wand	gewunden			wände
wissen *know*	wußte	gewußt	weißt, weiß		wüßte
wollen *will*	wollte	gewollt	willst, will		
ziehen *move, travel*	zog	ist gezogen			zöge
ziehen *draw*	zog	hat gezogen			zöge
zwingen *force*	zwang	gezwungen			zwänge

VOCABULARIES

LIST OF ABBREVIATIONS

acc.	accusative	*irreg.*	irregular
adj.	adjective	*m.*	masculine
adv.	adverb	*n.*	neuter
art.	article	*nom.*	nominative
comp.	comparative	*obj.*	object
conj.	conjunction	*part.*	participle
dat.	dative	*pers.*	personal
decl.	declension	*pl.*	plural
def.	definite	*poss.*	possessive
f.	feminine	*prep.*	preposition
fut.	future	*pres.*	present
gen.	genitive	*pron.*	pronoun
impers.	impersonal	*refl.*	reflexive
indef.	indefinite	*rel.*	relative
inf.	infinitive	*sing.*	singular
interrog.	interrogative	*subj.*	subjunctive
intrans.	intransitive	*trans.*	transitive
Introd.	Introduction	*vb.*	verb

GERMAN–ENGLISH VOCABULARY

For nouns the nominative plural is given. The genitive singular is added only for irregular nouns. Principal parts are given only for strong and irregular verbs; those conjugated with fein have ift added. The prefix of a separable verb is hyphenated. The accent is marked for all words not stressed on the first syllable, with the exception of those beginning with: be–, ent–, emp–, er–, ge–, ver–, zer–. The starred words, constituting the active vocabulary of this grammar, are those designated with an asterisk in the A.A.T.G. list.

A

*ab off, away
das Abbild (Abbilder) copy, image
*der Abend (Abende) evening
das Abendeffen (Abendeffen) evening meal
die Abendwolke (Abendwolken) evening cloud
das Abenteuer (Abenteuer) adventure
*aber but, however
ab-fahren (fährt ab), fuhr ab, ift abge-fahren to leave, depart
ab-halten (hält ab), hielt ab, abge-halten to hold (a celebration)
abhängig dependent
fich ab-fchließen, fchloß ab, abgefchloffen to withdraw
ab-fchreiben, fchrieb ab, abgefchrieben to copy
*die Abficht (Abfichten) intention
*ach! ah! oh! alas!
*acht eight
*achten to respect, esteem
*achtzehn eighteen
*achtzig eighty
*der Acker (Äcker) grainfield
das Ackerland arable land
der Advokát (Advokáten) lawyer
ahnen to divine, suspect
*ähnlich similar
ahnungsvoll filled with foreboding
die Akademie (Akademien) academy
die Akúftik acoustics
alchemíftifch alchemistic

*all (alle) all
Allegri, Gregorio (1584–1652) Italian composer
*alléin alone
*allerdings to be sure
alles everything
allgemein general, universal
allmählich gradual(ly)
die Alpen the Alps
der Alpenftock (Alpenftöcke) pole (for mountain climbing)
*als adv. as, like, than; conj. when, as
*alfo therefore, thus, so
*alt old, ancient
der Altár (Altáre) altar
das Alter (Alter) age, old age
das Altertum (Altertümer) antiquity
altmodifch old-fashioned
am = an dem
der Amerikáner (Amerikáner) American
*das Amt (Ämter) office
*an (prep. with dat. or acc.) at, near, by, on, to
ander– other; anders different
*ändern to change, alter
anderswo elsewhere
anderthalb one and a half
die Anekdóte (Anekdóten) anecdote
an-erkennen, erkannte an, anerkannt to recognize, acknowledge
die Anerkennung (Anerkennungen) recognition, acknowledgment
der Anfang (Anfänge) beginning

351

*an=fangen (fängt an), fing an, ange=
fangen to begin, commence

das Angebot (Angebote) offer

*angenehm pleasant, agreeable, com-
fortable

*die Angst (Ängste) anxiety, fear

an=kommen, kam an, ist angekommen
to arrive

die Anmut gracefulness, charm

anmutig graceful

an=nehmen (nimmt an), nahm an,
angenommen to accept, adopt

anschaulich graphic

an=sehen (sieht an), sah an, angesehen
to look at, regard

das Ansehen prestige

anstatt (prep. with gen.) instead

anstrengend strenuous

die Antwort (Antworten) answer

*antworten (with dat.) to answer,
reply

an=vertrauen to entrust, confide

*an=zünden to set on fire

*der Apfel (Äpfel) apple

*die Apfelsine (Apfelsinen) orange

*der April April

die Arbeit (Arbeiten) work

*arbeiten to work, labor

der Arbeiter (Arbeiter) worker

der Arbeitgeber (Arbeitgeber) em-
ployer

der Arbeitsdienst labor-service

die Arbeitslosigkeit unemployment

die Aréna (Arénen) arena

sich ärgern to be vexed

*der Arm (Arme) arm

*arm poor

die Armut poverty

*die Art (Arten) kind, type; way

*der Arzt (Ärzte) physician

der Astronóm (Astronómen) astronomer

die Astronomie astronomy

der Atemzug (Atemzüge) breath

(das) Athen Athens

der Äther ether

der Atlántische Ozean Atlantic Ocean

*atmen to breathe

*auch also, too, even

*auf (prep. with dat. or acc.) on,
upon; up

auf=bieten, bot auf, aufgeboten to
summon, concentrate

der Aufenthalt (Aufenthalte) stop, so-
journ

auf=führen to perform

*die Aufgabe (Aufgaben) task, lesson

*auf=machen to open

auf=nehmen (nimmt auf), nahm auf,
aufgenommen to receive, include,
take in

aufs = auf das

auf=schreiben, schrieb auf, aufgeschrieben
to write down, record

die Aufsicht supervision

auf=stellen to set up

auf=wachen (ist aufgewacht) to wake up

aufwärts upward

*das Auge (des Auges, die Augen) eye

*der Augenblick (Augenblicke) moment

*der Augúst August

*aus (prep. with dat.) out of, from, of

aus=bilden to train

die Ausbildung training

die Ausbreitung spread, extension

der Ausdruck (Ausdrücke) expression

aus=drücken to express

aus=führen to carry out

der Ausgang (Ausgänge) exit; out-
come

ausgehungert emaciated, starved

die Auskunft (Auskünfte) information

das Ausland foreign countries

*außen outside

die Außenwelt outside world

*außer (prep. with dat.) outside of,
except, besides

äußer– outward, external

außerhalb (prep. with gen.) outside of

äußerlich external

*außerórdentlich extraordinary

die Aussicht (Aussichten) view

der Aussichtsturm (Aussichtstürme)
observation tower

aus=wählen to select

der **Auswanderer** (Auswanderer) emigrant

aus=wandern (ist ausgewandert) to emigrate

die **Auswanderung** emigration

der **Ausweg** (Auswege) way out

sich aus=zeichnen to excel

aus=ziehen, zog aus, ist ausgezogen to march out, take the field; take off

das **Auto** (Autos) automobile

die **Autobahn** (Autobahnen) auto road

der **Autofahrer** (Autofahrer) motorist

B

*der **Bach** (Bäche) brook

*backen (bäckt), buk, gebacken to bake

das **Bad** (Bäder) bath

(das) **Baden** *a state in Germany*

*baden to bathe

*die **Bahn** (Bahnen) track, railroad, road

der **Bahnhof** (Bahnhöfe) railroad station

die **Bakteriologie** bacteriology

*bald *adv.* soon

der **Ball** (Bälle) ball

die **Balláde** (Balláden) ballad

das **Banát** *district in Rumania*

das **Band** (Bänder) ribbon

bang anxious

das **Bangen** anxiety

*die **Bank** (Bänke) bench

*die **Bank** (Banken) bank

bannen to banish

die **Barke** (Barken) barge, canoe

der **Barón** (Baróne) baron

der **Bart** (Bärte) beard

der **Bau** construction

bauen to build

*der **Bauer** (des Bauers, die Bauern) peasant, farmer

das **Bauernheer** (Bauernheere) army of peasants

*der **Baum** (Bäume) tree

der **Baumstumpf** (Baumstümpfe) tree stump

(das) **Bayern** *a state in Germany*

bayrisch Bavarian

der **Beamte** (die Beamten) official

beben to tremble, quiver

der **Becher** (Becher) cup, goblet

*bedeuten to mean, signify

bedeutend significant

die **Bedeutung** (Bedeutungen) meaning, significance, importance

das **Bedürfnis** (Bedürfnisse) need

beenden to end, complete

*die **Beere** (Beeren) berry

das **Beet** (Beete) flower bed

der **Befehl** (Befehle) order

*befehlen (befiehlt), befahl, befohlen to order, command

sich befinden, befand, befunden to find oneself, be

befreien to free

die **Befreiung** (Befreiungen) liberation

begabt gifted

die **Begabung** (Begabungen) talent

*begegnen (ist begegnet) (*with dat.*) to meet, encounter; happen

begeistern to inspire

der **Beginn** beginning

*beginnen, begann, begonnen to begin, start

*begleiten to accompany

begründen to found, establish

behaglich comfortable

behalten (behält), behielt, behalten to keep

behandeln to treat

*behaupten to assert, affirm

beherrschen to dominate, rule

behüten to protect

*bei (*prep. with dat.*) at, near, with, during, at the house of

*beide both

der **Beifall** applause

beim = bei dem

*das **Bein** (Beine) leg

*das **Beispiel** (Beispiele) example; zum Beispiel (z. B.) for example *beißen, biß, gebissen to bite

bei=tragen (trägt bei), trug bei, beige=tragen to contribute

bekannt well-known

*bekommen, bekam, bekommen to receive

beleidigen to insult

(das) Belgien Belgium

beliebt popular

belohnen to reward

die Belohnung (Belohnungen) reward

bemerken to notice

bemessen (bemißt), bemaß, bemessen to measure

der Benutzer (Benutzer) user

*beobachten to observe, watch

bepflanzen to plant

bequem comfortable

berauben to rob

berechtigen to entitle

*bereit ready, prepared

*der Berg (Berge) mountain

der Bergrücken (Bergrücken) mountain ridge

*berichten to report

der Beruf (Berufe) profession

die Berufsschule (Berufsschulen) vocational school

berühmt famous

bescheiden modest

beschreiben, beschrieb, beschrieben to describe

beseelen to animate

beseitigen to remove

besiegen to defeat

der Besitz property, possession

besitzen, besaß, besessen to possess

besonder– special

besonders especially

*besser better

best– best

bestehen, bestand (bestünde), bestanden (aus + dat.) to consist (of); exist

besteigen, bestieg, bestiegen to climb

bestellen to order, reserve

*bestimmen to determine, define

das Bestreben endeavor

der Besuch (Besuche) visit

besuchen to visit, attend

beten to pray

betonen to stress, emphasize

*das Bett (des Betts, die Betten) bed

der Bettler (Bettler) beggar

beunruhigen to disturb

die Beute booty

der Beutel (Beutel) bag, purse

die Bevölkerung (Bevölkerungen) population

bevor conj. before

bewahren to preserve

*bewegen to move, stir

die Bewegung (Bewegungen) movement, motion; sich in Bewegung setzen to start

*beweisen, bewies, bewiesen to prove, demonstrate

bewundern to admire

die Bewunderung admiration

bewußt conscious

bezahlen to pay

bezaubern to charm

*biegen, bog, gebogen to bend, turn

*die Biene (Bienen) bee

das Bier (Biere) beer

bieten, bot, geboten to offer

*das Bild (Bilder) picture

*bilden to form, constitute; educate

bilderreich picturesque; figurative

die Bildung (Bildungen) training, education, culture

*billig cheap, reasonable

bin am

*binden, band, gebunden to tie, bind

die Biologie biology

*bis (prep. with acc.) until; conj. until

bisher previously

das bißchen little bit

bist (2nd pers. sing.) are

bitte please

die Bitte (Bitten) request

*bitten, bat, gebeten (um with acc.) to ask (for), request

bitter bitter

*das **Blatt** (Blätter) leaf, sheet; fliegendes Blatt broadside (*print.*), pamphlet

*blau blue

*bleiben, blieb, ist geblieben to stay, remain

bleich pale

*der **Bleistift** (Bleistifte) lead pencil

blenden to blind

der **Blick** (Blicke) glance, view

*blicken to look

bloß mere(ly), bare

*blühen to bloom, flourish

*die **Blume** (Blumen) flower

*das **Blut** blood

die **Blüte** (Blüten) blossom, bloom; zur Blüte bringen to make flourish

blutig bloody

*der **Boden** (Böden) ground, soil; floor

(das) **Böhmen** Bohemia

das **Boot** (Boote) boat

*böse wicked, bad; angry

die **Botánik** botany

der **Bote** (Boten) messenger

die **Botschaft** (Botschaften) message

brasiliánisch Brazilian

*brauchen to need, use

die **Braut** (Bräute) (future) bride

*brav honest, upright, good

*brechen (bricht), brach, gebrochen to break

*breit broad

*brennen, brannte, gebrannt to burn

*der **Brief** (Briefe) letter

der **Briefroman** (Briefromane) novel in letter form

die **Brieftaube** (Brieftauben) homing pigeon

*bringen, brachte, gebracht to bring

*das **Brot** (Brote) bread

*die **Brücke** (Brücken) bridge

*der **Bruder** (Brüder) brother

*der **Brunnen** (Brunnen) fountain, well

*die **Brust** (Brüste) breast, chest

*das **Buch** (Bücher) book

*der **Buchstabe** (Buchstaben) letter, character

der **Bund** (Bünde) league

das **Bündel** (Bündel) bundle

die **Bürde** (Bürden) burden

die **Burg** (Burgen) castle

*der **Bürger** (Bürger) citizen

der **Bürgerkrieg** (Bürgerkriege) civil war

bürgerlich (belonging to the) middle class

der **Bürgermeister** (Bürgermeister) mayor

der **Bursch(e)** (Burschen) lad

*der **Busch** (Büsche) bush

*die **Butter** butter

C

*der **Charákter** character

charakterístisch characteristic

die **Chemie** chemistry

chemisch chemical

der **Chor** (Chöre) chorus

Chrístus Christ; v. Chr. B.C.; n. Chr. A.D.

D

*da *adv.* there, here, then; *conj.* when, since (*causal*)

dabéi at the same time, present

*das **Dach** (Dächer) roof

*dahér therefore; daher kommt es the reason is

dahín thither, there

dahínter behind it

*damals at that time

*die **Dame** (Damen) lady

*damít *adv.* therewith, with these words; *conj.* in order that

der **Dämmerschein** dusk

der **Dampfer** (Dampfer) steamer

danében beside it

(das) **Dänemark** Denmark

dankbar thankful

*danken (*with dat.*) to thank

*dann then, thereupon

daráuf thereupon

*dar=ſtellen to represent

*darum therefore

darúnter among them

*daß *conj.* that

*das Datum (des Datums, die Daten) date

*dauern to last

dauernd lasting, steady

*der Daumen (Daumen) thumb

*decken to cover

ſich dehnen to extend

dein (*familiar*) your

denen (*dat. pl. of* die) to these, to whom

*denken, dachte, gedacht to think; denken an (*with acc.*) think of; ſich denken imagine

der Denker (Denker) thinker

das Denkmal (Denkmäler) monument

*denn *conj.* for; *adv.* then; (*in questions, shows interest of the speaker*) tell me

*dennoch nevertheless

deren (*gen. of* die) whose, of this, of these

derjenige, diejenige, dasjenige that, that one

derſélbe the same

deshalb therefore

der Despotismus despotism

deſſen (*gen. of* der) whose, of this

*deſto so much the

*deuten to interpret

deuten auf (*with acc.*) to point to

*deutſch German

(das) Deutſchland Germany

*der Dezémber December

der Dialékt dialect

*dicht dense, thick

*dichten to compose (literary works)

der Dichter (Dichter) poet, writer

dichteriſch poetic

die Dichtung (Dichtungen) literary work, literature

das Dichtwerk (Dichtwerke) literary work

*dick thick, fat, stout

*der Dieb (Diebe) thief

*dienen (*with dat.*) to serve

der Diener (Diener) servant

der Dienſt (Dienſte) service

*der Dienstag (Dienstage) Tuesday

*dieſer, dieſe, dieſes this

*das Ding (Dinge) thing

dir (*dat. of* du) to you

dirékt direct

*doch yet, nevertheless, after all, certainly, indeed

der Doktor der Rechte Doctor of Laws

das Dokumént (Dokuménte) document

der Dom (Dome) cathedral

die Donau Danube

*der Donner thunder

*der Donnerstag (Donnerstage) Thursday

*doppelt double

*das Dorf (Dörfer) village

*dort there

dorthin thither

drahtlos wireless

das Drama (Dramen) drama

der Dramátiker (Dramátiker) dramatist

der Drang urge, longing; stress

draußen outside, out there

*drei three

dreifach threefold

dreimal three times

*dreißig thirty; in den dreißiger Jahren in the thirties

*dreizehn thirteen

*dringen, drang, iſt gedrungen to enter by force

ein Drittel (Drittel) a third

drohen (*with dat.*) to threaten

drüben over there

der Druck pressure

*drucken to print

der Duft (Düfte) odor, fragrance

*dumm stupid

*dunkel dark, dim

das Dunkel darkness

*dünn thin

*durch (*prep. with acc.*) through, by (means of)

*durchaus thoroughly, absolutely

der Durchbruch (Durchbrüche) breaking through; zum Durchbruch kommen to break through (*the surface*)

durch=laſſen (läßt durch), ließ durch, durchgelaſſen to let pass

*dürfen (darf), durfte, gedurft to be permitted

*der Durſt thirst

*das Dutzend (Dutzende) dozen

E

*eben level; *adv.* just, just now

*ebenfalls likewise

ebenſo just as

echt genuine

*die Ecke (Ecken) corner

*edel noble

*ehe *conj.* before

eher rather

*die Ehre (Ehren) honor

ehren to honor

der Ehrgeiz ambition

ehrlich honest

*das Ei (Eier) egg

*die Eiche (Eichen) oak

*der Eifer zeal

*eigen own

der Eigendünkel conceit

die Eigenſchaft (Eigenſchaften) quality

eigentlich real

das Eigentum property

*eilen (iſt geeilt) to hurry

*ein, eine, ein a, one

*einander one another, each other

der Eindruck (Eindrücke) impression

eindrucksvoll impressive

einfach simple, plain

der Einfluß (Einflüſſe) influence

ein=führen to introduce

der Eingang (Eingänge) entrance

die Einheit (Einheiten) unity

einheitlich uniform

einig united, unified

*einige *pl.* some

ein=laden (ladet ein *or* lädt ein), lud ein, eingeladen to invite

einmal once; auf einmal suddenly

die Einnahme (Einnahmen) revenue

ein=nehmen (nimmt ein), nahm ein, eingenommen to occupy, comprise

ein=räumen to grant

ein=richten to arrange, establish

die Einrichtung (Einrichtungen) institution

eins one

*einsam lonely

die Einsamkeit loneliness

ein=schließen, schloß ein, eingeschloſſen to lock in; include

ein=schneiden, schnitt ein, eingeschnitten to carve into

*einst once upon a time

ein=steigen, stieg ein, iſt eingestiegen to enter, climb in

ein=treten (tritt ein), trat ein, iſt einge=treten to enter

der Einwanderer (Einwanderer) immigrant

ein=wandern (iſt eingewandert) to immigrate

der Einwohner (Einwohner) inhabitant

*einzeln individual

*einzig only, unique

der Einzug (Einzüge) entry

*das Eis ice

*das Eisen iron; das Eiserne Kreuz Iron Cross

*die Eisenbahn (Eisenbahnen) railroad

elegánt elegant

elend miserable, wretched

das Elend misery; exile

*elf eleven

*die Eltern *pl.* parents

*empfangen (empfängt), empfing, emp=fangen to receive

*empfehlen (empfiehlt), empfahl, emp=fohlen to recommend

*empfinden, empfand, empfunden to feel

die **Empfindung** (Empfindungen) perception, sentiment

***das Ende** (des Endes, die Enden) end

endlich final

die **Energie** (Energien) energy

***eng** narrow, close

*(das) **England** England

der **Engländer** (Engländer) Englishman

englisch adj. English

***der Enkel** (Enkel) grandson

entbrennen, entbrannte, entbrannt to enkindle; break out

entdecken to discover

die **Entdeckung** (Entdeckungen) discovery

sich **entfalten** to unfold

entfernt distant

entgegen-kommen, kam entgegen, ist entgegengekommen (with dat.) to come toward

***entlang** along

entsagen (with dat.) to renounce

***entscheiden**, entschied, entschieden to decide

die **Entscheidung** (Entscheidungen) decision

entschlafen (entschläft), entschlief, ist entschlafen to go to sleep

*sich **entschließen**, entschloß, entschlossen to determine, decide

der **Entschluß** (Entschlüsse) decision

entsprechen (entspricht), entsprach, entsprochen to correspond

***entstehen**, entstand, ist entstanden to come into existence

enttäuschen to disappoint

entweder ... oder either ... or

***entwickeln** to develop

die **Entwicklung** (Entwicklungen) development, evolution

entzücken to enchant, delight

***entzünden** to enkindle

entzwei-springen, sprang entzwei, ist entzweigesprungen to break in two

das **Epos** (Epen) epic

er he

sich **erbarmen** (with gen.) to take pity on

***der Erbe** (Erben) heir

erblicken to catch sight of

***die Erde** (Erden) earth

***erfahren** (erfährt), erfuhr, erfahren to experience, learn

die **Erfahrung** (Erfahrungen) experience

erfinden, erfand, erfunden to invent

der **Erfinder** (Erfinder) inventor

***der Erfolg** (Erfolge) success

erfolgreich successful

erfüllen to comply with, fulfill

Erfurt a city in central Germany

ergreifen, ergriff, ergriffen to seize, grip

erhalten (erhält), erhielt, erhalten to receive, preserve

sich **erhalten** to be preserved

die **Erhaltung** preservation

erheben, erhob, erhoben to raise

*sich **erinnern** (an with acc., or with gen.) to remember

*sich **erkälten** to catch cold

erkennen, erkannte, erkannt to recognize

die **Erkenntnis** (Erkenntnisse) realization, knowledge

***erklären** to declare, explain

***erlauben** to permit, allow

die **Erlaubnis** (Erlaubnisse) permission

erleben to experience

das **Erlebnis** (Erlebnisse) experience

erlernen to acquire by studying

ermorden to murder

ernennen, ernannte, ernannt to appoint

***ernst** serious, earnest

erobern to conquer

die **Eröffnung** (Eröffnungen) opening

die **Erquickung** (Erquickungen) refreshment

erregen to arouse

die **Erregung** (Erregungen) excitement

erreichen to reach, attain, catch (a train)

errichten to erect, establish

erringen, errang, errungen to obtain (by effort)

erscheinen, erschien, ist erschienen to appear

ersetzen to replace

*erst– first

erst *adv.* not until, only

erstaunt astonished

erwachen (ist erwacht) to awake

*erwähnen to mention

erwecken to awaken

sich erweisen, erwies, erwiesen to prove

erwerben (erwirbt), erwarb, erworben to acquire, win

*erzählen to tell, relate

der **Erzbischof** (Erzbischöfe) archbishop

*erziehen, erzog, erzogen to educate

die **Erziehung** (Erziehungen) education

erzwingen, erzwang, erzwungen to obtain by force, force

*der **Esel** (Esel) donkey

*essen (ißt), aß, gegessen to eat

*etwa approximately, perhaps

*etwas something, some, somewhat; so etwas such a thing

euch (*dat. or acc. of* ihr) you

euer your

(das) **Europa** Europe

europäisch *adj.* European

*ewig eternal

die **Exerzierübung** (Exerzierübungen) drill

das **Experimént** (Experiménte) experiment

die **Exzellénz** (Exzellénzen) excellency

F

die **Fabrik** (Fabriken) factory

der **Fabriksaal** (Fabriksäle) factory room

*das **Fach** (Fächer) compartment; subject (*of study*)

die **Fachschule** (Fachschulen) vocational school

die **Fähigkeit** (Fähigkeiten) ability

die **Fahne** (Fahnen) flag

*fahren (fährt), fuhr, ist gefahren to ride, travel, drive

der **Fahrgast** (Fahrgäste) passenger

die **Fahrt** (Fahrten) trip, ride

der **Fall** (Fälle) case

*fallen (fällt), fiel, ist gefallen to fall; es fällt mir schwer it is difficult for me

*falsch false, wrong

*die **Familie** (Familien) family

*fangen (fängt), fing, gefangen to catch, capture

*die **Farbe** (Farben) color

farbig colored

*das **Faß** (Fässer) barrel, keg

*fassen to take hold of

*fast almost

die **Faust** (Fäuste) fist; auf eigene Faust at his own risk

*der **Februar** February

*die **Feder** (Federn) feather; pen

*fehlen to be absent

*der **Fehler** (Fehler) mistake

feierlich solemn

die **Feierlichkeit** (Feierlichkeiten) ceremony

*feiern to celebrate

*fein fine

*der **Feind** (Feinde) enemy

feingebildet cultured

*das **Feld** (Felder) field

der **Feldberg** *highest peak in the Black Forest*

*der **Fels** (des Felsens, die Felsen) rock

*das **Fenster** (Fenster) window

die **Fensterscheibe** (Fensterscheiben) windowpane

der **Ferge** (Fergen) ferryman

*die **Ferien** *pl.* vacation

*fern far, distant

die **Ferne** (Fernen) distance

*fertig ready, finished

*fest firm, steady

*das **Fest** (Feste) festival

*das **Feuer** (Feuer) fire

feurig fiery

*finden, fand, gefunden to find
der Finder (Finder) finder
*der Finger (Finger) finger
*der Fisch (Fische) fish
*flach flat, level
*die Flamme (Flammen) flame
flattern to flutter
*das Fleisch flesh, meat
der Fleiß industry
fleißig industrious
*die Fliege (Fliegen) fly
*fliegen, flog, ist geflogen to fly
*fliehen, floh, ist geflohen to flee
*fließen, floß, ist geflossen to flow
die Flucht flight, escape
der Flug (Flüge) flight (in the air)
der Fluß (Flüsse) river
*folgen (ist gefolgt) (with dat.) to follow
*fordern to demand
*fördern to further, promote
*die Form (Formen) form, shape
forschen to investigate
die Forschung (Forschungen) investigation
*fort away, off
fortgesetzt continuous, steady
der Fortschritt (Fortschritte) step forward, progress
die Frage (Fragen) question
*fragen (with acc.) to ask
das Fragmént (Fragménte) fragment
(das) Frankreich France
der Französe (Franzosen) Frenchman
französisch French
*die Frau (Frauen) wife, woman
frauenhaft feminine, womanly
*frei free
die Freiheit (Freiheiten) liberty
frei=lassen (läßt frei), ließ frei, frei=gelassen to release
*freilich to be sure
*der Freitag (Freitage) Friday
freiwillig voluntary
*fremd strange, unknown
der Fremde (die Fremden) stranger, foreigner

*die Freude (Freuden) joy
sich freuen to rejoice, be glad
*der Freund (Freunde) friend
freundlich friendly, kind
die Freundschaft (Freundschaften) friendship
*der Friede(n) peace
friedfertig peaceful
friedlich peaceful
*frieren, fror, gefroren to feel cold, freeze
*frisch fresh
*froh glad
die Frömmigkeit piety
fruchtbar fertile
*früh early
früher former
*der Frühling spring
*das Frühstück (Frühstücke) breakfast
frühstücken to eat breakfast
*der Fuchs (Füchse) fox
*sich fühlen to feel
*führen to lead
der Führer (Führer) leader
die Führung (Führungen) guidance, direction
*füllen to fill; sich füllen become crowded
*fünf five
*fünfzehn fifteen
*fünfzig fifty
funkeln to sparkle
furchtbar terrible
*für (prep. with acc.) for
*fürchten to fear
*der Fürst (des Fürsten, die Fürsten) prince
die Fürstenschule (Fürstenschulen) school founded by a prince
fürstlich princely
*der Fuß (Füße) foot; zu Fuß gehen to walk
der Fußgänger (Fußgänger) pedestrian
*das Futter fodder
füttern to feed

G

der Gang (Gänge) walk, gait

die Gans (Gänse) goose

*ganz adj. entire; adv. quite, entirely

*gar entirely; gar nicht not at all; gar zu gern ever so gladly

die Garantie (Garantien) guarantee

*der Garten (Gärten) garden

*der Gast (Gäste) guest

die Gebärde (Gebärden) gesture

*das Gebäude (Gebäude) building

*geben (gibt), gab, gegeben to give; es gibt there is, there are

das Gebiet (Gebiete) territory, field

gebildet educated

*geboren born

geborgen sheltered

gebrauchen to use

die Gebühr (Gebühren) duty, fee

der Geburtstag (Geburtstage) birthday

das Gebüsch (Gebüsche) shrubbery

das Gedächtnis (Gedächtnisse) memory

gedämpft mellowed

der Gedanke (des Gedankens, die Gedanken) thought, idea

gedenken (with gen.) to think of, remember

*die Gefahr (Gefahren) danger

gefährlich dangerous

*gefallen (gefällt), gefiel, gefallen (pers. obj. in dat.) to please

gefangen captive; gefangen-nehmen to capture, take prisoner

das Gefängnis (Gefängnisse) prison

das Gefühl (Gefühle) feeling

*gegen (prep. with acc.) against, toward

die Gegend (Gegenden) vicinity, region

der Gegensatz (Gegensätze) contrast

*der Gegenstand (Gegenstände) object, subject

das Gegenteil (Gegenteile) opposite

*gegenüber (prep. with dat.) opposite

*die Gegenwart present time

der Gehalt contents, substance

*geheim secret

das Geheimnis (Geheimnisse) secret

*gehen, ging, ist gegangen to go; es geht mir gut I am well

gehorchen (with dat.) to obey

*gehören (with dat.) to belong

*der Geist (Geister) ghost, spirit; mind

das Geistesleben intellectual life

geistig intellectual, mental

der Geistliche (die Geistlichen) clergyman

geizig stingy

geladen loaded

*gelb yellow

*das Geld (Gelder) money

gelegen situated

der Gelehrte (die Gelehrten) scholar

die Gelehrtenschule (Gelehrtenschulen) preparatory school

*gelingen, gelang, ist gelungen (impers. with dat.) to succeed

*gelten (gilt), galt, gegolten to be worth, be considered

*gemein common

die Gemeinde (Gemeinden) community

gemeinsam common

die Gemeinschaft (Gemeinschaften) community, comradeship

*genau exact

der General (Generale) general

genial ingenious

das Genie (pronounced ʒe) (Genies) genius

*genießen, genoß, genossen to enjoy

der Genius (Génien) guardian angel

genug enough

*genügen to suffice

die Geographie (Geographien) geography

die Geologie geology

die Geometrie geometry

*gerade adj. straight; adv. just

gerecht just

die Gerechtigkeit justice

das Gericht (Gerichte) court of justice

*gering slight

*gern *adv.* gladly

gefamt total, entire

der Gefandte (die Gefandten) ambassador

*das Gefchäft (Gefchäfte) business, occupation; store

*gefchehen (gefchieht), gefchah, ift gefchehen (*impers.*) to happen

*die Gefchichte (Gefchichten) story, history

die Gefchwindigkeit (Gefchwindigkeiten) speed

*die Gefellfchaft (Gefellfchaften) company, party

das Gefetz (Gefetze) law

*das Geficht (Gefichter) face

die Gefinnung (Gefinnungen) sentiments

das Gefpräch (Gefpräche) conversation

*die Geftalt (Geftalten) figure, form

*geftatten to allow, permit

geftehen, geftand, geftanden to confess

*geftern yesterday

*gefund healthy, sane

die Gefundheit health

getan *see* tun

*die Gewalt (Gewalten) power

gewaltig powerful

gewandt clever, adroit

die Gewandtheit skill, cleverness

gewefen *see* fein

der Gewinn (Gewinne) profit

*gewinnen, gewann, gewonnen to win

*gewiß certain

gewiffenhaft conscientious

*gewöhnlich usual, ordinary

gewohnt accustomed

der Giebel (Giebel) gable

ging went

*der Gipfel (Gipfel) peak

*glänzen to glitter; glänzend brilliant

*das Glas (Gläfer) glass

der Glaube (des Glaubens) (an *with acc.*) belief (in)

*glauben (*pers. obj. in dat.*) to believe

*gleich *adj.* equal; *adv.* immediately

gleichberechtigt having equal rights

gleichen, glich, geglichen (*with dat.*) to resemble

die Gleichftellung (granting of) equal rights

*das Glied (Glieder) member, limb

*das Glück happiness, good luck

glücklich happy

*das Gold gold

golden golden

*der Gott (Götter) God; god

(das) Göttingen *city in southern Prussia*

göttlich divine

*graben (gräbt), grub, gegraben to dig

der Graben (Gräben) ditch, moat

*der Graf (Grafen) count

*das Gras (Gräfer) grass

*grau gray

graufam cruel

*greifen, griff, gegriffen to grasp, reach, take hold of

*die Grenze (Grenzen) border, limit

grenzen (an + *acc.*) to border (on), limit

der Grieche (Griechen) Greek

(das) Griechenland Greece

griechifch *adj.* Greek

grimmig grim

*groß great, large

großartig grand, splendid

die Größe (Größen) greatness, size

die Grube (Gruben) mine, pit

*grün green

*der Grund (Gründe) ground; valley; reason

gründen to establish

der Gründer (Gründer) founder

die Grundlage (Grundlagen) foundation, basis

gründlich thorough

die Gründung (Gründungen) founding, establishment

der Gruß (Grüße) greeting

*grüßen to greet

*die Gunst favor
*gut good, well
*das Gut (Güter) estate
die Güte kindness
gütig kind
das Gymnásium (Gymnásien) classical high school

H

*das Haar (Haare) hair
*haben (hat), hatte, gehabt to have, possess
*der Hafen (Häfen) harbor
der Hain (Haine) grove
*halb half
die Hälfte (Hälften) half
die Halle (Hallen) train shed
*der Hals (Hälse) neck
halt! stop!
*halten (hält), hielt, gehalten to hold; halten für take for; sich halten für consider oneself; halten von think of
halt=machen to stop
die Haltung (Haltungen) attitude
*die Hand (Hände) hand
der Handel trade, bargain
handeln to act
die Handelsschule (Handelsschulen) commercial school
das Handwerk (Handwerke) trade; ein Handwerk treiben to ply a trade
der Handwerker (Handwerker) artisan
der Handwerksbursche (Handwerks= burschen) traveling artisan
*hangen (hängt), hing, gehangen (in= trans.) to hang
hängen to hang
die Hansa Hanseatic League
der Harfenton (Harfentöne) sound of a harp
*hart hard
der Hase (Hasen) rabbit
*hassen to hate
der Hauch breath, breeze
*der Haufe (des Haufens, die Haufen) heap; troop

*das Haupt (Häupter) head, main
hauptsächlich main
die Hauptstadt (Hauptstädte) capital city
die Hauptstraße (Hauptstraßen) main street
*das Haus (Häuser) house; nach Hause home; zu Hause at home
*die Haut (Häute) hide
*heben, hob, gehoben to raise, lift
sich heben, hob, gehoben to rise
*das Heer (Heere) army
der Heerführer (Heerführer) general
*das Heft (Hefte) notebook, pam= phlet
heften to fasten
heftig violent, vehement, hard
*die Heide (Heiden) heath
*das Heil salvation, welfare
*heilig holy, sacred
*das Heim home, homestead
heim home
die Heimat homeland, native place
heimatlos homeless, without a coun= try
heimlich secret
Heinrich Henry
*heiß hot
*heißen, hieß, geheißen to be called; bid, command; d. h. (= das heißt) i.e.
*der Held (Helden) hero
*helfen (hilft), half, geholfen (with dat.) to help
*hell bright, light
*das Hemd (Hemden) shirt
*her adv. hither, here; her und hin to and fro
heráb down
heráb=sinken, sank herab, ist herabge= sunken to be reduced, decline
herán=reifen (ist herangereift) to ma= ture, ripen (slowly)
heráus out, outside
heráus=heben, hob heraus, herausge= hoben to lift up
*herbéi hither

*der **Herbſt** autumn

herbſtkräftig (*poetic*) "autumn-strong"

*die **Herde** (Herden) herd

heroiſch heroic

der **Herold** (Herolde) herald

Herr Zimmermann Mr. Zimmermann

*der **Herr** (des Herrn, die Herren) gentleman; mein Herr sir

***herrlich** splendid

die **Herrſchaft** (Herrſchaften) rule

***hervór** forth

hervór=bringen, brachte hervor, hervorgebracht to produce

hervór=gehen, ging hervor, iſt hervorgegangen to proceed

hervórragend prominent

hervór=rufen, rief hervor, hervorgerufen to call forth

*das **Herz** (des Herzens, die Herzen) heart; am Herzen liegen to cherish

herzlich hearty, cordial

der **Herzog** (Herzoge) duke

das **Herzogtum** (Herzogtümer) duchy

***heute** today; heute abend this evening; heutzutage nowadays

heutig of today

die **Hexe** (Hexen) witch

***hier** here

*der **Himmel** (Himmel) sky, heaven

das **Himmelreich** (Himmelreiche) Kingdom of Heaven

die **Himmelsſehnſucht** spiritual longing

***hin** *adv.* thither, there, away

***hindern** to prevent, impede

das **Hindernis** (Hinderniſſe) obstacle

hin=fahren (fährt hin), fuhr hin, iſt hingefahren to go away

ſich **hingeben** (*with dat.*) to give oneself up to

hinter *adj.* rear

***hinter** (*prep. with dat. or acc.*) behind

hinzú=fügen, fügte hinzu, hinzugefügt to add

der **Hirt** (Hirten) shepherd

***hoch** high

das **Hochgebirge** high mountains, Alps

die **Hochſchule** (Hochſchulen) *institution of university rank*

*der **Hof** (Höfe), court, courtyard

der **Hofarzt** (Hofärzte) court physician

das **Hofbräuhaus** *a tavern in Munich*

die **Hofdame** (Hofdamen) lady-in-waiting

***hoffen** to hope

höflich polite, courteous

die **Höhe** (Höhen) height; hill

der **Höhepunkt** (Höhepunkte) climax

die **höhere Schule** high school

***holen** to fetch, get

das **Höllental** *a valley near Freiburg*

*das **Holz** wood

*der **Honig** honey

horchen to hearken, listen

***hören** to hear

der **Horizónt** (Horizónte) horizon

*die **Hoſe** (Hoſen) trousers

das **Hotél** (Hotéls) hotel

der **Hügel** (Hügel) hill

der **Humór** humor

*der **Hund** (Hunde) dog

***hundert** hundred

*der **Hunger** hunger

hungrig hungry

*der **Hut** (Hüte) hat

die **Hymne** (Hymnen) hymn

J

ideál ideal

ihm (*dat. of* er *or* es) to him, to it

ihnen (*dat. of* ſie) to them

Ihnen (*dat. of* Sie) to you

ihr *pl.* you; (*or dat. of* ſie) to her; *poss.* her, their

Ihr your

im in the

***immer** always; immer noch still; immer mehr more and more

*in (*prep. with dat. or acc.*) in, into
*indém *conj.* while (*or translate by present participle*)
*indés *adv.* meanwhile; *conj.* while
die Industrie (Industrien) industry
*innen internal, within
das Innere interior, inside
innerhalb inside
innig intimate, hearty
die Innigkeit intimacy, ardor
ins = in das
das Instrument (Instrumente) instrument
interessánt interesting
*das Interésse (Interéssen) interest
interessieren to interest
Iphigénie Iphigenia
*irgend ein any
der Irländer (Irländer) Irishman
*irren to err, wander
die Isar *a river in Bavaria*
(das) Itálien Italy
italiénisch Italian

I

*ja yes, you know, indeed
*jagen to hunt
*das Jahr (Jahre) year
das Jahrhúndert (Jahrhúnderte) century
jährig: zweijährig two years old, lasting two years
das Jahrzéhnt (Jahrzéhnte) decade
der Januar January
jawóhl yes, indeed
*je each; ever
*jeder, jede, jedes each, every
*jedoch however
*jemand somebody
*jener, jene, jenes that, yonder
*jetzt now
das Joch (Joche) yoke
der Jubel joy, exultation
jubeln to cheer, exult
jüdisch Jewish
*die Jugend youth

jugendlich youthful
*der Juli July
*jung young
der Jüngling (Jünglinge) youth
*der Juni June
der Junker (Junker) country squire, nobleman

K

*der Kaffee coffee
*der Kaiser (Kaiser) emperor
*kalt cold
die Kälte coldness
kam came
der Kamerád (Kameráden) comrade
*der Kampf (Kämpfe) fight, battle
kämpfen to fight, struggle
der Kämpfer (Kämpfer) fighter, warrior, contestant
der Kanál (Kanále) canal, channel
kann can
die Kapélle (Kapéllen) chapel; band
*die Karte (Karten) card; map
*der Käse (Käse) cheese
die Kasse (Kassen) treasury
*die Katze (Katzen) cat
*kaufen to buy
der Kaufmann (Kaufleute) merchant
*kaum scarcely
der Keim (Keime) germ
*kein *adj.* no; keiner *pron.* no one
*der Kellner (Kellner) waiter
*kennen, kannte, gekannt to be acquainted with, know
kennen-lernen to become acquainted
die Kenntnis (Kenntnisse) knowledge
der Kieselstein (Kieselsteine) pebblestone
*das Kind (Kinder) child
*das Kinn (Kinne) chin
*die Kirche (Kirchen) church
die Klage (Klagen) complaint
*klagen to complain
der Klang (Klänge) sound, ring
*klar clear
die Klarheit clarity

*die **Klaſſe** (Klaſſen) class
klaſſiſch classical
*das **Kleid** (Kleider) dress
kleiden to clothe
die **Kleidung** (Kleidungen) clothing, clothes
***klein** small
von **Kleiſt,** Heinrich (1777–1811) *German dramatist*
klettern to climb
klingen, klang, geklungen to ring
***klopfen** to knock
das **Kloſter** (Klöſter) monastery
klug clever, intelligent
die **Klugheit** wisdom, intelligence
*der **Knabe** (Knaben) boy
der **Knecht** (Knechte) hired man
*das **Knie** (Kniee or Knie) knee
knie[e]n to kneel
*der **Knochen** (Knochen) bone
***kochen** to cook
*der **Koffer** (Koffer) suitcase, trunk
*die **Kohle** (Kohlen) coal
der **Kollége** (Kollégen) colleague
(das) **Köln** Cologne
der **Koloniſt** (Koloniſten) colonist
***kommen,** kam, iſt gekommen to come
kommen laſſen to summon
der **Komponiſt** (Komponiſten) composer
*der **König** (Könige) king
königlich royal
das **Königreich** (Königreiche) kingdom
***können** (kann), konnte, gekonnt can, to be able
das **Konzért** (Konzérte) concert
die **Koordinatión** co-ordination
*der **Kopf** (Köpfe) head
der **Korb** (Körbe) basket
das **Korn** (Körner) grain
*der **Körper** (Körper) body
körperlich physical
koſtbar costly, precious
koſten to cost
*die **Koſten** *pl.* cost, expense
*die **Kraft** (Kräfte) strength, power
kräftig vigorous, sturdy, nourishing

die **Kräftigung** (Kräftigungen) strengthening
***krank** sick, ill
Krefeld *town in Rhenish Prussia*
der **Kreis** (Kreiſe) circle
der **Kreſſenſamen** cress seed
das **Kreuz** (Kreuze) cross
kreuzen to cross
*der **Krieg** (Kriege) war
die **Kritik** (Kritiken) critique, criticism
*die **Krone** (Kronen) crown
krönen to crown
***krumm** crooked
die **Küche** (Küchen) kitchen
*der **Kuchen** (Kuchen) cake
*die **Kuh** (Kühe) cow
***kühl** cool
die **Kühnheit** (Kühnheiten) boldness
die **Kultúr** (Kultúren) culture
kulturéll cultural
kund=geben to announce, proclaim
künftig future
*die **Kunſt** (Künſte) art
der **Künſtler** (Künſtler) artist
künſtlich artificial
der **Kunſtwert** (Kunſtwerte) artistic value
der **Kurfürſt** (Kurfürſten) elector
der **Kurſus** (Kurſe) course
die **Kurve** (Kurven) curve
***kurz** short, brief
*die **Kuſíne** (Kuſínen) cousin (*female*)
***küſſen** to kiss
die **Küſte** (Küſten) coast
die **Kutſche** (Kutſchen) carriage, cab
der **Kutſcher** (Kutſcher) cabman

L

***lächeln** to smile
***lachen** to laugh
laden (lädt), lud, geladen to load
*der **Laden** (Läden) shop
die **Lage** (Lagen) situation, condition
das **Lager** (Lager) camp
lahm lame
*das **Land** (Länder) country

die Landkarte (Landkarten) map
die Landschaft (Landschaften) landscape, scenery
der Landsknecht (Landsknechte) mercenary soldier
die Landstraße (Landstraßen) highway
die Landwirtschaft agriculture
*lang long; zwei Tage lang for two days
lange adv. for a long time
*langsam slow
der Lärm noise
*lassen (läßt), ließ, gelassen to leave, let, allow
die Last (Lasten) burden
lateinisch Latin
lau lukewarm, mild
der Lauf (Läufe) run
*laufen (läuft), lief, ist gelaufen to run
der Läufer (Läufer) runner
*laut loud, noisy
die Läuterung (Läuterungen) purification
*leben (von) to live (on)
das Leben life; wieder ins Leben rufen to revive
lebéndig alive, lively
die Lebensbeschreibung (Lebensbeschreibungen) biography
das Lebensmittel (Lebensmittel) food, provisions
die Lebensweise mode of living
das Lebewesen (Lebewesen) living being
lebhaft lively
*leer empty
*legen to lay
sich legen to lie down
*lehnen to lean
die Lehre (Lehren) doctrine, lesson
*lehren to teach
der Lehrer (Lehrer) teacher
das Lehrerseminar (Lehrerseminare) teacher-training school
der Lehrplan (Lehrpläne) curriculum
der Lehrstuhl (Lehrstühle) professorial chair

*der Leib (Leiber) body
die Leibesübung (Leibesübungen) gymnastics
*leicht easy
die Leichtigkeit (Leichtigkeiten) ease, facility
das Leid sorrow
*leid tun (impers.) to be sorry; es tut mir leid I am sorry
*leiden, litt, gelitten to suffer
das Leiden (Leiden) suffering, pain
leidenschaftlich passionate
die Leidenschaftlichkeit intensity, fervor
*leider unfortunately
*leise soft, gentle, low, faint
leisten to achieve
*leiten to guide, direct
lenken to direct
*lernen to learn, study
*lesen (liest), las, gelesen to read
*letzt– last
*die Leute pl. people
*das Licht (Lichter) light
lieb dear; das Lieb sweetheart
die Liebe love
*lieben to love
*lieber rather
lieblich charming, lovely
der Liebling pet, favorite
*das Lied (Lieder) song
liefern to furnish
*liegen, lag, gelegen to lie
*die Linde (Linden) linden (tree)
*die Linie (Linien) line
*link– left
*die Lippe (Lippen) lip
die List (Listen) ruse
(das) Litauen Lithuania
*die Literatúr (Literatúren) literature
das Lob praise
*loben to praise
locken to lure, entice
Lodz town in Poland
der Lohn (Löhne) reward
Lorelei name of a siren of the Rhine
löschen to extinguish

*lösen to solve
*der Löwe (Löwen) lion
*die Luft (Lüfte) air, breeze
der Lügner (Lügner) liar
*die Lust (Lüste) desire, pleasure
lustig merry, jolly; sich lustig machen über (*with acc.*) to make fun of
luthérisch *adj.* Lutheran

M

*machen to make
*die Macht (Mächte) power
mächtig powerful, huge
machtlos powerless
*das Mädchen (Mädchen) girl
*der Magen (Mägen) stomach
mahlen to grind
*die Mahlzeit (Mahlzeiten) meal
(das) Mähren Moravia
*der Mai May
die Maiennacht (Maiennächte) night in May
*das Mal (Male) time
*man *pron.* one, they, people
*mancher many a
manchmal sometimes
manifestieren to manifest
*der Mann (Männer) man, husband
mannigfaltig manifold, varied
*der Mantel (Mäntel) cloak
*die Mark (*no pl.*) mark
*der Markt market, market place
der Marktplatz (Marktplätze) market place
*der Marsch (Märsche) march
marschieren to march
*der März March
die Masse (Massen) multitude, mass
maßvoll moderate
die Mathematik mathematics
der Mathemátiker (Mathemátiker) mathematician
mathemátisch mathematical
*die Mauer (Mauern) stone wall
*die Maus (Mäuse) mouse
die Medizin medicine

*das Meer (Meere) ocean
*mehr more
mehrere several
mein my
*meinen to mean, remark
die Meinen my family, people
die Meinung (Meinungen) opinion
*meist mostly
die meisten *pron.* most of
meistens mostly
*der Meister (Meister) master
die Melódik melodiousness
*die Menge (Mengen) crowd, mass
*der Mensch (Menschen) human being
menschlich human
*merken to notice
*messen (mißt), maß, gemessen to measure
*das Messer (Messer) knife
der Messias Messiah
*das *or der* Meter (Meter) *3.28 feet*
die Methóde (Methóden) method
mich (*acc. of* ich) me
*die Milch milk
mildern to soften, mitigate
die Minúte (Minúten) minute
mir (*dat. of* ich) to me
*mischen to mingle, mix
mißhandeln, mißhandelte, mißhandelt to maltreat
das Mißtrauen distrust
*mit (*prep. with dat.*) with
der Mitarbeiter (Mitarbeiter) collaborator
mit=bringen, brachte mit, mitgebracht to bring along
der Mitbürger (Mitbürger) fellow citizen
miteinander with each other
mit=machen to participate
der Mitmensch (Mitmenschen) fellow man
das Mittagessen (Mittagessen) noon meal
*die Mitte middle, center
das Mittel (Mittel) means
(das) Mitteleuropa central Europe

das **Mittelgebirge** *name of mountain range in central Germany*
der **Mittelpunkt** (Mittelpunkte) center
die **Mittelschule** (Mittelschulen) secondary school
*der **Mittwoch** (Mittwoche) Wednesday
die **Mode** (Moden) fashion
die **Modestadt** (Modestädte) fashionable city
*mögen (mag), mochte, gemocht to like
*möglich possible; möglichst leicht as easy as possible
die **Möglichkeit** (Möglichkeiten) possibility
(der) **Mohammed** Mohammed
*der **Monat** (Monate) month
der **Mönch** (Mönche) monk
*der **Mond** (Monde) moon
*der **Montag** (Montage) Monday
morálisch moral
*der **Mord** (Morde) murder
morgen tomorrow
*der **Morgen** (Morgen) morning; morgens in the morning
das **Morgenland** the Orient
*müde tired
die **Mühe** (Mühen) effort, pains
*die **Mühle** (Mühlen) mill
das **Mühlenrad** (Mühlenräder) mill wheel
der **Müller** (Müller) miller
(das) **München** Munich; der Münchner inhabitant of Munich
*der **Mund** (Munde) mouth
münden to empty into
das **Münster** (Münster) cathedral
munter brisk, lively
murmeln to murmur
das **Muséum** (Muséen) museum
*die **Musik** music
musikálisch musical
der **Musiker** (Musiker) musician
*müssen (muß), mußte, gemußt to have to, be compelled to
das **Muster** (Muster) pattern, model

*der **Mut** courage
mutig courageous
*die **Mutter** (Mütter) mother
mütterlich motherly
mystisch mystic

N

*nach (*prep. with dat.*) after, to, according to
*der **Nachbar** (des Nachbars, die Nachbarn) neighbor
*nachdém *conj.* after
der **Nachfolger** (Nachfolger) successor
nachlässig nonchalant
der **Nachmittag** (Nachmittage) afternoon
nächst– next
*die **Nacht** (Nächte) night
der **Nachtwächter** (Nachtwächter) night watchman
*nah(e) near, near-by
die **Nähe** vicinity, proximity
nahen (*with dat.*) to draw near
*der **Name** (des Namens, die Namen) name
nämlich namely, (*as a post-positive conj.*) for
*der **Narr** (Narren) fool
*die **Nase** (Nasen) nose
naß wet
die **Nation** (Natiónen) nation
*die **Natúr** (Natúren) nature
der **Natúrforscher** (Natúrforscher) natural scientist
natürlich natural(ly), of course
die **Natúrwissenschaft** (Natúrwissenschaften) natural science
natúrwissenschaftlich scientific
*der **Nebel** (Nebel) mist, fog
*neben (*prep. with dat. or acc.*) near, next to
der **Nebenfluß** (Nebenflüsse) tributary
*der **Neffe** (Neffen) nephew
*nehmen (nimmt), nahm, genommen to take
*nein *adv.* no

*nennen, nannte, genannt to call, mention

*das Nest (Nester) nest

*neu new

*neun nine

*neunzehn nineteen

*neunzig ninety

*nicht not; nicht wahr? is it not so?

nicht einmal not even

*die Nichte (Nichten) niece

nichts nothing

*nicken to nod

*nie never

*nieder low, down

niederdeutsch Low German

die Niederlande pl. Netherlands

sich nieder=lassen (läßt sich nieder), ließ sich nieder, niedergelassen to settle

*niemand nobody

nimmermehr never(more)

nirgends nowhere

*noch still, yet; noch ein another

noch einmal once more

noch nicht not yet

der Nomádenstamm (Nomádenstämme) nomadic tribe

*der Norden north

nordisch Nordic

nördlich northern

die Nordsee North Sea

normál normal

(das) Norwegen Norway

*die Not (Nöte) distress

*nötig necessary

*notwendig necessary

die Novélle (Novéllen) novelette

*der November November

nüchtern with empty stomach

*nun now, well

*nur only

*die Nuß (Nüsse) nut

nützlich useful

O

*ob whether; als ob as though

*oben above, upstairs

ober upper

*obgléich although

*oder or

*der Ofen (Öfen) stove

offen open

die Offenbárung (Offenbárungen) revelation

öffentlich public

*der Offizíer (Offizíere) army officer

*öffnen to open

*oft often

*ohne without

*das Ohr (des Ohrs, die Ohren) ear

*der Október October

der Olivenzweig (Olivenzweige) olive branch

Olýmpia sacred vale in Greece

olýmpisch Olympic

*der Onkel (Onkel) uncle

die Oper (Opern) opera

(das) Opfer bringen to make a sacrifice

die Optik optics

das Oratórium (Oratórien) oratorio

ordnen to regulate

das Orgán (Orgáne) organ

organisieren to organize

der Orgelspieler (Orgelspieler) organist

*der Ort (Orte or Örter) place, spot

*der Osten east

(das) Öst(er)reich Austria

österreichisch adj. Austrian

(die) Ostmark (new name since 1938) Austria

P

*das Paar (Paare) couple, pair; ein paar a few

*das Papíer (Papíere) paper

der Park (Parke) park

das Parlamént (Parlaménte) parliament, congress

die Partéi (Partéien) party

passen to suit

das **Paſſiónsſpiel** (Paſſiónsſpiele) Passion Play

der **Pelz** (Pelze) fur, pelt

die **Perióde** (Perióden) period

*die **Perſón** (Perſónen) person

perſönlich personal

die **Perſönlichkeit** (Perſönlichkeiten) personality

Peſtalózzi, Johann Heinrich (1746–1827) *Swiss reformer in education*

der **Pfarrer** (Pfarrer) pastor

*der **Pfennig** (Pfennige) "penny" (= .01 *Mark*)

*das **Pferd** (Pferde) horse

der **Pferdehandel** horse trade

*die **Pflanze** (Pflanzen) plant

pflegen to cultivate, nurse

*die **Pflicht** (Pflichten) duty

der **Philoſóph** (Philoſóphen) philosopher

die **Philoſophie** (Philoſophien) philosophy

philoſóphiſch philosophical

die **Phyſik** physics

der **Phyſiker** (Phyſiker) physicist

der **Phyſiológe** (Phyſiológen) physiologist

die **Phyſiologie** physiology

phyſiſch physical

der **Pietismus** Pietism (*religious movement*)

die **Piſtóle** (Piſtólen) pistol

der **Plan** (Pläne) plan

planen to plan

*der **Platz** (Plätze) place, square, seat

plaudern to chat

***plötzlich** sudden

(das) **Polen** Poland

politiſch political

die **Poſt** mail

das **Poſtulát** (Poſtuláte) postulate

(das) **Prag** Prague, Praha (*capital of Bohemia*)

***praktiſch** practical

der **Präſidént** (Präſidénten) president

*der **Preis** (Preiſe) prize; price

preſſen to compress, press

(das) **Preußen** Prussia

preußiſch adj. Prussian

der **Prieſter** (Prieſter) priest

privát private

der **Proféſſor** (des Proféſſors, die Profeſſóren) professor

proteſtántiſch adj. Protestant

***prüfen** to examine, test

pſychológiſch psychological

*der **Punkt** (Punkte) point

die **Pünktlichkeit** punctuality

Q

die **Qual** (Qualen) torment

die **Quelle** (Quellen) source

R

der **Radfahrer** (Radfahrer) cyclist

der **Rand** (Ränder) edge

der **Rang** (Ränge) rank

die **Raſſe** (Raſſen) race

*der **Rat** advice

raten (rät), riet, geraten to advise

*das **Rathaus** (Rathäuſer) city hall

das **Rätſel** (Rätſel) riddle

der **Räuber** (Räuber) robber

der **Raubritter** (Raubritter) robber-knight

*der **Raum** (Räume) room, space

die **Reálſchule** (Reálſchulen) modern high school

rebélliſch rebellious

***rechnen** to calculate, figure

die **Rechnung** (Rechnungen) bill

***recht** right, agreeable

recht haben to be right

*das **Recht** (Rechte) right, justice; Doktor der Rechte Doctor of Laws

das **Rechtsgefühl** sense of justice

***reden** to speak

der **Redner** (Redner) speaker

*die **Regel** (Regeln) rule

regelmäßig regular

regen to stir

*der **Regen** rain
*der **Regenschirm** (Regenschirme) umbrella
regieren to rule, reign
die **Regierung** (Regierungen) government
regnen to rain
*reich rich, wealthy
*das **Reich** (Reiche) realm; *political name for Germany*
*reichen to reach, hand
der **Reichtum** (Reichtümer) wealth
*reif ripe, mature
reifen to ripen, mature
*die **Reihe** (Reihen) series, number
*rein pure, clean
die **Reinheit** purity
die **Reinlichkeit** cleanliness
*reisen (ist gereist) to travel
das **Reisen** traveling
*reißen, riß, gerissen to tear
*reiten, ritt, ist geritten to ride on horseback
der **Reiter** (Reiter) rider
der **Reiz** (Reize) stimulus, charm
*reizen to charm; provoke
der **Rekord** (Rekorde) record
die **Religion** (Religiónen) religion
religiös religious
rennen, rannte, ist gerannt to run
der **Rest** (Reste) remainder, rest
*retten to rescue, save
revolutionär revolutionary
der **Rhein** Rhine
der **Richter** (Richter) judge
*richtig correct
die **Richtung** (Richtungen) direction, tendency
*riechen, roch, gerochen to smell
der **Riegel** (Riegel) bolt
die **Rinde** (Rinden) bark
*der **Ring** (Ringe) ring
der **Ritter** (Ritter) knight
*der **Rock** (Röcke) coat
roh rude, crude, ruthless
die **Rolle** (Rollen) rôle, part
rollen to roll

Rom Rome
der **Román** (Románe) novel
romántisch romantic
*die **Rose** (Rosen) rose
das **Roß** (Rosse) horse
der **Roßhändler** (Roßhändler) horse dealer
*rot red
*der **Rücken** (Rücken) back
das **Ruder** (Ruder) oar
der **Ruf** (Rufe) reputation, call
*rufen, rief, gerufen to call
die **Ruhe** rest
*ruhen to rest
ruhig quiet, calm
*der **Ruhm** fame
*rühren to stir, move
(das) **Rumänien** Rumania
*rund round
der **Russe** (Russen) Russian
(das) **Rußland** Russia

S

der **Saal** (Säle) large room, hall
*die **Sache** (Sachen) thing, cause
(das) **Sachsen** Saxony
sächsisch Saxon
sacht soft, gentle
säen to sow (*seed*)
der **Säerspruch** song of the sower
*sagen to say
*das **Salz** (Salze) salt
*sammeln to collect
die **Sammlung** (Sammlungen) collection; concentration
*der **Samstag** (Samstage) Saturday
sanft soft, gentle
*der **Satz** (Sätze) sentence
*sauer sour, bitter
*schaden to damage, hurt
der **Schaden** (Schäden) damage
schaffen (schafft), schuf, geschaffen to create
sich **schämen** to be ashamed
*scharf sharp

der **Schatten** (Schatten) shade, shadow

*der **Schatz** (Schätze) treasure

schätzen to appreciate, esteem

schauen to look

der **Schauspieler** (Schauspieler) actor

***scheiden**, schied, geschieden to separate

***scheinen**, schien, geschienen to seem, appear

schelten (schilt), schalt, gescholten to scold

***schenken** to donate, bestow

die **Schicht** (Schichten) layer

***schicken** to send

sich **schicken** to be fitting

das **Schicksal** (Schicksale) fate

***schieben**, schob, geschoben to push

***schießen**, schoß, geschossen to shoot

*das **Schiff** (Schiffe) boat

schiffbar navigable

das **Schifflein** (Schifflein) little boat

*der **Schinken** (Schinken) ham

*die **Schlacht** (Schlachten) battle

***schlafen** (schläft), schlief, geschlafen to sleep

der **Schlafwagen** (Schlafwagen) sleeper

der **Schlag** (Schläge) blow

***schlagen** (schlägt), schlug, geschlagen to strike, beat

***schlank** slender

schlau sly, cunning

***schlecht** bad

schleichen, schlich, ist geschlichen to sneak

der **Schleier** (Schleier) veil

schlichten to settle

***schließen**, schloß, geschlossen to close; Frieden schließen make peace

schließlich finally

schlimm bad, wicked

das **Schloß** (Schlösser) castle

der **Schluß** (Schlüsse) conclusion

der **Schlüssel** (Schlüssel) key

***schmecken** to taste

schmeicheln (*with dat.*) to flatter

schmelzen (schmilzt), schmolz, geschmolzen to melt

*der **Schmerz** (des Schmerzes, die Schmerzen) pain, ache

schmerzen to hurt

schmücken to adorn, decorate

schmutzig dirty, soiled

*der **Schnee** snow

***schneiden**, schnitt, geschnitten to cut

der **Schneider** (Schneider) tailor

***schnell** fast, quick

die **Scholle** (Schollen) clod

***schon** already, certainly

***schön** beautiful, fine, fair

schonen to spare

die **Schönheit** (Schönheiten) beauty

schöpferisch creative

die **Schöpferkraft** (Schöpferkräfte) creative power

(das) **Schottland** Scotland

der **Schrank** (Schränke) cupboard, closet

***schrecken** to frighten

***schreiben**, schrieb, geschrieben to write

***schreien**, schrie, geschrie[e]n to shout, cry

***schreiten**, schritt, ist geschritten to step

die **Schrift** (Schriften) writing

schriftlich in writing

der **Schritt** (Schritte) step

*der **Schuh** (Schuhe) shoe

*die **Schuld** guilt

*die **Schule** (Schulen) school

der **Schüler** (Schüler) pupil

das **Schulgeld** tuition

die **Schulpflicht** compulsory school attendance

*die **Schulter** (Schultern) shoulder

der **Schutz** protection

schützen to protect

(das) **Schwaben** Swabia

schwäbisch Swabian

***schwach** weak, faint

die **Schwäche** (Schwächen) weakness

schwächlich frail

der **Schwanz** (Schwänze) tail

***schwarz** black

der **Schwarzwald** Black Forest

*ſchweigen, ſchwieg, geſchwiegen to be silent

*das Schwein (Schweine) swine, hog

die Schweiz Switzerland

*ſchwer difficult

ſchwer fallen (with dat.) to be difficult (for)

die Schwermut melancholy

*die Schweſter (Schweſtern) sister

*ſchwierig difficult

der Schwung (Schwünge) swing

*ſechs six

*ſechzehn sixteen

*ſechzig sixty

*der See (des Sees, die Seen) lake

*die Seele (Seelen) soul

ſeeliſch mental, psychic

der Seeräuber (Seeräuber) pirate

das Segel (Segel) sail

ſegeln to sail

ſegnen to bless

*ſehen (ſieht), ſah, geſehen to see

ſich ſehnen (nach) to long (for)

die Sehnſucht (Sehnſüchte) longing

*ſehr very

ſeid (2nd pers. pl.) are

das Seidenband (Seidenbänder) silk ribbon

ſein his, its

*ſein, war, iſt geweſen to be

*ſeit (prep. with dat.) since

ſeitdém conj. since

*die Seite (Seiten) page, side

die Sekúnde (Sekúnden) second

*ſelber himself, herself

ſelbſt himself, herself; even

ſelbſtſicher self-assured

*ſelten rare(ly)

ſeltſam strange

*ſenden, ſandte, geſandt to send

*der Septémber September

*ſetzen to put; ſich (dat.) ſetzen set for oneself

ſich ſetzen to sit down

ſich refl. pron. himself, herself, itself, themselves

*ſicher safe, certain

die Sicherheit (Sicherheiten) security, certainty

ſichtbar visible

ſie pron. she, her, they, them

Sie pron. you

*ſieben seven

(das) Siebenbürger Sachſen Saxons in Rumania

*ſiebzehn seventeen

*ſiebzig seventy

die Siedlung (Siedlungen) settlement

*der Sieg (Siege) victory

ſiegen to be victorious

der Sieger (Sieger) victor

*das Silber silver

ſind (3rd pers. pl.) are

*ſingen, ſang, geſungen to sing

*ſinken, ſank, iſt geſunken to sink

*der Sinn (Sinne) sense, mind

die Sitte (Sitten) custom

*ſitzen, ſaß, geſeſſen to sit

der Sitzplatz (Sitzplätze) seat

die Slowakei Slovakia

*ſo thus, so, in this way

ſobáld as soon as

*ſogár even

ſogenannt so-called

*ſogléich at once

*der Sohn (Söhne) son

*ſolch such

*der Soldát (Soldáten) soldier

ſolíd solid

*ſollen (ſoll), ſollte, geſollt to be to, be said to, ought to

*der Sommer (Sommer) summer

der Sommertag (Sommertage) summer day

*ſondern but (on the contrary)

*der Sonnabend (Sonnabende) Saturday

*die Sonne (Sonnen) sun

ſonnenhaft sunlike

ſonnig sunny

*der Sonntag (Sonntage) Sunday

ſonſt else, otherwise

ſonſt ein another

die Sorge (Sorgen) care, sorrow

*forgen für to take care of
*spät late
spenden to donate, bestow
das Spiel (Spiele) play
*spielen to play
der Spielmann (Spielleute) minstrel
*die Spitze (Spitzen) point
der Sport sport; Sport treiben to
  indulge in sport
die Sprache (Sprachen) language
*sprechen (spricht), sprach, gesprochen
  to speak
*springen, sprang, ist gesprungen to
  jump
der Spruch (Sprüche) saying
der Sprung (Sprünge) jump, leap
spüren to feel
*der Staat (des Staates, die Staaten)
  state
staatlich belonging to the state, political
der Staatsbeamte (Staatsbeamten)
  government official
der Staatsmann (Staatsmänner)
  statesman
die Staatsprüfung (Staatsprüfungen)
  state examination
die Staatsstelle (Staatsstellen) government position
das Stadion (Stadien) stadium
*die Stadt (Städte) city
die Stadtmauer (Stadtmauern) city
  walls
der Stall (Ställe) stable
*der Stamm (Stämme) tribe; trunk
stammen to originate, descend from
der Star (Stare) starling
*stark strong
die Station (Statiónen) station
*statt (prep. with gen.) instead
statt=finden, fand statt, stattgefunden to
  take place
stecken to stick, put
*stehen, stand, gestanden to stand
*steigen, stieg, ist gestiegen to climb
steil steep
*der Stein (Steine) stone

steinern of stone
die Stelle (Stellen) spot, place
*stellen to place
die Stellung (Stellungen) position
der Stellvertreter (Stellvertreter) representative
*sterben (stirbt), starb, ist gestorben to
  die
*der Stern (Sterne) star
das Sterngefunkel twinkling of the
  stars
*stets always, constantly
*still quiet, still
stillen to quiet
stillschweigend übergéhen to ignore
*die Stimme (Stimmen) voice
*der Stoff (Stoffe) stuff, material
*der Stolz pride
*stören to disturb
*stoßen (stößt), stieß, gestoßen to push
*die Strafe (Strafen) punishment
der Strahl (des Strahls, die Strahlen)
  ray
*die Straße (Straßen) street
*streben to strive
*strecken to stretch
*streichen, strich, gestrichen to stroke
streifen to touch lightly
der Streifen (Streifen) strip
der Streit quarrel
*streiten, stritt, gestritten to quarrel
*streng strict
die Strenge severity
*das Stroh straw
*der Strom (Ströme) stream
das Stüblein (Stüblein) little room
*das Stück (Stücke) piece, drama
der Studént (Studénten) student
*studieren to study
das Studium (Studien) study
*der Stuhl (Stühle) chair
stumm mute
*die Stunde (Stunden) hour; eine
  bewegte Stunde an emotional hour
*der Sturm (Stürme) storm
der Stürmer (Stürmer) impetuous
  person

stürmisch stormy, impetuous
*stürzen to tumble, rush
*suchen to look for, seek
*der Süden south
südlich southern
*die Sünde (Sünden) sin
*süß sweet
das Symból (Symbóle) symbol
das Systém (Systéme) system

T

*der Tag (Tage) day
tagelang for days
die Tageslänge (Tageslängen) length of the day
das Tal (Täler) valley
das Talént (Talénte) talent
der Taler (Taler) *obsolete coin*
*die Tanne (Tannen) fir tree
*die Tante (Tanten) aunt
tanzen to dance
die Tapferkeit valor
*die Tasche (Taschen) pocket
der Taschendieb (Taschendiebe) pickpocket
*die Tasse (Tassen) cup
Tasso, Torquato (1544–1595) *famous Italian writer; hero of Goethe's drama*
die Tatenlust desire to achieve great things
tatkräftig energetic
*der Tau dew
*tausend thousand
technisch technical
*der Tee tea
*der Teil (Teile) part, share; zum großen Teil largely
teilen to divide, share
teil=nehmen (nimmt teil), nahm teil, teilgenommen (an + *dat.*) to take part (in)
die Telegraphie telegraphy
*der Teller (Teller) plate
das Temperamént (Temperaménte) temperament

*teuer dear, expensive
der Teufel (Teufel) devil
das Theáter (Theáter) theater
theorétisch theoretical
die Theorie (Theorien) theory
der Thron (Throne) throne
*tief deep, profound
die Tiefebene lowlands, plain
das Tiefland lowlands
*das Tier (Tiere) animal
*die Tinte (Tinten) ink
*der Tisch (Tische) table
*die Tochter (Töchter) daughter
der Tod death
*der Ton (Töne) sound, tone
der Tor (Toren) fool
das Tor (Tore) gate
tot dead
*töten to kill
die Tradition (Traditiónen) tradition
traditionéll traditional
*träge idle, lazy
*tragen (trägt), trug, getragen to carry
der Träger (Träger) carrier, disseminator, exponent
*trauen (*with dat.*) to trust
*trauern to mourn, grieve
traulich cosy
der Traum (Träume) dream
*träumen to dream
träumerisch dreamy
*treffen (trifft), traf, getroffen to meet, hit
trefflich splendid
*treiben, trieb, getrieben to drive
das Treiben activity
*trennen to separate
*treten (tritt), trat, ist getreten to step
*treu faithful, loyal
die Treue loyalty, fidelity
treuherzig sincere, naïve
treulos faithless, disloyal
der Trieb (Triebe) instinct, impulse
die Triebkraft (Triebkräfte) driving power
*trinken, trank, getrunken to drink

der Triumph (Triumphe) triumph
*trocken dry
trocken=legen to drain
der Tropfen (Tropfen) drop
*trösten to comfort
trotz (*prep. with gen.*) in spite of
*der Trotz defiance
trotzdem nevertheless
trotzen (*with dat.*) to defy
trotzig defiant, stubborn
die Trübsal (Trübsale) tribulation
der Trug deceit
die Truppe (Truppen) troop
tüchtig able, efficient
*tun (tut), tat, getan to do, make
*die Tür (Türen) door
die Turnübung (Turnübungen) physical training exercise

U

*üben to practice
*über (*prep. with dat. or acc.*) over, above, about
über . . . hinaus beyond
*überall everywhere
überblicken to survey
der Überfall (Überfälle) sudden attack
überfallen (überfällt), überfiel, überfallen to attack
überfüllt overcrowded
der Übergang (Übergänge) transition
*überhaupt in general
überlassen (überläßt), überließ, überlassen to leave (to)
überlegen superior
übernatürlich supernatural
übernehmen (übernimmt), übernahm, übernommen to take over
überreichen to hand
*übersetzen to translate
überstrahlen to outshine
übertreffen (übertrifft), übertraf, übertroffen to surpass
überwinden, überwand, überwunden to overcome
überzeugen to convince

*übrigens by the way
*das Ufer (Ufer) shore, bank
*die Uhr (Uhren) watch; o'clock
*um (*prep. with acc.*) around
um . . . willen (*prep. with gen.*) for the sake of
um . . . zu in order to
umfangen (umfängt), umfing, umfangen to surround
umfassen, umfaßte, umfaßt to embrace, comprise
umfassend comprehensive
*umgeben (umgibt), umgab, umgeben to surround
die Umgebung surroundings
umkreisen to circle
umliegend neighboring
umso so much the, all the
der Umstand (Umstände) circumstance
unabhängig independent
unbeachtet unnoticed
unbedeutend insignificant
die Unbefangenheit unconcern
unbefriedigt dissatisfied
unbewußt unconscious
*und and; und so weiter (usw.) etc.
die Uneinigkeit (Uneinigkeiten) discord
unerhört unheard of
unerträglich intolerable
unfruchtbar infertile
(das) Ungarn Hungary
ungünstig unfavorable
die Universität (Universitäten) university
unmöglich impossible
unnachahmlich inimitable
unrecht wrong
das Unrecht wrong; Unrecht antun to wrong
uns (*dat. or acc. of* wir) us
unser our
unsicher uncertain, unsafe
die Unsterblichkeit immortality
unten below, downstairs
*unter (*prep. with dat. or acc.*) under, beneath, among; *adj.* lower

unterbréchen (unterbricht), unterbrach, unterbrochen to interrupt

unterdrücken, unterdrückte, unterdrückt to suppress

die Unterdrückung suppression, oppression

untergehen, ging unter, ist untergegangen to go under, perish

fich **unterhálten** (unterhält), unterhielt, unterhalten to converse

unternéhmen (unternimmt), unternahm, unternommen to undertake

die Unternéhmung (Unternéhmungen) enterprise

der Unterricht instruction

***unterríchten** to instruct

unterschéiden, unterschied, unterschieden to distinguish

der Unterschied (Unterschiede) difference

unterschréiben, unterschrieb, unterschrieben to sign

unterstützen, unterstützte, unterstützt to support

die Unterstützung (Unterstützungen) support, assistance

untersúchen, untersuchte, untersucht to examine, investigate

der Untertan (des Untertans, die Untertanen) subject

unterwérfen (unterwirft), unterwarf, unterworfen to subjugate, subject

unübertroffen unsurpassed

unvergeßlich unforgettable

unverstellt unblocked, unobstructed

unwichtig unimportant

unzufrieden dissatisfied

die Urkraft (Urkräfte) primeval power

***der Ursprung** (Ursprünge) origin

***das Urteil** (Urteile) judgment

ufw. (und so weiter) etc.

B

***der Vater** (Väter) father

die Vaterstadt (Vaterstädte) home town

das Veilchen (Veilchen) violet

veráchten despise, disdain

die Veráchtung contempt

veranlassen, veranlaßte, veranlaßt to induce, cause

verbérgen (verbirgt), verbarg, verborgen to conceal, hide

fich **verbeugen** to bow

verbieten, verbot, verboten (*pers. obj. in dat.*) to prohibit

verbinden, verband, verbunden to connect

die Verbindung (Verbindungen) connection

fich **verbreiten** to spread

verbringen, verbrachte, verbracht to spend (*time*)

verdanken (*pers. obj. in dat.*) to owe, be indebted to

verderben (verdirbt), verdarb, verdorben to ruin

das Verderben ruin, destruction

***verdienen** to earn, deserve

das Verdienst (Verdienste) merit

verdoppeln to double

verdrängen to displace, supersede

verehren to revere

***der Verein** (Vereine) club, organization, society

vereinigen to unite

die Vereinigten Staaten United States

die Vererbung inheritance

***verfassen** to compose, write

verfolgen to pursue

vergangen *see* vergehen

***die Vergangenheit** past

vergeblich futile, in vain

vergehen, verging, ist vergangen to pass (*referring to time*)

***vergessen** (vergißt), vergaß, vergessen to forget

vergiften to poison

vergleichen, verglich, verglichen to compare; vergleichend comparative

***das Vergnügen** (Vergnügen) pleasure, enjoyment

das **Verhältnis** (Verhältnisse) relationship

verhindern to prevent

verkaufen to sell

der **Verkehr** traffic, communication

die **Verkörperung** (Verkörperungen) embodiment, incarnation

verkünden to announce, proclaim

***verlangen** to demand

das **Verlangen** desire

verlassen (verläßt), verließ, verlassen to leave

***verlieren**, verlor, verloren to lose

der **Verlobte** (die Verlobten) fiancé

verlocken to entice

*der **Verlust** (Verluste) loss

vermissen, vermißte, vermißt to miss

vernehmen (vernimmt), vernahm, vernommen to perceive, sense

die **Vernunft** reason

verraten (verrät), verriet, verraten to betray

verrichten to transact, do

der **Vers** (Verse) verse

versammeln to assemble

verschaffen to procure, gain

verschieden different

verschlossen reserved

verschneien to snow under

verschwinden, verschwand, ist verschwunden to disappear

***versprechen** (verspricht), versprach, versprochen to promise

die **Versprechung** (Versprechungen) promise

der **Verstand** intellect, reason

verständlich intelligible

das **Verständnis** (Verständnisse) understanding

***verstehen**, verstand, verstanden to understand

***versuchen** to try, attempt

die **Versuchung** (Versuchungen) temptation

verteidigen to defend

die **Vertiefung** depth (*of feeling*)

das **Vertrauen** confidence

vertraulich confidential

vertreiben, vertrieb, vertrieben to drive away

vertreten (vertritt), vertrat, vertreten to represent

verurteilen to condemn

die **Verwaltung** (Verwaltungen) administration

***verwandeln** to transform

***verwandt** related, kindred

der **Verwandte** (Verwandten) relative

verwirklichen to realize

verzeihen, verzieh, verziehen to forgive

*der **Vetter** (des Vetters, die Vettern) cousin (*male*)

***viel** much; viele many

***vielleicht** perhaps

***vier** four

***vierzehn** fourteen

***vierzig** forty

der **Vogel** (Vögel) bird

das **Vögelein** (Vögelein) little bird

*das **Volk** (Völker) nation, people

die **Volksgemeinschaft** (Volksgemeinschaften) national community

das **Volkslied** (Volkslieder) folk song

die **Volksschule** (Volksschulen) elementary school

die **Volkszählung** census

***voll** full

vollenden to complete

die **Vollendung** completion

***vollkommen** perfect

***vollständig** complete

vom = von dem

***von** (*prep. with dat.*) of, from; von . . . an (*or* ab) from . . . on

***vor** (*prep. with dat. or acc.*) before; (*with dat.*) ago

vor allem above all

***voraus** ahead

voraus-sagen, sagte voraus, vorausgesagt to predict

vorbei past; an (*dat.*) vorbei past

der **Vorbeimarsch** (Vorbeimärsche) parade

vorbéi=reiten, ritt vorbei, ift vorbeige=
ritten to ride past

vorbereiten, bereitete vor, vorbereitet
to prepare

die **Vorbereitung** (Vorbereitungen)
preparation

das **Vorbild** (Vorbilder) example

vorher previously

vorherrſchend predominant

vorig preceding

*vor=kommen, kam vor, ift vorgekom=
men to come forward; occur

vor=leſen (lieſt vor), las vor, vorgeleſen
to read aloud

vornehm distinguished

vor=nehmen (nimmt vor), nahm vor,
vorgenommen to take up

das **Vorrecht** (Vorrechte) privilege

der **Vorſchlag** (Vorſchläge) suggestion

*vor=ſchlagen (ſchlägt vor), ſchlug vor,
vorgeſchlagen to propose

vor=ſchreiben, ſchrieb vor, vorgeſchrieben
to prescribe

die **Vorſchrift** (Vorſchriften) regulation

(ſich) **vor=ſtellen,** ſtellte vor, vorgeſtellt
to present (oneself)

die **Vorſtellung** (Vorſtellungen) idea

*der **Vorteil** (Vorteile) advantage

der **Vortrag** (Vorträge) lecture, re-
cital

vorwärts=drängen to forge ahead

*vor=ziehen, zog vor, vorgezogen to
prefer

W

*wachen to be awake; guard

*wachſen (wächſt), wuchs, ift gewachſen
to grow

*die **Waffe** (Waffen) weapon

*wagen to venture

*der **Wagen** (Wagen) carriage, car

die **Wahl** (Wahlen) choice

*wählen to choose

die **Wahlverwandtſchaften** *pl.* elective
affinities

*wahr true

*während (*prep. with gen.*) during;
conj. while, whereas

wahrhaftig truly

die **Wahrheit** (Wahrheiten) truth

*wahrſcheinlich probable

*der **Wald** (Wälder) forest

das **Waldtal** (Waldtäler) wooded
valley

*die **Wand** (Wände) wall

wandern to hike, wander

die **Wanderung** (Wanderungen) hiking
trip

die **Wange** (Wangen) cheek

wann when, at what time

*die **Ware** (Waren) merchandise

*warm warm

wärmen to warm

(das) **Warſchau** Warsaw

*warten (auf *with acc.*) to wait (for)

der **Warteſaal** (Warteſäle) waiting
room

*warúm why

was what, that which, which

*das **Waſſer** (Waſſer) water

*wechſeln to change, exchange

*weder ... noch neither ... nor

*der **Weg** (Wege) road

*weg away, off

wegen (*prep. with gen.*) on account of

weg=laſſen (läſt weg), ließ weg, wegge=
laſſen to eliminate

wehen to blow

die **Wehmut** melancholy

*das **Weib** (Weiber) wife, woman

weich soft, gentle

weichen, wich, ift gewichen (*with dat.*)
to yield, give way

ſich **weigern** to refuse

*die **Weihnachten** *pl.* Christmas

das **Weihnachtsfeſt** Christmas festival

*weil *conj.* because

*die **Weile** while

*der **Wein** (Weine) wine

der **Weinberg** (Weinberge) vineyard

*weinen to weep

*die **Weiſe** (Weiſen) melody; way

*weiſe wise

*weiß white
*weit far, distant, wide, broad
*welcher, welche, welches which
*die Welt (Welten) world
der Weltweise (Weltweisen) sage
wem (*dat. of* wer) to whom
wen (*acc. of* wer) whom
*(sich) wenden, wandte, gewandt to turn (around)
die Wendung (Wendungen) turn
*wenig little; wenige few
wenigstens at least
*wenn when, if
wer who, whoever
*werden (wird), wurde, ist geworden to become
*werfen (wirft), warf, geworfen to throw
*das Werk (Werke) work
der Wert (Werte) value
wert worth
wertlos worthless
wertvoll valuable
*das Wesen (Wesen) being, creature; system
die Weser *a river in Germany*
weshalb on what account, why
wessen (*gen. of* wer) whose
*der Westen west
*das Wetter weather
der Wettkampf (Wettkämpfe) contest
Wetzlar *city north of Frankfort*
*wichtig important
die Wichtigkeit importance
*wider (*prep. with acc.*) against
widmen to dedicate, devote
*wie how, as, like
*wieder again
*wiederholen, wiederholte, wiederholt to repeat
das Wiedersehen reunion
*die Wiese (Wiesen) meadow
*wild wild
die Wildnis (Wildnisse) wilderness
der Wille (des Willens) will
willig willing
*der Wind (Winde) wind

*der Winter (Winter) winter
der Wipfel (Wipfel) treetop
wir we
wird *see* werden
*wirken to work; practice a profession
*wirklich real
*der Wirt (Wirte) innkeeper
wirtschaftlich economic
*wissen (weiß), wußte, gewußt to know
das Wissen knowledge
die Wissenschaft (Wissenschaften) science; die schönen Wissenschaften belles-lettres
*wo where
*die Woche (Wochen) week
wohin to what place
das Wohl welfare
*wohl indeed, probably, well
wohlbekannt well known
wohlhabend well-to-do
*wohnen to live
die Wolga Volga
*die Wolke (Wolken) cloud
*die Wolle wool
*wollen (will), wollte, gewollt to want to, intend
*das Wort (Worte *or* Wörter) word
das Wunder (Wunder) miracle
das Wunderkind (Wunderkinder) prodigy
*sich wundern to wonder, be surprised
wunderschön wonderful, wondrous, fair
wundervoll wonderful
der Wunsch (Wünsche) wish
*wünschen to wish
*die Würde (Würden) dignity
wurde *see* werden
würdig worthy, dignified
*die Wurzel (Wurzeln) root

3

die Zahl (Zahlen) number
*zählen to count

die Zahlung (Zahlungen) payment
*zahm tame
zähmen to tame
*zart tender, delicate
der Zauber charm, magic
der Zauberer (Zauberer) magician
*zehn ten
*das Zeichen (Zeichen) sign
*zeichnen to draw, sketch
*zeigen to show
*die Zeit (Zeiten) time
das Zeitalter (Zeitalter) era
zeitlich temporal
*die Zeitung (Zeitungen) newspaper
die Zelle (Zellen) cell
das Zentrum (Zentren) center
zerbrechen (zerbricht), zerbrach, zerbrochen to break in two
zerstören to destroy
der Zettel (Zettel) piece of paper
das Zeug stuff
*der Zeuge (Zeugen) witness
*ziehen, zog, gezogen (*trans.*) to draw; raise; (*intrans.*) (ist gezogen) go, move
*das Ziel (Ziele) aim, goal
*ziemlich rather
*das Zimmer (Zimmer) room
zittern to tremble
der Zoll (Zölle) toll, duty
der Zoll inch
der Zorn anger
zornig angry
*zu (*prep. with dat.*) to, toward; *adv.* too
zu=bringen, brachte zu, zugebracht to spend (*time*)
zuerst at first

*der Zufall (Zufälle) chance, coincidence
zufällig by chance
*zufrieden satisfied
*der Zug (Züge) train, procession
*zugleich at the same time
die Zugspitze *high mountain peak in Germany*
*die Zukunft future
zuliebe (*follows dat.*) to please
zum = zu dem
*zu=machen to close
*zunächst first of all
die Zunge (Zungen) tongue
zur = zu der
*zurück back
die Zurückhaltung reserve
*zurück=kehren, kehrte zurück, ist zurückgekehrt to return
zurück=lassen (läßt zurück), ließ zurück, zurückgelassen to leave behind
*zusammen together
zusammen=fassen to sum up
die Zuschauermenge (Zuschauermengen) crowd of spectators
*der Zustand (Zustände) condition
der Zutritt access
zu=wenden, wandte zu, zugewandt to turn to
*zwanzig twenty
*zwar *adv.* to be sure, it is true
*der Zweck (Zwecke) purpose
*zwei two
*der Zweifel (Zweifel) doubt
*der Zweig (Zweige) twig
*zwingen, zwang, gezwungen to force
*zwischen (*prep. with dat. or acc.*) between
*zwölf twelve

ENGLISH–GERMAN VOCABULARY

A

able tüchtig
abolish beseitigen; (*suppress*) unter=
drücken
about ungefähr; über (*with acc.*)
accept an=nehmen (nimmt an), nahm
an, angenommen
accident das Unglück
according to nach (*with dat.*)
account: on — of wegen (*with gen.*)
accustomed gewohnt
achieve leisten
admire bewundern
admirer der Bewunderer (Bewunderer)
adventure das Abenteuer (Abenteuer)
afraid: to be —, sich fürchten
after *prep.* nach (*with dat.*); *conj.*
nachdem
afternoon der Nachmittag (Nachmit=
tage)
again wieder
against gegen (*with acc.*)
age das Alter, das Zeitalter (Zeitalter)
ago vor (*with dat.*)
aim das Ziel (Ziele)
air die Luft (Lüfte)
air travel der Luftverkehr
all *pl.* alle
allow lassen (läßt), ließ, gelassen
almost fast
alone allein
already schon
also auch
although obgleich
always immer
among unter (*with dat. or acc.*)
answer antworten (*pers. obj. in dat.*);
die Antwort (Antworten)
any irgend ein; not —, kein

appear erscheinen, erschien, ist erschienen
appreciate schätzen
army das Heer (Heere); — of
peasants das Bauernheer
around um (*with acc.*)
arouse erwecken
arrive an=kommen, kam an, ist ange=
kommen
art die Kunst (Künste)
artisan der Handwerker (Handwerker)
artist der Künstler (Künstler)
ask fragen; (*request*) bitten, bat,
gebeten; — for bitten um
assemble versammeln
assert behaupten
astronomer der Astronom (Astro=
nomen)
at an (*with dat. or acc.*); bei (*with dat.*)
at first zuerst
at once sogleich
attack überfallen (überfällt), überfiel,
überfallen
attain erreichen; (*obtain*) erlangen
attempt versuchen; der Versuch (Ver=
suche)
attend besuchen
aunt die Tante (Tanten)
Austria (das) Österreich, die Ostmark
auto das Auto (Autos)
available frei
avoid vermeiden, vermied, vermieden
away fort

B

back zurück; der Rücken (Rücken)
bank (*shore*) das Ufer (Ufer)
bath das Bad (Bäder)
bear ertragen (erträgt), ertrug, er=
tragen
beautiful schön

beauty die Schönheit (Schönheiten)

because weil

become werden (wird), wurde, ist geworden

before *prep.* vor (*with dat. or acc.*); *conj.* ehe; *adv.* vorher

begin beginnen, begann, begonnen

behind hinter (*with dat. or acc.*)

believe glauben

belong gehören

better besser

between zwischen (*with dat. or acc.*)

blind blenden

boat das Boot (Boote), das Schiff (Schiffe)

book das Buch (Bücher)

border die Grenze (Grenzen)

border on grenzen an (*with acc.*)

both beide

boy der Knabe (Knaben)

breakfast frühstücken; das Frühstück (Frühstücke)

breast die Brust (Brüste)

brilliant glänzend

bring bringen, brachte, gebracht

brisk munter

brother der Bruder (Brüder)

build bauen

buy kaufen

by von (*with dat.*)

bygone vergangen

C

call rufen, rief, gerufen; nennen, nannte, genannt

camp das Lager (Lager)

capable fähig

capital die Hauptstadt (Hauptstädte)

capture gefangen=nehmen

car der Wagen (Wagen)

care to wollen, mögen

carriage der Wagen (Wagen)

carry tragen (trägt), trug, getragen

carry out aus=führen

cast werfen (wirft), warf, geworfen

castle das Schloß (Schlösser)

catch (a) cold sich erkälten

catch sight of erblicken (*with acc.*)

cathedral der Dom (Dome)

center der Mittelpunkt (Mittelpunkte)

century das Jahrhundert (Jahrhunderte)

certain gewiß

chapel die Kapelle (Kapellen)

character der Charakter (Charaktere)

charm der Zauber; bezaubern

chat plaudern

cheer jubeln

child das Kind (Kinder)

choice die Wahl

choose wählen

church die Kirche (Kirchen)

church tower der Kirchturm (Kirchtürme)

citadel die Burg (Burgen)

citizen der Bürger (Bürger)

city die Stadt (Städte)

claim wollen

class die Klasse (Klassen)

clergyman der Geistliche (die Geistlichen)

climb steigen, stieg, ist gestiegen

close eng

coach der Wagen (Wagen)

cold kalt; **to feel** —, frieren, fror, gefroren

collect sammeln

colonist der Kolonist (Kolonisten)

come kommen, kam, ist gekommen

come toward entgegen=kommen, kam entgegen, ist entgegengekommen (*with dat.*)

comfortable bequem

common einfach

community die Gemeinschaft (Gemeinschaften)

company die Gesellschaft (Gesellschaften)

compare vergleichen, verglich, verglichen

compose dichten

composer der Komponist (Komponisten)

comprise umfassen

comrade der Kamerad (Kameraden)

conceit der Eigendünkel

concern die Sorge (Sorgen)

concert hall der Konzertsaal (Konzertsäle)

condemn to death zum Tode verurteilen

condition die Lage (Lagen)

confess bekennen, bekannte, bekannt

consider halten für (hält), hielt, gehalten; an-sehen (sieht an), sah an, angesehen (als)

contribute bei-tragen (trägt bei), trug bei, beigetragen

corner die Ecke (Ecken)

correct richtig

correspond entsprechen (entspricht), entsprach, entsprochen

costly kostbar

count der Graf (Grafen)

country das Land (Länder)

courage der Mut

course: of —, natürlich

court der Hof (Höfe)

courteous höflich

cousin (*fem.*) die Kusine (Kusinen)

create schaffen, schuf, geschaffen

creative schöpferisch

crown die Krone (Kronen)

cultural kulturell

culture die Kultur (Kulturen)

cunning schlau

custom die Sitte (Sitten)

Czechoslovakia die Tschechoslowakei

D

damage der Schaden (Schäden)

dare wagen

day der Tag (Tage)

deal der Handel

December der Dezember

decide entscheiden, entschied, entschieden; sich entschließen, entschloß, entschlossen

decision die Entscheidung (Entscheidungen)

declare erklären

decorate schmücken

decrease sinken, sank, ist gesunken

defeat die Niederlage (Niederlagen)

defend verteidigen

delicate zart

demand verlangen

Denmark (das) Dänemark

depict beschreiben, beschrieb, beschrieben

describe beschreiben, beschrieb, beschrieben

desire das Verlangen

despise verachten

despotism der Despotismus

determine bestimmen

determined entschlossen

develop entwickeln

development die Entwicklung (Entwicklungen)

devote widmen

die sterben (stirbt), starb, ist gestorben

differ sich unterscheiden, unterschied, unterschieden

difference der Unterschied (Unterschiede)

difficult schwer

dirty schmutzig

disappear verschwinden, verschwand, ist verschwunden

discover entdecken

distinguish (*differentiate*) unterscheiden, unterschied, unterschieden; (*excel*) sich auszeichnen

distinguished vornehm

disturb beunruhigen

divide teilen

do machen; tun (tut), tat, getan

dominate beherrschen

downstairs unten

drama das Drama (Dramen)

dress kleiden

drive fahren (fährt), fuhr, ist gefahren

duke der Herzog (Herzoge)

during während (*with gen.*)

E

each jeder; — other einander

early früh

easy leicht

eat essen (ißt), aß, gegessen

eat breakfast frühstücken

economic wirtschaftlich

educate erziehen, erzog, erzogen

educated gebildet

education die Bildung

egg das Ei (Eier)

elector der Kurfürst (Kurfürsten)

elementary school die Volksschule (Volksschulen)

emaciated ausgehungert

emigrate auswandern (ist ausgewandert)

emperor der Kaiser (Kaiser)

empress die Kaiserin (Kaiserinnen)

end das Ende (des Endes, die Enden)

enemy der Feind (Feinde)

energy die Energie (Energien)

engagement die Verlobung (Verlobungen)

Englishman der Engländer (Engländer)

enjoy genießen, genoß, genossen

enough genug

enter ein=treten (tritt ein), trat ein, ist eingetreten (in with acc.)

entire ganz

entrance der Eingang (Eingänge)

era das Zeitalter (Zeitalter)

especially besonders

establish gründen

estate das Gut (Güter)

etc. und so weiter, usw.

Europe (das) Europa

even sogar; — more noch mehr

even though wenn . . . auch

evening der Abend (Abende); this —, heute abend

ever je

every jeder

everybody jeder

everything alles

exact exakt, genau

excellent ausgezeichnet

existence: come into —, entstehen, entstand, entstanden

expensive teuer

experience erleben; die Erfahrung (Erfahrungen)

explain erklären

express aus=drücken

extraordinary außerordentlich

eye das Auge (des Auges, die Augen)

F

faithful treu

fall fallen (fällt), fiel, ist gefallen

fame der Ruhm

family die Familie (Familien)

famous berühmt

far weit

farmer der Bauer (des Bauers, die Bauern)

fascinate bezaubern

fast schnell

father der Vater (Väter)

favorite beliebt

feel fühlen

feeling das Gefühl (Gefühle)

fellow der Bursche (Burschen)

festival das Fest (Feste)

fetch holen

few wenige; a —, einige

field das Feld (Felder); (area) das Gebiet (Gebiete)

fight kämpfen

finally endlich

find finden, fand, gefunden

fine schön

finished fertig

fire das Feuer (Feuer)

first adj. der erste

first: at —, zuerst

flag die Fahne (Fahnen)

flame die Flamme (Flammen)

flee fliehen, floh, ist geflohen

flow fließen, floß, ist geflossen

flower die Blume (Blumen)

follow folgen (ist gefolgt) (with dat.)

food das Essen; (fodder) das Futter

foot der Fuß (Füße)

for prep. für (with acc.); conj. denn

foreign fremb

forget vergeſſen (vergißt), vergaß, vergeſſen

forced: to be —, müſſen, mußte, gemußt

forest ber Walb (Wälber)

form bilben; bie Form (Formen)

former(ly) früher

found grünben

fountain ber Brunnen (Brunnen)

fox ber Fuchs (Füchſe)

France (bas) Frankreich

Fred Fritz; **Frederick** Friebrich

free frei

free befreien

freedom bie Freiheit

French Revolution bie Franzöſiſche Revolution

frequent häufig

fresh friſch

friend ber Freunb (Freunbe)

from von (with dat.)

futile vergeblich

future zukünftig

G

game bas Spiel (Spiele)

garden ber Garten (Gärten)

gate bas Tor (Tore)

gay luſtig

genius bas Genie (Genies)

gentle ſanft, leiſe

gentleman ber Herr (bes Herrn, bie Herren)

German beutſch

Germany (bas) Deutſchlanb

girl bas Mäbchen (Mäbchen)

give geben (gibt), gab, gegeben

glad froh

go gehen, ging, iſt gegangen

goal bas Ziel (Ziele)

golden golben

good gut

goods bie Ware (Waren)

govern regieren

government bie Regierung (Regierungen)

great groß; **a — deal** viel

grow wachſen (wächſt), wuchs, iſt gewachſen; werben, wurbe, iſt geworben

guess raten (rät), riet, geraten

guidance bie Führung

guide ber Führer (Führer)

guilt bie Schulb

H

half halb

hall ber Saal (Säle)

hand bie Hanb (Hänbe)

hard hart

happen geſchehen (geſchieht), geſchah, iſt geſchehen

hardly kaum

head bas Haupt (Häupter)

hear hören

heart bas Herz (bes Herzens, bie Herzen)

help helfen (hilft), half, geholfen (with dat.)

here hier

herself ſelbſt

high hoch

hike wanbern (iſt gewanbert)

hiking trip bie Wanberung (Wanberungen)

hill ber Hügel (Hügel)

him ihn

himself ſelbſt

hired man ber Knecht (Knechte)

history bie Geſchichte

hold (celebration) ab=halten (hält ab), hielt ab, abgehalten

honor bie Ehre (Ehren)

hope hoffen; bie Hoffnung (Hoffnungen)

horse bas Pferb (Pferbe)

horse dealer Pferbehänbler (Pferbehänbler)

hotel bas Hotel (Hotels)

hour bie Stunbe (Stunben)

house bas Haus (Häuſer)

how wie

however aber

hunger der Hunger
hungry hungrig

I

idea der Gedanke (des Gedankens, die Gedanken)
ill krank
image das Bild (Bilder)
immigrant der Einwanderer (Einwanderer)
important wichtig
impression der Eindruck (Eindrücke)
inch der Zoll
increase zu=nehmen (nimmt zu), nahm zu, zugenommen
indebted: to be —, schulden (with dat.)
independent unabhängig
indignation die Entrüstung (Entrüstungen)
individual einzeln
industry die Industrie (Industrien)
injustice das Unrecht; to do —, Unrecht an=tun
instance: for —, zum Beispiel
instead statt (with gen.)
institution die Einrichtung (Einrichtungen)
instruct unterrichten
intellect der Verstand
intellectual geistig
intend wollen
interest interessieren; to be interested in sich interessieren für; das Interesse (Interessen)
interesting interessant
interior das Innere
introduce ein=führen
invite ein=laden (lädt ein), lud ein, eingeladen
Italy (das) Italien

J

jealous eifersüchtig
journey die Reise (Reisen)

joy die Freude (Freuden)
July der Juli
June der Juni
just eben
justice die Gerechtigkeit

K

keen rege
kill ermorden
kind die Art (Arten); what — of was für
kindle entzünden
king der König (Könige)
kneel knie[e]n
knight der Ritter (Ritter)
know kennen, kannte, gekannt; wissen (weiß), wußte, gewußt
known bekannt

L

lad der Bursche (Burschen)
lake der See (des Sees, die Seen)
lane die Bahn (Bahnen)
language die Sprache (Sprachen)
large groß
last letzt—; dauern
late spät
latter der letztere, dieser
law das Gesetz (Gesetze)
lawyer der Advokat (Advokaten)
lead führen
leader der Führer (Führer)
league der Bund (Bünde)
leap springen, sprang, ist gesprungen
learn lernen
least: at —, wenigstens
leave verlassen (verläßt), verließ, verlassen; lassen (läßt), ließ, gelassen
leg das Bein (Beine)
let see allow
letter der Brief (Briefe)
liberal freiheitlich
lie liegen, lag, gelegen
life das Leben
light das Licht (Lichter)

like mögen (mag), mochte, gemocht;
  gern (haben)
line die Linie (Linien)
literature die Literatur
little klein
live wohnen
lively lebhaft
load die Last (Lasten)
lonely einsam
long lang
longer: no —, nicht mehr
longing die Sehnsucht (Sehnsüchte)
look blicken
look at an=sehen (sieht an), sah an, an=
  gesehen
look for suchen
lose verlieren, verlor, verloren
love lieben; die Liebe
lovely lieblich
low niedrig
loyal treu

M

man der Mensch (Menschen)
manner die Art (Arten), die Weise
  (Weisen)
many viele
map die Landkarte (Landkarten)
march ziehen, zog, ist gezogen
market place der Marktplatz (Markt=
  plätze)
master der Meister (Meister)
mathematical mathematisch
May der Mai
mayor der Bürgermeister (Bürger=
  meister)
meal die Mahlzeit (Mahlzeiten)
mean bedeuten
means das Mittel (Mittel)
means of communication das Ver=
  kehrsmittel
meet begegnen (with dat.)
melancholy die Wehmut
merchant Kaufmann (Kaufleute)
messenger der Bote (Boten)
middle die Mitte

mighty mächtig
minute die Minute (Minuten)
miracle das Wunder (Wunder)
modern modern
money das Geld (Gelder)
month der Monat (Monate)
mood die Stimmung (Stimmungen)
more mehr
most adj. die meisten; adv. am meisten
mother die Mutter (Mütter)
motion die Bewegung (Bewegungen)
motorist der Autofahrer (Autofahrer)
mount besteigen, bestieg, bestiegen
mountain der Berg (Berge)
much viel
Munich München
murder ermorden
music die Musik
musical musikalisch
musician der Musiker (Musiker)

N

naïve treuherzig
name nennen, nannte, genannt; der
  Name (des Namens, die Namen)
nation das Volk (Völker)
nature die Natur (Naturen)
near bei (with dat.)
need brauchen
neighbor der Nachbar (des Nachbars,
  die Nachbarn)
Netherlands die Niederlande
never nie
new neu
next to neben (with dat. or acc.)
niece die Nichte (Nichten)
night die Nacht (Nächte)
no nein; (before nouns) kein
no longer nicht mehr
nobleman der Junker (Junker)
nobody niemand
normal school das Lehrerseminar
  (Lehrerseminare)
not yet noch nicht
now jetzt
number die Zahl (Zahlen)

O

obstacle das Hindernis (Hindernisse)
occasion die Gelegenheit (Gelegen=
heiten)
offer bieten, bot, geboten; das Angebot
(Angebote)
official der Beamte (die Beamten)
often oft
old alt
olympic olympisch
once: — **more** noch einmal; **at** —,
gleich
one ein
only *adj.* einzig; *adv.* nur
open öffnen; *adj.* offen
opera die Oper (Opern)
opera house das Opernhaus (Opern=
häuser)
opportunity die Gelegenheit (Gelegen=
heiten)
order bestellen; (*command*) befehlen
(befiehlt), befahl, befohlen (*with dat.*);
in — **to** um zu
Orient das Morgenland
other ander=
out of aus (*with dat.*)
outside außerhalb (*with gen.*)
outstanding hervorragend
own eigen

P

park der Park (Parke)
part die Rolle (Rollen); der Teil
(Teile); **in** —, zum Teil
participate mit=machen
pass (*time*) vergehen, verging, ver=
gangen
past vergangen
pay bezahlen
peak die Spitze (Spitzen)
peculiar eigen
people die Leute, man
perfect vollkommen
perform auf=führen
perhaps vielleicht
permission die Erlaubnis

personal persönlich
personality die Persönlichkeit (Persön=
lichkeiten)
pessimistic pessimistisch
philosopher der Philosoph (Phi=
losophen)
physical körperlich
physical training (die) Leibesübungen
physicist der Physiker (Physiker)
pistol die Pistole (Pistolen)
place legen, setzen; der Platz (Plätze);
(*spot*) die Stelle (Stellen)
plain einfach
plan planen; der Plan (Pläne)
plate der Teller (Teller)
play spielen; das Schauspiel (Schau=
spiele)
pleasant angenehm
please gefallen (gefällt), gefiel, ge=
fallen
pocket die Tasche (Taschen)
poem das Gedicht (Gedichte)
poet der Dichter (Dichter)
poetic dichterisch
poison das Gift (Gifte)
Poland (das) Polen
polite höflich
political politisch
popular beliebt
possess besitzen, besaß, besessen
poverty die Armut
power die Macht (Mächte)
powerful mächtig
prepare vor=bereiten, bereitete vor, vor=
bereitet
preserve bewahren
prestige das Ansehen
price der Preis (Preise)
prince der Fürst (Fürsten)
prison das Gefängnis (Gefängnisse)
prisoner: to take —, gefangen=nehmen
private privat
prize der Preis (Preise)
probably wohl
procure verschaffen
produce hervor=bringen, brachte hervor,
hervorgebracht; — (*a play*) auf=führen

promise versprechen (verspricht), versprach, versprochen; die Versprechung (Versprechungen)
property das Eigentum
proposition der Vorschlag (Vorschläge)
proud stolz
prove beweisen, bewies, bewiesen
provisions die Lebensmittel (*pl.*)
Prussia (das) Preußen
public öffentlich
pupil der Schüler (Schüler)
purpose der Zweck (Zwecke)
pursue verfolgen

Q

quality die Eigenschaft (Eigenschaften)
question die Frage (Fragen)
quick schnell
quite ganz

R

railway die Eisenbahn (Eisenbahnen)
railway station der Bahnhof (Bahnhöfe)
rain regnen
rapid schnell
rather lieber, eher
reach erreichen
reactionary reaktionär
read lesen (liest), las, gelesen
real wirklich
realize verwirklichen
reason der Grund (Gründe); die Vernunft
receive bekommen, bekam, bekommen; empfangen, empfing, empfangen
recognize erkennen, erkannte, erkannt; an-erkennen, erkannte an, anerkannt
record auf-schreiben, schrieb auf, aufgeschrieben
record der Rekord (Rekorde)
recover sich erholen
regular regelmäßig
rejoice sich freuen
remain bleiben, blieb, ist geblieben
remark bemerken
remember sich erinnern an (*with acc.*)

replace ersetzen
reply antworten (*with dat.*)
represent vertreten (vertritt), vertrat, vertreten
resist widerstehen, widerstand, widerstanden (*obj. in dat.*)
resolve sich entschließen, entschloß, entschlossen
rest ruhen
result das Ergebnis (Ergebnisse)
return zurück-kehren, kehrte zurück, ist zurückgekehrt
return trip die Rückreise (Rückreisen)
reveal offenbaren
revenue die Einnahme (Einnahmen)
revolutionary revolutionär
reward belohnen; der Lohn (Löhne)
rich reich
riddle das Rätsel (Rätsel)
ride die Fahrt (Fahrten)
ride (**on horseback**) reiten, ritt, ist geritten
right recht; to be —, recht haben; das Recht (Rechte)
ring der Ring (Ringe)
river der Fluß (Flüsse)
road der Weg (Wege), die Straße (Straßen)
robber der Räuber (Räuber)
rock der Fels (des Felsens, die Felsen)
romantic romantisch
roof das Dach (Dächer)
room das Zimmer (Zimmer)
royal königlich
rule beherrschen; die Regel (Regeln)
run laufen, lief, ist gelaufen; der Lauf (Läufe)
Russia (das) Rußland
Russian der Russe (Russen)

S

sad traurig
safety die Sicherheit
saint der Heilige (die Heiligen)
salary das Gehalt (Gehälter)
same: the —, derselbe

Saturday der Samstag (Samstage)

Saxony (das) Sachsen

say sagen

school die Schule (Schulen)

scientist der Naturforscher (Naturforscher)

seat der Sitz (Sitze)

second die Sekunde (Sekunden); **the —**, der zweite

secondary school die Mittelschule (Mittelschulen)

secret heimlich; das Geheimnis (Geheimnisse)

secure sicher

see sehen (sieht), sah, gesehen

sell verkaufen

sentence to death zum Tod verurteilen

separate trennen

serious ernst; **seriously** ernstlich

serve dienen (*with dat.*)

service der Dienst (Dienste)

set on fire an=zünden

set up auf=stellen

settle sich nieder=lassen (läßt sich nieder), ließ sich nieder, sich niedergelassen

several mehrere

shore das Ufer (Ufer)

short kurz

show zeigen

shrewd schlau

side: on the other —, jenseits (*with gen.*)

significance die Bedeutung (Bedeutungen)

similar ähnlich

simple einfach

since (*conj.*) da

sing singen, sang, gesungen

sink sinken, sank, ist gesunken

sister die Schwester (Schwestern)

sit sitzen, saß, gesessen; **— down** sich setzen

situation die Lage (Lagen)

sleep schlafen (schläft), schlief, geschlafen

Slovakia die Slowakei

small klein

social gesellschaftlich

soldier der Soldat (Soldaten)

solitude die Einsamkeit (Einsamkeiten)

some einige

somebody jemand

something etwas

sometimes manchmal

son der Sohn (Söhne)

song das Lied (Lieder)

soon bald

sorry: I am —, es tut mir leid

soul die Seele (Seelen)

source die Quelle (Quellen)

south der Süden

southern südlich

sovereign der Fürst (Fürsten)

sparkling funkelnd

speak sprechen (spricht), sprach, gesprochen

special besonder—

speed die Geschwindigkeit (Geschwindigkeiten)

spend (*time*) verbringen, verbrachte, verbracht

splendid herrlich

spirit der Geist (Geister)

spite: in — of trotz (*with gen.*)

spot der Ort (Örter), die Stelle (Stellen)

stand stehen, stand, gestanden

star der Stern (Sterne)

state der Staat (des Staates, die Staaten)

statesman der Staatsmann (Staatsmänner)

station die Station (Stationen)

stay bleiben, blieb, ist geblieben; der Aufenthalt (Aufenthalte)

steady stetig

steep steil

still noch

stingy geizig

story die Geschichte (Geschichten)

stranger der Fremde (die Fremden)

strength die Kraft (Kräfte)

strict streng

strip der Streifen (Streifen)

strong ſtark

student der Student (Studenten)

study ſtudieren, lernen; das Studium (Studien)

subject der Untertan (Untertanen)

subject unterwerfen, unterwarf, unter= worfen

succeed gelingen, gelang, iſt gelungen (*impers. with dat.*)

successful erfolgreich

suggestion der Vorſchlag (Vorſchläge)

suitcase der Koffer (Koffer)

summer der Sommer (Sommer)

Sunday der Sonntag (Sonntage)

superior überlegen

supervision die Aufſicht

support unterſtützen

suppress unterdrücken

sure: to be —, zwar

surprised: to be —, ſich wundern

Switzerland die Schweiz

system das Syſtem (Syſteme)

T

take nehmen (nimmt), nahm, ge= nommen

take over übernehmen (übernimmt), übernahm, übernommen

talent das Talent (Talente)

teach lehren

teacher der Lehrer (Lehrer)

tell ſagen, erzählen

temperament das Temperament (Temperamente)

territory das Gebiet (Gebiete)

than als

that der, jener; *conj.* daß

then dann

there da, dort; — is es gibt, es iſt

therefore daher

thereupon darauf

thief der Dieb (Diebe)

think of denken an, dachte, gedacht (*with acc.*)

third der dritte

thought der Gedanke (des Gedankens, die Gedanken)

three drei

throne der Thron (Throne)

through durch (*with acc.*)

throw werfen (wirft), warf, geworfen

thus ſo

tie binden, band, gebunden

time die Zeit (Zeiten); das Mal (Male); at the same —, zugleich

tired müde

to zu (*with dat.*); an (*with dat. or acc.*); nach (*with dat.*)

today heute

toll der Zoll (Zölle)

tomorrow morgen

too auch

top der Gipfel (Gipfel), die Spitze (Spitzen)

tower der Turm (Türme)

town die Stadt (Städte)

trade der Handel

train aus=bilden; der Zug (Züge)

training die Ausbildung

train shed die Halle (Hallen)

transport der Transport (Transporte)

travel reiſen; fahren (fährt), fuhr, iſt gefahren; — by rail das Eiſenbahn= fahren

treasure der Schatz (Schätze)

treat behandeln

tree der Baum (Bäume)

tribe der Stamm (Stämme)

trip die Fahrt (Fahrten), die Reiſe (Reiſen)

triumph der Sieg (Siege)

true wahr

truly wirklich

trunk der Koffer (Koffer)

try verſuchen

type die Art (Arten)

U

understand verſtehen, verſtand, ver= ſtanden

unemployment die Arbeitsloſigkeit

unimportant unwichtig
unite vereinigen
United States die Vereinigten Staaten
university die Universität (Universitäten)
until bis; **not —,** erst
urge das Verlangen
us uns

V

vacant frei
valley das Tal (Täler)
value der Wert (Werte)
various verschieden
verdict der Richterspruch (Richtersprüche), das Urteil (Urteile)
very sehr
victor der Sieger (Sieger)
victory der Sieg (Siege)
view die Aussicht (Aussichten); die Ansicht (Ansichten)
village das Dorf (Dörfer)
vineyard der Weinberg (Weinberge)
visit besuchen; der Besuch (Besuche)

W

wait warten
wander wandern
war der Krieg (Kriege)
warm warm
watch die Uhr (Uhren)
waterway die Wasserstraße (Wasserstraßen)
way der Weg (Wege); die Weise (Weisen)
wealthy reich
week die Woche (Wochen)

welfare das Wohl
well gut; nun; **I am —,** es geht mir gut; **to become —,** gesund werden
what was
when wann, wenn, als
where wo
whereas während
whether ob
while *conj.* während
whole ganz
why warum
wide weit
wife die Frau (Frauen)
wilderness die Wildnis (Wildnisse)
willing bereit; **willingly** gern
win gewinnen, gewann, gewonnen
window das Fenster (Fenster)
wise weise
wish der Wunsch (Wünsche)
with mit (*with dat.*)
without ohne (*with acc.*)
woman die Frau (Frauen)
wonderful wundervoll
work arbeiten; das Werk (Werke), die Arbeit (Arbeiten)
worker der Arbeiter (Arbeiter)
world die Welt (Welten)
worthy würdig
wounded verwundet
write schreiben, schrieb, geschrieben
writer der Dichter (Dichter)
wrong unrecht

Y

year das Jahr (Jahre)
year-old jährig
yesterday gestern
young jung

INDEX